A dieta do abdômen para mulheres

DAVID ZINCZENKO
COM TED SPIKER

A dieta do abdômen para mulheres

Um método eficaz para deixar a barriga em forma, modelar o corpo e ter mais saúde e energia

SEXTANTE

ATENÇÃO: Este livro é uma obra de referência, e não um manual médico. As informações contidas aqui têm o objetivo de ajudar o leitor a tomar decisões conscientes sobre sua saúde, seu bem-estar e seu programa de exercícios. O propósito desta publicação não é substituir tratamentos nem orientações de profissionais das áreas médica e de condicionamento físico. Caso você suspeite de que tem um problema de saúde, nós o aconselhamos a consultar um médico. Busque a orientação e a aprovação desse profissional antes de dar início à dieta e ao programa de atividade física. As informações que apresentamos têm o propósito de complementar, e não de substituir um treinamento físico adequado. Como a prática de qualquer exercício envolve risco, declaramos que cabe ao leitor tomar todos os cuidados relativos à sua segurança, observando seus limites. Não se esforce além do seu nível de condicionamento físico e experiência. Observe também o estado de conservação dos equipamentos que vier a utilizar para evitar incidentes. A menção de determinadas empresas, organizações e autoridades neste livro não corresponde a uma recomendação do editor nem quer dizer que tais empresas, organizações e autoridades corroboram o conteúdo desta obra.

Título original: *The Abs Diet for Women*

Alguns trechos da edição em inglês deste livro já foram publicados nas revistas *Men's Health*, *Prevention* e *Women's Health*.

tradução
Ana Beatriz Rodrigues

preparo de originais
Valéria Inez Prest

revisão
Ana Grillo e Hermínia Totti

revisão técnica do programa de atividade física
Karla Tavares Vieira Pires

projeto gráfico
Marcia Raed

diagramação
DTPhoenix Editorial

adaptação da capa
Miriam Lerner

impressão e acabamento
Associação Religiosa Imprensa da Fé

CIP-BRASIL. CATALOGAÇÃO-NA-FONTE
SINDICATO NACIONAL DOS EDITORES DE LIVROS, RJ

Z67d Zinczenko, David
A dieta do abdômen para mulheres / David Zinczenko com Ted Spiker [tradução de Ana Beatriz Rodrigues]. Rio de Janeiro: Sextante, 2009.
il.

Tradução de: The abs diet for women
ISBN 978-85-7542-526-8

1. Exercícios para emagrecimento. 2. Exercícios abdominais. 3. Dietas de emagrecimento. 4. Exercícios físicos para mulheres. I. Título.

CDD: 613.712
09-5376 CDU: 613.7-055.2

GMT Editores Ltda.
Rua Voluntários da Pátria, 45 – Gr. 1.404 – Botafogo
22270-000 – Rio de Janeiro – RJ
Tel.: (21) 2286-9944 – Fax: (21) 2286-9244
E-mail: atendimento@esextante.com.br
www.sextante.com.br

Para as mulheres de todos os lugares que sabem quanto nós as amamos, precisamos delas e as admiramos.

Este é o próximo passo para que sejam mais felizes, tenham mais saúde e fiquem ainda mais em forma.

Sumário

PREFÁCIO

Quando o livro *A Dieta do Abdômen* foi lançado, eu disse: "Finalmente, uma dieta que se concentra no que a pessoa pode comer, e não no que ela deve cortar da alimentação." Agora, tenho o prazer de elogiar também *A Dieta do Abdômen para Mulheres*, um programa que aborda questões exclusivas do universo feminino – da TPM aos quilinhos extras adquiridos após o parto. Embasando todas as suas orientações em dados científicos, este livro é rico em conselhos práticos e realistas que você poderá adotar com facilidade no dia a dia.

Informativo e altamente esclarecedor, *A Dieta do Abdômen para Mulheres* também se destaca por seu estilo divertido e envolvente. Sei que David Zinczenko fez direitinho o dever de casa e descobriu o que é importante para as mulheres. O livro trata de assuntos específicos, como gravidez, amamentação e como perder de forma saudável o peso adquirido durante a gestação. Inclui um programa de exercícios pós-parto adequado a essa época tão especial na vida da mulher. Obviamente, aborda, ainda, a saúde óssea, a questão da alimentação dos filhos e os malefícios causados pelo estresse da vida moderna.

Hoje as mulheres querem saber mais sobre assuntos como os prós e os contras do vegetarianismo, e alguns problemas de saúde, como a síndrome do cólon irritável e a intolerância à lactose. Este livro discute todas essas questões. David ouviu também das mulheres que contar calorias é útil para elas. Por esse motivo – embora a dieta original não defenda uma restrição calórica rigorosa –, ele incluiu aqui um guia seguro e eficaz para contagem de calorias, destinado às pessoas que desejarem utilizar esse recurso. Apresentando ainda listas de compras, cardápios, receitas e exercícios com fotos, a Dieta do Abdômen ajuda qualquer mulher a chegar mais perto de suas metas em termos de peso e saúde.

É verdade que, sozinhos, os exercícios não são um meio eficaz de emagrecimento, porém sabemos que eles contribuem para a manutenção do peso. Além disso, nos ajudam a não sair dos trilhos, melhoram a autoestima e proporcionam mais saúde e bem-estar. Por isso, faz todo o sentido associar os exercícios da Dieta do Abdômen ao plano alimentar.

Diz uma piada que Deus fez Adão primeiro para praticar e, depois, aperfeiçoou Sua criação com Eva. A Dieta do Abdômen original é boa, mas, neste livro específico para mulheres, ela está ainda melhor.

– Heidi Skolnik, MS, CDN, FACSM,
especialista em emagrecimento da revista *Men's Health*

| INTRODUÇÃO |

Você tem um abdômen definido – isso mesmo, você

O PROGRAMA QUE VAI TRANSFORMAR SUA GORDURA EM MÚSCULOS

QUANDO VOCÊ PENSA EM UM ABDÔMEN DEFINIDO, é provável que imagine atletas e celebridades. Talvez se lembre de capas de revistas e comerciais de biquínis e calcinhas. Pode pensar em barriga de tanquinho ou em barriga de jacaré, tão dura que dá para quicar uma bola em cima. Seu lado cético talvez pense em lipoescultura, dietas de fome e em um programa de exercícios que consome tanto tempo que violaria as leis trabalhistas. Abdômen trabalhado, você presume, é coisa para artistas, supermodelos, lipoaspirados, esportistas, fisiculturistas, personal trainers, aberrações genéticas e pessoas que consideram o aipo uma deliciosa sobremesa.

Sua conclusão: você tem mais chance de conseguir escalar o monte Everest do que de exibir um abdômen definido.

Como editor de uma revista na área de saúde, posso garantir que você – por mais barriguda que esteja, por mais dietas que já tenha tentado ou por mais sedutor que seja o desafio de escalar o Everest – possui todas as condições de desenvolver um abdômen maravilhoso. Devo ressaltar que analiso informações sobre saúde e condicionamento físico, o que chamamos de *fitness*, da mesma forma que os corretores de valores avaliam o mercado. É meu dever descobrir as maneiras mais rápidas e eficientes para que você alcance tremendos ganhos com seu mais importante investimento: seu próprio corpo. Por isso, quando penso no abdômen definido, a única coisa que me interessa é a seguinte: como você poderá obtê-lo.

Compreendo sua luta. Você olha para baixo e vê uma protuberância gelatinosa implantada na sua barriga e nos seus quadris. No mesmo instante, imagina que sua época de ter um abdômen reto acabou assim que terminou o ensino médio ou depois de ter seu primeiro filho. Não acredite que os músculos abdominais se foram para sempre. Pense neles como aqueles primos em terceiro grau que você conheceu em uma reunião de família no passado. Lembra que os viu e por isso tem uma vaga recordação da sua aparência. No entanto, já se passou tanto tempo que não sabe mais onde poderia encontrá-los. Afinal, foram muitos anos sem nenhum contato. Apesar disso, o fato fisiológico persiste: você possui músculos abdominais.

A Dieta do Abdômen vai ajudá-la a reduzir a circunferência da sua cintura para que você possa descobrir onde estão esses músculos.

A obesidade é hoje um problema mundial. Nos Estados Unidos, por exemplo, 130 milhões de pessoas estão acima do peso ou são obesas, e o mesmo ocorre com cerca de 40% dos brasileiros adultos. Isso mostra que nunca houve um momento mais adequado para você se preocupar com seu peso, sua forma física e sua saúde. Sei que alguns críticos consideram a ideia de um abdômen definido um símbolo moderno da vaidade, mas emagrecer, perder medidas e vestir um manequim menor é mais do que apenas um modo de fomentar a indústria de espelhos.

Os músculos abdominais são os símbolos contemporâneos da boa forma física, pois constituem o maior indicador da saúde. É provável que você já tenha procurado antes por eles. Pode ser que tenha fracassado nas tentativas anteriores de emagrecer e talvez esteja sofrendo com o efeito sanfona. Sei pelo que você vem passando. Afinal, milhares de homens e mulheres partilham suas histórias com nossa revista. Contudo, estou familiarizado com sua luta por outro motivo: sei muito bem como é se sentir gordo.

Como um garoto que na década de 1980 passava a maior parte do dia sozinho porque o pai e a mãe trabalhavam fora, cometi todos os erros possíveis na minha alimentação. Comia sanduíches e alimentos gordurosos. Aos 14 anos, media 1,78m e pesava 96kg. Queria ter o corpo de um jogador de basquete; em vez disso, parecia a própria bola de basquete. E pagava o preço sofrendo um bombardeio incessante de zombarias e humilhações. Meu irmão mais velho, Eric, convidava os amigos para irem lá em casa apenas para me verem almoçar. "Não perturbem esse paquiderme", dizia Eric aos amigos. "Ele está se alimentando."

Herdei particularmente os hábitos alimentares do meu pai. Ele teve mais de 40kg de excesso de peso durante a maior parte da sua vida adulta. Com o passar do tempo, tornou-se hipertenso e diabético. Um infarto fulminante encerrou sua vida aos 52 anos. Morreu porque ignorou os muitos sintomas de saúde deficiente, sobretudo a quantidade de gordura no seu abdômen.

Mas eu tive sorte. Quando estava na Reserva da Marinha, os princípios da boa forma física me foram incutidos durante todo o período de treinamento. Na *Men's Health*, aprendi sobre a importância da nutrição apropriada e o perigo de carregar tanta gordura na barriga.

Essa gordura – a que aumenta a cintura – é a mais nociva entre todas as que estão presentes no corpo, e é por isso que neste livro enfatizo a necessidade de perdê-la, pois eliminá-la corresponde a mais tempo de vida. A gordura da barriga é classificada como visceral, isto é, está localizada por trás da parede abdominal e cerca os órgãos internos. Como funciona como uma via expressa para o coração e outros órgãos importantes, ela pode matar.

Se você quer mudar seu corpo para melhorar a saúde, a aparência, a disposição ou a atração sexual, a promessa da Dieta do Abdômen é simples: seguindo o programa, você transformará seu corpo de tal forma que poderá alcançar todos esses objetivos. Como benefício extra, esta dieta fará mais do que apenas melhorar sua vida: também irá salvá-la.

E, com esta edição especial – *A Dieta do Abdômen para Mulheres* –, você não conquistará apenas um corpo esguio. Aprenderá, ainda, a usar os princípios da Dieta do Abdômen especificamente a seu favor. Este programa considera seu estilo de vida, seus hormônios e o fato de que muitas mulheres têm que lidar com um fator biológico que os homens não precisam levar em conta: sua barriga cresce não apenas por causa dos excessos ocasionais de alimentos e bebidas, mas também por causa das criaturinhas que lá se aninham durante nove meses.

Quando você descobrir tudo o que pode ganhar com este programa, ficará evidente o que há de errado com a maioria das outras dietas: elas se concentram no que deve ser perdido. Creio que há uma razão psicológica fundamental para o fracasso de muitas delas: ninguém tem motivação para perder. Não gostamos de perder nenhuma oferta no supermercado. Não gostamos de perder a pele sem rugas. Não gostamos de perder os dentes. Não gostamos de perder a luta do corpo contra a gravidade. Não gostamos de perder coisa nenhuma. De certa forma, não apreciamos nem perder peso porque nos foi vendida a ideia de que maior é melhor. Em vez disso, estamos programados para ganhar. Queremos obter a melhor forma física. Queremos conquistar força. Queremos acrescentar alguma coisa à nossa vida, e não subtrair. Desejamos vencer – e ver os resultados.

Portanto, considere a Dieta do Abdômen uma mudança na maneira como você pensa sobre seu corpo e o emagrecimento. Este programa se concentra no que é possível ganhar e de que modo ganhar. Como resultado dessas conquistas – abdômen definido, tônus muscular, saúde, excelente vida sexual (falarei mais a respeito depois) –, você vai se livrar sem esforço da gordura corporal e mudar sua forma física para sempre.

Nenhum programa de perda de peso dá certo sem uma boa nutrição. Por isso, a alimentação é o principal foco da Dieta do Abdômen. Você aprenderá o que comer e como comer para fazer com que seu organismo queime gordura rapidamente. Além disso, saberá como controlar os desejos que ameaçam aumentar sua cintura. O programa gira em torno de "11 Alimentos Poderosos" (o que não significa que você deva se restringir a eles), que estão incluídos entre as melhores fontes de proteína, fibras e todos os outros ingredientes e nutrientes que ajudam a combater a gordura. Seguir a dieta com base nesses itens fará com que você desenvolva um novo corpo durante o processo.

No entanto, este programa de perda de peso alcança outro nível. Embora a nutrição continue a ser um dos principais componentes da maioria das dietas, muitas delas concentram-se apenas na mudança dos hábitos alimentares, isto é, em cortar carboidratos, acrescentar sopa de repolho, comer em um restaurante natural duas vezes por dia, etc. Com isso deixam de reconhecer um fator crucial no controle do peso: o fato de que o corpo possui um mecanismo natural de queima de gordura...

Os músculos.

Eles aceleram exponencialmente o processo de queima de gordura: cerca de 500g de músculos exigem que o corpo queime até 50 calorias extras por dia só para mantê-los. Agora, pense no que acontece quando alguns quilos de músculos são obtidos ao longo de um programa de dieta. O corpo precisará de centenas de calorias extras por dia apenas para alimentá-los. Em suma, você vai se livrar de praticamente 500g de gordura em poucas semanas sem fazer nada (e isso sem incluir os ganhos que terá mudando a alimentação). Quando estiver combinando os exercícios com os alimentos certos – os que mais promovem o desenvolvimento muscular, os que a mantêm saciada e os que lhe proporcionam um suprimento bem equilibrado de nutrientes –, terá atingido seu melhor momento, realizando exatamente o que este programa propõe.

Você vai modificar a forma do seu corpo livrando-se da gordura e deixando à mostra músculos tonificados.

Isso significa que a Dieta do Abdômen fará de você uma mulher corpulenta, masculinizada, com músculos exagerados? É claro que não. Esta dieta e o

Programa de Exercícios que a acompanha proporcionam um corpo esguio e tônus muscular – e não músculos volumosos.

Voltando à questão do investimento, pense nos seus músculos como juros compostos. Se você aplicar 100 reais em um fundo de alta rentabilidade e acrescentar um pouco mais a cada mês, o investimento vai crescer até alcançar meio milhão de reais ou mais. Mas você próprio terá investido apenas uma

A palavra "dieta" soa como um palavrão

Com toda a sinceridade, detestei ter que dizer que este é um livro de dieta. Por um motivo: a palavra "dieta" foi distorcida de tal maneira que passou a representar algo que alguém adota temporariamente - você "está" de dieta. Mas quem está de dieta acaba saindo dela. E é por isso que a maioria desses regimes alimentares não funciona.

Quase todos eles estabelecem que é preciso comer menos ou restringir o consumo de determinados tipos de alimentos. A maior parte deles dá certo a curto prazo, pois, quando a ingestão de calorias é reduzida, o corpo passa a queimar as reservas, a fim de se manter vivo. O resultado é a perda de peso. E o problema é exatamente esse. A primeira coisa que o organismo faz quando há uma deficiência na ingestão de calorias é descartar o tecido corporal cuja manutenção exige mais calorias, ou seja, os músculos. Portanto, em uma dieta pobre nesses alimentos, o corpo queima músculos e tenta acumular gordura. É claro que você vai emagrecer e, eventualmente, também perderá gordura, porém quando "sair" da dieta começará a engordar de novo. E adivinhe que tipo de peso vai ganhar? Gordura pura. Isso ocorre porque você ensinou ao seu organismo uma dura lição: ele precisa se manter atento a possíveis períodos de baixas calorias. Desse modo, é melhor que ele comece a acumular gordura para qualquer emergência.

Como você também queimou valiosas calorias dos músculos, é provável que fique mais gorda do que era antes. É por isso que as pessoas que fazem uma dieta após a outra não apenas não emagrecem como também ganham peso.

A Dieta do Abdômen não é um mero programa rápido e inconsequente de manutenção do peso. É evidente que você vai emagrecer, e perderá peso bem depressa. Mas queimará gordura, e não músculos. E poderá manter o novo peso pelo resto da vida. Além disso, seguindo os princípios propostos aqui, comerá muito dos melhores alimentos e da maneira mais eficiente. Portanto, divirta-se com a Dieta do Abdômen. E vamos esquecer que a palavra "dieta" pode soar como um autêntico palavrão para algumas pessoas.

fração do dinheiro. São os juros compostos que lhe permitem obter ganhos financeiros mais expressivos.

O mesmo conceito se aplica ao seu corpo. Invista em um pequeno acréscimo de músculos nas próximas seis semanas, comendo os alimentos certos e seguindo o Programa de Exercícios de desenvolvimento muscular e queima de gordura. O resultado será um corpo esguio e forte que poderá ser mantido por toda a vida, pois os novos músculos vão sempre dissolver gordura para poderem sobreviver.

Adoro este programa porque sei que ele funciona. Ao longo de seis semanas, você poderá perder até 10kg de gordura (grande parte nas duas primeiras semanas, especialmente na barriga) e ganhar muitos quilos de massa muscular. O mais importante, no entanto, é que terá mudado o formato do seu corpo. Algumas pessoas obterão resultados ainda mais extraordinários (veja na página 42 a história de Linda Toomey, que emagreceu 9kg nas seis primeiras semanas e reduziu de 36 para 25 seu percentual de gordura corporal).

A Dieta do Abdômen inclui os três componentes de todo regime bem-sucedido de transformação do corpo: nutrição, exercícios e princípios motivacionais para seguir adiante. Eu a projetei de modo que você consiga mantê-la com facilidade, ainda que já tenha tentado e fracassado com outras dietas no passado. É fácil segui-la pelos seguintes motivos:

- Todos os componentes da dieta e do Programa de Exercícios são rápidos, simples e flexíveis o suficiente para que você possa incluí-los na sua vida sem nenhuma dificuldade.
- Todas as metas podem ser alcançadas.
- Todos os princípios são baseados em pesquisas científicas sérias.

Esta dieta mudará a maneira como você pensa em relação ao seu corpo. É o primeiro programa a contar não apenas as calorias que seu organismo absorve como também as que ele queima. Com base nas pesquisas mais modernas sobre nutrição e exercícios, mostrarei como recondicionar seu organismo para queimar calorias mais depressa e com mais eficiência – até mesmo enquanto você dorme –, além de concentrar as refeições nos alimentos que o ajudam a manter acesas as fornalhas que queimam calorias. Na Dieta do Abdômen, o importante não é contar as calorias (embora você possa fazer isso se achar que funciona no seu caso), e sim fazer com que as calorias contem.

Ao longo do livro, eu a apresentarei aos princípios da Dieta do Abdômen e lhe mostrarei como seguir o plano de seis semanas. Também explicarei o Programa de Exercícios (que não precisa começar antes da terceira semana) e darei instruções sobre a forma de adotá-lo e fazer as refeições. (Não se preocupe: se você sabe usar um liquidificador, conseguirá preparar os Alimentos Poderosos.)

Para manter sua motivação, incluí histórias da vida real de mulheres que reconhecem que a Dieta do Abdômen foi o fator fundamental para mudar seu corpo e sua vida – sem falar nas suas roupas.

A TABELA BÁSICA DA DIETA DO ABDÔMEN

ESTE GUIA RESUME OS PRINCÍPIOS DA Dieta do Abdômen, o programa de seis semanas para perder a barriga e se manter esguia pelo resto da vida.

ASSUNTO	NORMA
Número de refeições	Seis por dia, espaçadas de forma relativamente regular. Faça um pequeno lanche duas horas antes das principais refeições.
Tamanho da porção	Ao contrário do que estabelecem muitos programas de emagrecimento, a Dieta do Abdômen não impõe o controle das porções. Os alimentos ricos em fibras e em proteína mencionados neste livro proporcionam uma sensação de saciedade que se mantém durante horas. O corpo lhe dirá quando é hora de comer – e quando é o momento de parar. Porém, se você gosta de contar calorias, pode usar como orientação as tabelas nutricionais apresentadas aqui.
Ingredientes nutricionais a priorizar	Proteína, gorduras monoinsaturadas e poli--insaturadas, fibras e cálcio.
Ingredientes nutricionais a limitar	Carboidratos refinados (ou carboidratos com alto índice glicêmico), gorduras saturadas, gorduras trans, xarope de milho com alto teor de frutose.
Os 11 Alimentos Poderosos da Dieta do Abdômen	Baseie a maioria das suas refeições nestes 11 grupos de alimentos. Cada refeição deve ter pelo menos dois itens desta lista. Amêndoas e outras nozes Aveia instantânea (sem adoçante, sem sabor artificial)

ASSUNTO	NORMA
	Azeite de oliva extravirgem
	Espinafre e outras verduras
	Frutas vermelhas, como morango, framboesa e amora
	Feijões e leguminosas
	Laticínios – leite semidesnatado ou desnatado, iogurte e queijo com pouca gordura (cottage ou ricota)
	Ovos
	Pães e cereais integrais
	Peru e outras carnes magras
	Whey (proteína em pó do soro do leite, bastante concentrada e pura, encontrada em lojas de produtos naturais e de suplementos vitamínicos)
Armas secretas	Cada um dos 11 Alimentos Poderosos foi escolhido por suas armas secretas eficientes e saudáveis. São esses os nutrientes que a ajudarão a aumentar a potência das substâncias naturais que queimam gordura, a protegerão de doenças e lesões e a manterão esguia e com um bom condicionamento físico pelo resto da vida.
Álcool	Limite-se a dois ou três drinques por semana para aumentar ao máximo os benefícios deste programa.
O alimento mais poderoso	Vitaminas feitas no liquidificador. A combinação do cálcio e da proteína do leite, do iogurte e do *whey* com as fibras da aveia e das frutas faz com que esta seja uma das opções mais fáceis da dieta e também uma das que dão maior sensação de saciedade. Tome com frequência.

ASSUNTO	NORMA
Saindo da dieta	Uma refeição por semana – coma qualquer coisa que você quiser.
Programa de Exercícios	Opcional nas duas primeiras semanas. Da terceira semana até a sexta, você fará um exercício de 20 minutos três vezes por semana. Essas atividades enfatizam o treinamento com pesos (de força), caminhadas rápidas e alguns abdominais.
Exercícios em casa	Os exercícios feitos na academia e em casa são detalhados e à prova de qualquer desculpa.
Exercícios abdominais	São realizados no início de dois dos treinamentos com pesos. Faça um exercício para cada uma das cinco partes do abdômen.

| CAPÍTULO 1 |

Livre-se da gordura, livre-se dos problemas

SEIS MANEIRAS DE PERDER A BARRIGA QUE VÃO MELHORAR RADICALMENTE SUA APARÊNCIA E A FORMA COMO VOCÊ SE SENTE E VIVE

EM ACADEMIAS, PRAIAS, QUADRAS DE ESPORTES E QUARTOS, nosso corpo está sendo constantemente avaliado. E é o que nós também fazemos diante de espelhos e na balança do banheiro. Mas vamos deixar de lado esses atos de vaidade e nos concentrar na medição por um conjunto diferente de critérios: o número de células de gordura.

Cada uma dessas células está cheia de substâncias gordurosas chamadas lipídios. Quando você se empanturra de doces, batata frita e chocolate, elas podem aumentar até mil vezes de tamanho. No entanto, só conseguem se expandir até determinado ponto. Depois que alcançam seu limite físico, começam a se comportar como certos programas de televisão: criam subprodutos, ou seja, você ganha duas ou mais pelo preço de uma. Mas há um problema: essas células mantêm a política de não aceitar devolução. Se você as adquire, tem que ficar com elas. Portanto, quando engorda e dobra a quantidade de células de gordura no seu corpo, também está duplicando a dificuldade que terá para perder os lipídios que elas contêm.

Muitas pessoas tendem a armazenar gordura na barriga, que é por onde começam os perigos que o excesso de peso causa à saúde. Em alguns casos, a gordura se deposita acima da linha da cintura; em outros, abaixo desse ponto. No entanto, seja como for, a gordura abdominal não fica parada sem fazer nada: ela é ativa. Funciona como um órgão isolado, liberando substâncias que podem ser prejudiciais ao organismo. Por exemplo, secreta ácidos graxos livres, que afetam a capacidade de decompor a insulina (e o excesso desse hormônio pode ser um dos primeiros fatores no surgimento da diabetes). Além disso, produz substâncias que aumentam o risco de infarto e derrame e elevam a quantidade de cortisol (altos níveis desse hormônio estão associados a diabetes, obesidade e pressão alta). A gordura abdominal é responsável por muitos problemas de saúde porque se localiza a pouca distância do coração, do fígado e de outros órgãos, pressionando-os, alimentando-os com toxinas e interferindo nas suas funções diárias.

As consequências da gordura

As pessoas com excesso de peso têm:

- 50% a mais de probabilidade de apresentar doenças do coração (obesos: até 100%)
- Até 360% a mais de probabilidade de desenvolver diabetes (obesos: até 1.020%)
- 16% a mais de probabilidade de sofrer um primeiro infarto (obesos: 49%)
- 50% a mais de probabilidade de ter colesterol total acima de 250 (obesos: até 122%)
- 50% a mais de probabilidade de apresentar disfunção erétil (obesos: 200%)
- 14% a menos de probabilidade de atrair o sexo oposto (obesos: 43%)
- 37% a mais de probabilidade de ir à farmácia mais de uma vez por ano (obesos: 105%)
- 19% a mais de probabilidade de permanecer mais tempo no hospital (obesos: 49%)
- 20% a mais de probabilidade de ter asma (obesos: 50%)
- Até 31% a mais de probabilidade de morrer de qualquer causa (obesos: 62%)
- 19% a mais de probabilidade de morrer em acidente de carro (obesos: 37%)
- 120% a mais de probabilidade de ter câncer no estômago (obesos: 330%)
- Até 90% a mais de probabilidade de ter cálculos biliares (obesos: até 150%)
- 590% a mais de probabilidade de ter câncer no esôfago (obesos: 1.520%)
- 35% a mais de probabilidade de ter câncer nos rins (obesos: 70%)
- 14% a mais de probabilidade de sofrer de artrite degenerativa (obesos: 34%)
- 70% a mais de probabilidade de ter pressão alta (obesos: até 170%)

Agora visualize uma pessoa com o abdômen bem definido. Ela é um símbolo de força e boa saúde. É esguia, forte, fica bem de roupa e melhor ainda sem roupa. Músculos abdominais esculpidos têm sido o parâmetro da boa forma física em muitos aspectos. Mas também indicam outra coisa: são a marca registrada de alguém que tem o controle do seu corpo e, portanto, da sua saúde.

Embora algumas pessoas possam pensar que o empenho em ter um abdômen definido seja algo superficial, não há nada de errado com esse objetivo. É evidente que uma boa musculatura abdominal deixa qualquer um com uma boa aparência – e causa admiração. (Em uma pesquisa realizada nos Estados Unidos, tanto os homens quanto as mulheres classificaram os músculos abdominais como a parte mais sexy do corpo.) Isso ocorre por um simples motivo: quem está em ótima forma física está dizendo ao mundo que é uma pessoa disciplinada, motivada, confiante, saudável; portanto, um parceiro ou uma parceira desejável.

Às vezes um pouco de vaidade pode ser bom para a saúde. Em um estudo canadense realizado com mais de 8 mil participantes, os pesquisadores constataram que, ao longo de 13 anos, a taxa de mortalidade entre os que tinham músculos abdominais mais fracos era duas vezes maior do que entre as pessoas que apresentavam um abdômen definido. Essa pesquisa confirma a ideia de que abdominais fortes fazem mais do que atrair olhares na praia. Na verdade, eles controlam muito mais o corpo do que muita gente supõe. Para resumir, aqui estão meus seis motivos básicos para garantir que sua vida se tornará melhor com um abdômen trabalhado.

Um abdômen definido a ajudará a viver mais

MUITOS ESTUDOS COMPROVAM que as pessoas com maior volume de gordura na região da cintura correm mais riscos de desenvolver doenças fatais. Os indícios não poderiam ser mais convincentes. Segundo o National Institutes of Health, mulheres com mais de 89cm de cintura têm uma probabilidade considerável de apresentar problemas cardíacos e diabetes. Um estudo publicado no *International Journal of Obesity* revelou que as mulheres devem tentar ter menos de 80cm de cintura – quanto maior essa medida, mais alto o risco de doença cardíaca. Agora a informação mais assustadora: um estudo mostrou que, em média, as mulheres têm uma cintura superior a 91cm, o que significa uma probabilidade maior de ocorrência desses males.

É claro que o desenvolvimento dos músculos abdominais não garante que alguém ficará longe do hospital para sempre, mas pesquisas revelam que isso reduz a gordura corporal e diminui de forma considerável os fatores de risco associados a muitas doenças, não apenas às do coração. Por exemplo, segundo um estudo sueco, a incidência de câncer entre obesos é 33% maior do que entre pessoas magras. A Organização Mundial da Saúde calcula que até 1/3 dos cânceres de cólon, dos rins e do aparelho digestivo é causado por excesso de peso e sedentarismo. Um estudo da Universidade de Minnesota que acom-

Meu bem, para onde foi nosso almoço?

Uma refeição não termina no estômago. Depois de recebê-la, o corpo começa a distribuir as calorias para os órgãos famintos de nutrientes, desenvolvendo músculos e também, é claro, fazendo a barriga crescer. Michael Jenson, professor de Medicina na Divisão de Endocrinologia, Diabetes e Metabolismo da Clínica Mayo, calculou a maneira como o corpo processa os alimentos.

10% para os rins. Esses órgãos trabalham para que o sangue receba as quantidades certas de água e nutrientes.

5-10% para o coração. O coração obtém a maior parte da sua energia da gordura que, a longo prazo, proporciona mais energia para que ele realize seu esforço do que a glicose.

25% para o fígado, o pâncreas, o baço e as glândulas suprarrenais. Depois que o fígado extrai os nutrientes, ele armazena as calorias em excesso, como o glicogênio.

25% para os músculos. Os músculos exigem uma fonte constante de energia apenas para manter sua massa. Portanto, quanto mais músculos você tem, mais calorias queima.

10% para o cérebro. A glicose é o combustível do cérebro. Não fica armazenada por muito tempo, e é por isso que às vezes as pessoas se sentem tontas quando pulam uma refeição.

10% para a termogênese. O simples ato de decompor os alimentos ingeridos consome um décimo das calorias.

2-3% para as células de gordura. Essas células crescem e vão se dividindo à medida que mais calorias são acumuladas.

10% ninguém sabe para onde. Seu corpo é um lugar imenso, e o destino de algumas calorias permanece inexplicado.

panhou 22 mil mulheres ao longo de sete anos revelou que as participantes acima do peso que emagreceram 10kg ou mais reduziram em 19% o risco de câncer de mama. E o acúmulo excessivo de gordura na região da barriga é especialmente perigoso. O câncer tem origem em mutações que ocorrem nas células quando estas se dividem. O tecido gorduroso do abdômen faz com que o organismo produza hormônios que estimulam a divisão celular. Portanto, mais divisões de células correspondem a um número maior de oportunidades para mutações, o que aumenta a probabilidade de ocorrência de câncer.

Uma cintura fina também ajuda a evitar um dos mais graves problemas de saúde: a diabetes. No Brasil, de acordo com o Vigitel 2007 (Sistema de Monitoramento de Fatores de Risco e Proteção para Doenças Crônicas Não Transmissíveis), a ocorrência média de diabetes na população adulta (acima de 18 anos) é de 5,2%, o que corresponde a 6.399.187 portadores confirmados da doença. E a prevalência aumenta com a idade: a diabetes atinge 18,6% dos brasileiros acima dos 65 anos.

A gordura, em especial a gordura na região da barriga, é a grande responsável por esse mal. Há um conceito equivocado de que a única causa da diabetes é o consumo excessivo de açúcar refinado, do tipo que se encontra em chocolate e sorvete. No entanto, as pessoas tornam-se diabéticas depois de passarem anos a fio ingerindo alimentos ricos em carboidratos – como pão branco, massas e purê de batata –, que são facilmente convertidos em açúcar. Comer todos os pães da cestinha e um prato fundo de macarrão produz o mesmo efeito que tomar um pote de sorvete: inunda o corpo com calorias de açúcar. As que não são queimadas transformam-se em células de gordura que fazem a barriga aumentar. Elas podem desencadear uma doença que, se não for tratada, pode causar cegueira, infarto, derrame, amputação e morte. E isso, minha amiga, não é brincadeira. No entanto, é possível controlar grande parte disso. Um estudo que monitorou 1.400 pessoas diabéticas durante nove anos revelou que a mera tentativa de emagrecer poderia reduzir em até 30% o risco de morte relacionada às complicações da diabetes.

A obesidade da parte superior do corpo é também o fator de risco mais expressivo para a apneia do sono, causada por um colapso do tecido mole na parte posterior da garganta que bloqueia a passagem de ar durante o sono. Nesse momento, o cérebro emite sinais para que a pessoa acorde e recomece a respirar. Quando ela volta a dormir, o processo se repete. Isso pode ocorrer centenas de vezes durante a noite, deixando-a sempre sonolenta e incapaz de ter o repouso de que o corpo precisa. A pessoa não se lembra de ter acordado tantas vezes, apenas se pergunta por que ainda se sente cansada após oito horas de sono. A gordura impede que os músculos se dilatem e ventilem os pulmões, obrigando-os a se esforçar mais para obter ar em quantidade suficiente. Um estudo australiano envolvendo 313 pacientes com obesidade severa mostrou que 62% das pessoas cuja cintura media mais de 124cm apresentavam distúrbios graves do sono e que 28% dos obesos com cinturas mais finas (menos de 124cm) tinham problemas de sono.

O excesso de peso aumenta também o risco de muitos outros males que podem privar você de uma boa noite de sono, como a doença do refluxo gastroesofágico e a asma. Um estudo francês realizado com 67.229 mulheres ao longo de três anos revelou que o excesso de peso dobrava a probabilidade de ocorrência de asma. No caso das participantes que haviam engordado cerca de 9kg desde a época da primeira menstruação até o início da idade adulta, o risco era 66% maior. Tudo isso pode criar um ciclo terrível: a gordura abdominal prejudica a qualidade do sono, e um sono precário faz com que a pessoa se arraste cansada durante o dia. Com isso, o corpo anseia por algo que lhe dê energia rapidamente, e desse modo ela acaba comendo uma bobagem de alto valor calórico. O alimento extra estimula a produção de mais gordura abdominal, que estimula... ora, você já conhece o quadro.

Eu poderia encher este livro com as provas, mas resumirei a mensagem em uma única frase: uma cintura mais fina representa menos riscos para a saúde.

Sua vida sexual vai melhorar

VAMOS COMEÇAR NOS CONCENTRANDO naquilo que é realmente fundamental para uma boa vida sexual. Em primeiro lugar, músculos abdominais mais fortes lhe proporcionam vitalidade e energia para experimentar novas posições, permanecer firme nas antigas e manter o controle dos movimentos, para que o ato sexual seja o mais prazeroso possível. No entanto, ainda mais importante: uma cintura fina mostra que a mulher está em ótimas condições quanto a outro fator essencial – a circulação do sangue.

Os alimentos que obstruem as artérias não fazem discriminação: quando estamos acima do peso, a gordura que bloqueia os vasos sanguíneos que levam ao coração e ao cérebro também faz exatamente isso com os vasos que conduzem aos órgãos genitais. Formam-se placas nas paredes das artérias, estreitando as passagens pelas quais o sangue deve fluir, o que dificulta sua chegada à região pélvica. A obstrução dos vasos sanguíneos pode reduzir a lubrificação, a sensibilidade e o prazer sexual.

Um estudo realizado com mais de 200 mulheres mostrou que o aumento do fluxo sanguíneo na região pélvica intensifica a lubrificação, a excitação sexual e a sensibilidade local. Embora sejam preliminares, os resultados indicam que a normalidade da circulação sanguínea desempenha uma função importante na satisfação sexual.

Seu corpo ficará protegido contra doenças

NAS ESCOLAS DO MEU PAÍS ensina-se a história da vaca da Sra. O'Leary, que, ao dar um passo em falso e tropeçar, derrubou um lampião de óleo e provocou o Grande Incêndio de Chicago, que destruiu a maior parte da cidade. Essa tragédia ocorreu em 1871, quando a maioria das construções ainda era de madeira. Hoje, um desastre dessas proporções é inconcebível – e não apenas porque ninguém mais guarda vacas dentro de casa, mas porque a infraestrutura das cidades atuais é de aço. Um aço que resiste ao fogo, a terremotos e a furacões.

Pense no seu abdômen como a infraestrutura do corpo. Você não quer um núcleo constituído de madeira nem de palha, exposto a todos os perigos. Deseja que seja feito de aço e lhe proporcione uma proteção que nunca poderá ser fornecida por uma barriga de gordura.

Considere um estudo do Exército dos Estados Unidos que relacionou músculos abdominais bem desenvolvidos à prevenção de lesões. Os pesquisadores submeteram 120 soldados da artilharia ao teste-padrão de capacidade física do Exército – com flexões, abdominais e uma corrida de 3km – e acompanharam as lesões na parte inferior do corpo (dores lombares e tendinite) durante um ano de treinamento. Os 29 homens que conseguiram fazer mais abdominais (73 em dois minutos) apresentaram uma probabilidade cinco vezes menor de sofrer essas lesões do que os 31 soldados que mal completaram 50 abdominais. Mas esse não é o dado mais surpreendente. Os participantes que mostraram bom desempenho nas flexões e na corrida não adquiriram a mesma proteção. Isso sugere que a força da parte superior do corpo e a resistência cardiovascular contribuíram pouco para manter a integridade do corpo. Era a força abdominal que fornecia a proteção. Ao contrário do que ocorre com os outros músculos, um núcleo abdominal forte afeta o funcionamento de todo o corpo.

Tanto faz se você anda de bicicleta, varre a casa ou carrega os filhos no colo, os músculos abdominais são os mais importantes para mantê-la a salvo de lesões. Quanto mais fortes eles forem, mais força e proteção você terá.

Suas costas serão fortalecidas

UM DOS MEUS AMIGOS tinha problemas nas costas duas ou três vezes por ano. Sempre acontecia da maneira mais banal possível: por exemplo, dando um jeito na coluna durante o sono ou se levantando de uma cadeira muito depressa. Certa vez, ele sofreu uma distensão ao se inclinar em direção ao banco traseiro do carro para pegar um objeto que a filha deixara cair. Em outra ocasião, estava diante do mictório e sentiu uma pontada de dor tão intensa que o fez desabar no chão. Na verdade, a causa do problema não estava nas costas, mas nos seus abdominais fracos. Se meu amigo praticasse exercícios regulares, poderia sair da lista dos milhões de pessoas que sofrem de dores nas costas. E, sim, ele começou a seguir a Dieta do Abdômen e, em poucas semanas, as dores praticamente desapareceram.

HISTÓRIA DE SUCESSO DA DIETA DO ABDÔMEN

"Encontrei a atleta que existe em mim."

Nome: Rebecca Carr
Idade: 29 anos
Altura: 1,55m
Peso inicial: 68kg
Peso atual: 53kg
Cintura inicial: 83cm
Cintura atual: 66cm
Manequim inicial: 44
Manequim atual: 38

Rebecca Carr sempre acreditou estar um pouco acima do peso ideal. "Quando eu era adolescente e via pessoas frequentando academias e adotando uma alimentação balanceada, dizia que elas estavam no caminho certo. Pensava com meus botões: 'Essa é a vida que eu gostaria de ter'", conta.

Como a maior parte das dores nas costas está relacionada com músculos fracos no tronco, fortalecer a área da cintura pode ajudar a resolver o problema. Os músculos que cruzam essa região não funcionam isoladamente – ligam-se através do tronco como uma teia de aranha, chegando até mesmo a envolver a coluna. Quando os abdominais são fracos, os músculos nas nádegas (os glúteos) e ao longo da parte posterior das pernas (tendões do jarrete) têm que compensar o trabalho que os abdominais deveriam realizar. O efeito, além do esforço excessivo que os músculos precisam empreender para efetuar a compensação, é a desestabilização da coluna, o que acaba causando dores e distensões nas costas e até problemas mais graves.

Seu desempenho físico será admirável

SE VOCÊ CORRE, ANDA DE BICICLETA ou pratica qualquer tipo de esporte que exija movimentos, os principais músculos envolvidos não são os das pernas nem os dos braços, e sim os músculos centrais, localizados no tronco e nos quadris. Desenvolvê-los proporciona força para que você apresente um bom

---

Certo dia, Rebecca e o marido estavam assistindo à televisão quando viram alguém mencionar a Dieta do Abdômen. "Foi o suficiente para dar um clique na minha cabeça", ela diz. "Sempre acreditei nesses conceitos, eles tinham a ver comigo e faziam sentido. Comprei o único exemplar do livro que restava na livraria e o li do início ao fim."

Rebecca fez alguns ajustes na dieta, limitando as sobremesas e frituras até certo ponto para não sentir falta delas. A "escapada" semanal permitida pelo programa a ajuda a se manter na linha: "Se eu quiser comer hambúrguer com batata frita, digo a mim mesma que posso fazer isso no fim de semana. Mas, no fim de semana, a vontade já passou."

Ela nunca fica com fome e prepara as refeições na véspera, o que a ajuda a permanecer fiel à dieta nos dias mais estressantes. Sua pele melhorou e sua energia é hoje muito maior. Rebecca teve ânimo até para se dedicar ao esporte – já participou de duas corridas e está treinando para a meia maratona. "Aos 29 anos, encontrei a atleta que existe em mim."

Seus pais lhe dizem que ela se transformou em uma pessoa diferente – está mais disposta e mais saudável. Motivados por seu sucesso, o marido e o pai de Rebecca também emagreceram com a Dieta do Abdômen. "Não parece uma dieta. É mais um estilo de vida", ela afirma.

desempenho físico. Enrijece a musculatura em torno da cintura, o que garante a quantidade certa de apoio sempre que necessário. Portanto, se você não consegue arremessar uma bola a uma longa distância, músculos abdominais fortes vão ajudá-la a ter resultados melhores. Caso pratique um esporte em que precise correr muito, como o tênis, ou se brinca de pique com seus filhos, os abdominais também podem lhe prestar uma tremenda contribuição. Afinal, o segredo da velocidade está em acelerar e desacelerar. Com que rapidez você consegue sair de uma posição estacionária no ponto A até parar no ponto B? Não são as pernas que controlam isso, e sim os músculos abdominais. Quando os pesquisadores procuraram identificar quais eram os primeiros músculos usados em movimentos desse tipo durante a prática esportiva, verificaram que eram os abdominais. Portanto, quanto mais fortes eles forem, mais depressa você alcançará a bola.

As dores e os desconfortos vão diminuir

À MEDIDA QUE ENVELHECEMOS, é comum sentirmos dores nas articulações, sobretudo nos joelhos e nos quadris, e também nos pés e nos tornozelos. A causa dessas dores pode não ser um problema nas articulações, e sim músculos abdominais fracos, especialmente quando a pessoa realiza algum tipo de atividade física – de um treinamento esportivo intenso a leves caminhadas nos fins de semana. Os músculos abdominais ajudam a estabilizar o corpo durante os movimentos de arrancar e parar, como acontece quando um jogador muda de direção na quadra de tênis ou no treino de boxe. Quando os músculos abdominais são fracos, as articulações absorvem todo o impacto desses movimentos. É mais ou menos como o princípio da cama elástica. Sempre que a pessoa pula no meio dela, a lona absorve o impacto e a projeta de volta no ar. No entanto, se ela pular perto da armação, poderá arrebentar essa estrutura. O corpo é uma espécie de cama elástica em que os músculos abdominais são o meio da lona, enquanto as articulações correspondem aos suportes que prendem a lona na armação. Quando os abdominais são fortes o suficiente para absorver um impacto, o corpo funciona bem; caso contrário, a força exerce mais pressão sobre as articulações do que elas conseguem suportar.

Benefícios similares de proteção se estendem também a quem não é atleta. Um estudo holandês realizado com quase 6 mil pessoas revelou que os participantes com cintura mais larga apresentavam uma probabilidade maior de ter a síndrome do túnel do carpo, responsável por dores na mão e no punho. Outra pesquisa constatou que 70% dos portadores dessa síndrome estavam acima do peso ou eram obesos.

• • •

Esses são os principais motivos para fazer a Dieta do Abdômen. As melhores razões, porém, são estas: o programa é fácil de seguir, não exige sacrifícios, permite que você coma todos os alimentos que quiser e faz com que pareça e se sinta melhor dia após dia. Foi desenvolvido para que você perca peso das maneiras mais simples: ajustando a fornalha interna de queima de gordura, indicando os alimentos que estimulam o organismo a começar a descartar a gordura e transformando seu corpo em uma máquina esguia e eficiente de queimar calorias.

O KIT INICIAL DA DIETA DO ABDÔMEN

ESTA LISTA DE COMPRAS simples contém as indicações do que você precisa para iniciar a Dieta do Abdômen e o Programa de Exercícios da Dieta do Abdômen.

COMPRAR UMA VEZ

Liquidificador

Linhaça moída (250g)

Polivitaminas, 1 frasco

LISTA BÁSICA DE COMPRAS – OS 11 ALIMENTOS PODEROSOS DA DIETA DO ABDÔMEN E ALIMENTOS RELACIONADOS

Amêndoas, picadas ou inteiras

Aveia instantânea (sem adoçante nem sabor artificial)

Azeite de oliva extravirgem

Espinafre, fresco ou congelado

Feijões, à sua escolha

Frutas vermelhas frescas ou congeladas

Laticínios – leite semidesnatado ou desnatado, iogurte light e queijo com pouca gordura (cottage ou ricota)

Ovos

Pães e cereais integrais

Peru fatiado

Whey, proteína em pó do soro do leite, sabor baunilha ou chocolate, recipiente de 1kg (encontrada em lojas de produtos naturais e de suplementos vitamínicos)

Mais:

Arroz de grão longo

Atum em lata

Blueberries, congeladas

Camarão congelado

Carne moída magra

Castanha-de-caju e amendoim torrado, sem sal

Feijão-branco grande

Feijão-preto

Grão-de-bico

Grapefruit ou outra fruta, à sua escolha

Hortaliças, à sua escolha

Massa de trigo integral

Noz-pecã

Peito de frango

Pinhão

Truta, salmão defumado ou outro peixe magro, à sua escolha

Uva-do-monte desidratada

Verduras, à sua escolha

LISTA DE COMPRAS – INGREDIENTES PARA AS RECEITAS (CONSULTE AS RECEITAS PARA SABER QUANTO COMPRAR DE CADA INGREDIENTE)

Abacate

Abóbora

Aipo

Alecrim

Alface-romana

Arroz integral

Banana

Bife de alcatra magro

Biscoitos salgados

Calda de chocolate

Caldo de galinha light

Canela

Carne-seca

Cebola, branca e roxa

Cebolinha

Cenoura-baby

Cereais instantâneos

Chili em pó

Chucrute

Coentro

Cogumelos

Condimentos italianos desidratados

Costeleta de porco, sem osso

Croûtons

Curry em pó

Farinha de trigo integral

Feijão-branco grande

Gengibre fresco

Guacamole

Hortelã, fresca ou desidratada

Ketchup

Laranja

Limão e lima

Lombinho canadense

Maçã

Maionese light

Manjericão

Maple Syrup

Margarina sem gordura trans

Mel

Melancia

Melão

Melão-cantalupo

Milho verde

Milho em conserva

Milho em flocos (ou farinha de milho)

Molho Barbecue

Molho chinês Hoisin

Molho de espaguete

Molho de soja light e com baixo teor de sódio

Molho de tomate

Molho inglês

Molhos italianos light para saladas

Molho Tabasco

Molhos light: Ranch, Salsa, Thousand Island, vinagrete balsâmico (veja as receitas na página 138)

Mostarda de Dijon

Óleo de amendoim

Orégano

Pão de centeio

Pão de passas

Pão árabe de trigo integral

(*continua*)

(*continuação*)

Páprica

Pepino

Pimenta-*jalapeño*

Pimenta-de-caiena

Pimentão verde

Pimentão vermelho

Pimentas desidratadas, mistas

Pimenta-vermelha em flocos

Presunto light

Queijos light (cheddar, cottage, feta, mozarela, ricota, minas, requeijão)

Rolinhos de tortilha

Rosbife magro, fatiado

Salsa

Sopa instantânea de cebola

Sorvete light (creme e nozes)

Suco de laranja

Suco de limão concentrado, congelado

Tangerina

Tomate

Tomate sem casca, em lata

Tortilhas de trigo integral

Uva-passa

Vagem

Vinagre balsâmico e vinagre de vinho tinto

Waffles de trigo integral

PARA OS EXERCÍCIOS EM CASA (SE VOCÊ FREQUENTA UMA ACADEMIA, ELA DEVE TER TODOS OS EQUIPAMENTOS NECESSÁRIOS)

Colchonete para exercícios (opcional)

Banco reto (opcional, mas recomendado)

Um ou dois pares de halteres de peso médio (3 a 12kg para quem está habituado a fazer exercícios com pesos; carga menor para iniciantes)

Tênis de corrida

Bola suíça (opcional, mas recomendada)

| CAPÍTULO 2 |

Por que a Dieta do Abdômen? E por que agora?

NOVAS E EXTRAORDINÁRIAS DESCOBERTAS CIENTÍFICAS NA ÁREA DE NUTRIÇÃO

A DIETA DO ABDÔMEN É UM PLANO SIMPLES, desenvolvido em torno de 11 alimentos com muitos nutrientes. Quando inseridos como essenciais no seu regime alimentar, proporcionam todas as vitaminas, minerais e fibras de que você precisa para ser saudável. Ao mesmo tempo, promovem o desenvolvimento muscular e acionam os mecanismos naturais do corpo para a queima de gordura. Falarei mais sobre esses itens em outro capítulo, mas aqui apresento uma visão geral. (Diga-me se não é um esquema de refeições que você pode adotar com a maior facilidade!)

AMÊNDOAS E OUTRAS NOZES

AVEIA INSTANTÂNEA (SEM ADOÇANTE NEM SABOR ARTIFICIAL)

AZEITE DE OLIVA EXTRAVIRGEM

ESPINAFRE E OUTRAS HORTALIÇAS VERDES

FRUTAS VERMELHAS, COMO MORANGO, FRAMBOESA E AMORA

FEIJÕES E LEGUMINOSAS

LATICÍNIOS – LEITE SEMIDESNATADO OU DESNATADO, IOGURTE LIGHT E QUEIJO COM POUCA GORDURA (COTTAGE OU RICOTA)

OVOS

PÃES E CEREAIS INTEGRAIS

PERU E OUTRAS CARNES COM POUCA GORDURA (CARNE VERMELHA MAGRA, FRANGO E PEIXE)

WHEY – PROTEÍNA EM PÓ DO SORO DO LEITE

SÃO 11!

Escolhi esses alimentos tanto por seu conteúdo natural quanto por sua simplicidade. É por isso que baseio a Dieta do Abdômen em alimentos comuns – eles são fáceis de utilizar e saborear. Quase todos os regimes dietéticos são complicados e suscetíveis ao fracasso por três motivos principais.

1. REDUZEM DEMAIS AS CALORIAS. Com uma restrição rigorosa ou drástica de calorias, você pode perder peso no início, mas fica com fome. Quando sente fome, aumenta a probabilidade de que se empanturre em algum momento do dia. Ao se empanzinar, percebe que fracassou. Com o sentimento de culpa por não ter se mantido fiel à dieta, abandona o programa e retoma os antigos hábitos alimentares, como comer chocolate no café da manhã. Com a Dieta

---

HISTÓRIA DE SUCESSO DA DIETA DO ABDÔMEN

"O corpo que toda mulher quer ter."

Nome: Rhonda Hauser
Idade: 38 anos
Altura: 1,76m
Peso: 65kg
Corpo inicial: Frágil
Corpo atual: Forte

Com um corpo esguio e longilíneo, típico de uma corredora, Rhonda Hauser nunca foi de ficar de olho na balança. Havia frequentado muitas academias, tido alguns personal trainers e até procurado nutricionistas, pois se preocupa com a forma física. No entanto, existia um problema: ela treinava demais e comia pouco (em geral, cereais e *shakes* de proteína). Embora não estivesse acima do peso, não tinha o corpo que desejava.

"Tomei conhecimento da Dieta do Abdômen e vi logo que era perfeita para mim. Acabei me lembrando de que precisamos comer e que necessitamos de proteína para desenvolver músculos – eles são nossas máquinas internas de queimar gordura", diz ela.

do Abdômen, no entanto, você nunca terá fome. Ao contrário, se alimentará com muito mais frequência do que agora: seis vezes por dia!

2. PROÍBEM MUITOS ALIMENTOS. Seria fácil desenvolver um regime que não incluísse massas, pizzas ou uma saborosa *bruschetta*. Se eu fizesse isso, porém, você desistiria do programa na primeira vez que passasse diante de um restaurante italiano. Embora a mudança de hábitos alimentares seja uma parte fundamental desta dieta, acredito que há uma probabilidade maior de que você a siga se não tiver que renunciar a tudo o que aprecia. É normal comer um filé, saborear o bolo da vovó de vez em quando e sair para tomar um chope ou uma taça de vinho depois do trabalho. Se você se privar de tudo a que está acostumada, não haverá muito estímulo (nem no caso da pessoa mais motivada) para que persista por mais que umas poucas semanas. A Dieta do Abdômen propõe que você coma os alimentos de que gosta, que seja flexível quando necessitar.

Rhonda incluiu então uma quantidade maior de Alimentos Poderosos em sua dieta e trocou as corridas pelo treino em circuito da Dieta do Abdômen.

"Quando comecei a fazer os circuitos, meu corpo mudou. Ganhei mais definição muscular nos braços e nos ombros. Depois de algumas semanas, as pessoas na academia olhavam para mim e me elogiavam. Comecei a me sentir mais forte", conta.

Depois de dois meses, suas roupas começaram a ficar estranhas no corpo. Ela esperava não estar ganhando peso com os exercícios, por isso pediu a opinião das amigas. "Meus glúteos deram uma 'levantada' e ficaram mais durinhos. Minhas amigas disseram: 'Você está ficando com o corpo que toda mulher quer ter.'"

Embora Rhonda ainda não costume se pesar, ela sabe que seu corpo passou por uma transformação e tanto. "O melhor dessa dieta é que ela serve como orientação para mim, é algo em que creio", afirma. "Tudo aquilo em que acreditamos e que praticamos com regularidade produz resultados. Levo este livro comigo para onde vou. É minha Bíblia."

3. NÃO LEVAM EM CONSIDERAÇÃO O ESTILO DE VIDA. Se todos nós tivéssemos um cozinheiro para preparar nossas refeições – ou mesmo mais do que uns poucos minutos para fazê-las nós mesmos –, emagrecer seria muito mais simples. Mas quando foi a última vez que você pôde reservar duas horas para cozinhar? Estamos sempre ocupados. Comemos em restaurantes. Pedimos comida pronta. Recorremos a lanchonetes. Em casa, servimos uma refeição rápida para satisfazer as necessidades da família e poupar o máximo possível de energia. Sim, gostaríamos de poder medir cada grama de gordura, calcular as calorias e elaborar pratos de dieta que fossem saborosos. A realidade, porém, é que a maioria de nós não possui todo esse tempo, por mais que precisemos perder peso. Temos compromissos com o trabalho e a família e despendemos horas com diversas coisas, como o deslocamento para o escritório e a volta para casa, o pagamento de contas e os cuidados com os filhos. Portanto, uma obra-prima como camarão ao molho de manga não entra na nossa lista de prioridades. A Dieta do Abdômen lhe proporciona aquilo de que você necessita: um programa que dá pouco trabalho, porque usa alimentos fáceis de encontrar e receitas extremamente simples.

Por esses motivos, muitas das dietas mais populares proporcionam apenas emagrecimento a curto prazo e ganho de peso a longo prazo.

Como eu disse na introdução deste livro, a maioria das dietas baseia-se na perda. E ninguém gosta de perder. A Dieta do Abdômen fundamenta-se no ganho. O conceito é simples: o corpo é uma máquina viva de queimar calorias. Ao abastecer a fornalha de queima de gordura com os alimentos certos (e isso é importante) e nos momentos certos, você vai ensiná-lo a começar a dissolver o volume na sua barriga. Na verdade, esta dieta pode ajudá-la a se livrar de 6kg de gordura – primeiro do abdômen – em duas semanas ou menos. E veja agora o que ganhará em troca:

REFEIÇÕES. Estamos sempre com fome – de sucesso, de liberdade e de comida, é claro. As dietas tradicionais, de restrição de calorias ou de alimentos, são contra esse apetite. Deixam-nos com fome, angustiados, a um passo de correr em desespero para o saco de batata frita. Mas isso não acontece na Dieta do Abdômen. Seguindo o programa, você comerá – e comerá com frequência. Na verdade, deve reabastecer-se a todo instante porque, a cada refeição ou lanche delicioso, estará alimentando os queimadores de gordura naturais do organismo. Imagine o seguinte: toda vez que você ingerir alguma coisa, estará auxiliando o corpo a perder peso e transformando flacidez em músculos.

TÔNUS MUSCULAR. Com a Dieta do Abdômen e o Programa de Exercícios, a ingestão dos alimentos certos fará com que você desenvolva mais músculos. Quanto mais massa muscular você tiver, maior a quantidade de energia necessária para alimentá-la, ou seja, as calorias irão para os músculos, a fim de sustentá-los, em vez de se converterem em gordura. Pesquisas mostram que o aumento da massa muscular atua como um queimador de gordura interno. Para aproximadamente 500g de músculos adquiridos, a taxa metabólica em repouso chega a ser de 50 calorias por dia. O componente do treinamento com pesos (ou de força) pode adicionar muitos quilos à sua musculatura. Você não ficará com a aparência de uma fisiculturista, mas desenvolverá músculos em quantidade suficiente para diminuir e enrijecer a barriga; e, dependendo do ponto em que estiver quando começar a dieta, os músculos abdominais vão aparecer. Ao incluir os exercícios, pense no programa como uma equação simples:

MAIS ALIMENTOS = MAIS MÚSCULOS = MENOS FLACIDEZ

Agora, considere a alternativa:

MENOS ALIMENTOS = MENOS MÚSCULOS = MAIS FLACIDEZ

Não é incrível que a maioria das dietas focalize a equação "menos comida"? E já não é tempo de mudarmos isso?

LIBERDADE. Quase todas as dietas nos privam de alguma coisa – de carboidratos, de gordura ou de diversão. (Um hambúrguer com bacon e molho de queijo, mas sem o pão? Não, obrigada.) Neste programa, você não se sentirá privada. Ficará satisfeita. Comerá coisas crocantes. Alimentos doces. Proteínas, carboidratos e gordura. Há até uma refeição semanal em que poderá saborear o que quiser. Absolutamente tudo. Durante a maior parte da semana, você vai se concentrar em alimentos que mudarão seu metabolismo e controlarão as tentações. Contudo, terá liberdade e flexibilidade para se desviar apenas o suficiente para se manter satisfeita, sem arruinar todo o trabalho que já desenvolveu.

TEMPO. Algumas dietas dão a impressão de que nos tomaria menos tempo criar galinhas e esperar que elas colocassem ovos do que planejar e preparar os pratos indicados. Na Dieta do Abdômen, todas as refeições e receitas são fáceis de fazer. Em relação ao planejamento, tudo o que lhe peço é que consulte o programa duas vezes por dia. Como os lanches entre as refeições são o inimigo número um das dietas, sua melhor defesa é elaborar uma estratégia simples em relação a como e ao que você vai comer a cada dia. Todas as noites, reserve cinco minutos para definir o que e quando comerá no dia seguinte. Dessa maneira, neutralizará a tentação e poderá assumir o controle. Depois de ler os princípios, você vai verificar que a Dieta do Abdômen institui um novo paradigma para o controle do peso. Simplesmente:

MAIS ALIMENTOS = MAIS MÚSCULOS = MENOS FLACIDEZ

| CAPÍTULO 3 |

Queime gordura dia e noite

COMO O METABOLISMO MOLDA SEU CORPO – E COMO VOCÊ PODE MUDAR SEU METABOLISMO

NO CAPÍTULO 2, MOSTREI QUE A MAIOR PARTE das dietas populares proporciona apenas um emagrecimento imediato. Expliquei também que, ao seguir esses regimes alimentares, a pessoa não apenas recupera o peso do qual se livrou no início como também pode voltar a engordar ainda mais depois. Na verdade, a maioria das dietas não é um plano de perda de gordura a longo prazo, e sim um plano de perda de músculos a longo prazo. A Dieta do Abdômen é diferente: é um programa que ajuda a acelerar os mecanismos naturais de queima de gordura do corpo e a mantê-los acionados pelo resto da vida.

Por mais prejudiciais que as dietas radicais possam ser, elas não são as únicas culpadas pela obesidade, que, em alguns países, como os Estados Unidos, já apresenta proporções epidêmicas. Muitos outros fatores são responsáveis por esse problema, como fast-food, estresse, sedentarismo, porções imensas, bufês em que comemos à vontade por um preço fixo, a perda de importância das aulas de Educação Física nas escolas, o sofá, os refrigerantes e a pipoca no cinema. Somos uma sociedade de comedores desregrados, trabalhando em escritórios, sempre conversando sobre comida. Mas, na batalha do controle do peso, esses são os alvos fáceis. Creio que um dos motivos pelos quais continuamos a engordar é o fato de depositarmos fé em duas coisas que, embora devessem nos ajudar a emagrecer, agem de forma contrária. Esses "agentes duplos" colhem louros por suas contribuições à saúde, porém também colaboraram para distorcer a maneira como pensamos a respeito do emagrecimento. Os dois culpados pela grande disseminação da obesidade? Os rótulos nutricionais e os aparelhos de exercícios.

Será que a contagem de calorias pode ajudar você?

ANTES QUE VOCÊ DISCORDE, quero que preste atenção. Rótulos e aparelhos de exercícios têm seus usos apropriados (os primeiros, para o simples conhecimento das vitaminas, dos minerais e de outros ingredientes presentes nos alimentos; os segundos, para fazer com que as pessoas tirem o traseiro do sofá e se exercitem). Minha queixa contra essas duas coisas não é direcionada ao que elas fazem simplesmente, mas ao mito que perpetuam. Por meio da sua função, ambas alimentam um modo de pensar a respeito do emagrecimento que, na verdade, dificulta o controle do peso. Elas estão criando comunidades de gorduchos que idolatram uma entidade que parece ser onipotente: a caloria.

A cada alimento ingerido e a cada exercício finalizado, você verifica quantas calorias entraram e quantas calorias saíram. O raciocínio é o seguinte: se estiver gastando mais em exercício do que absorve em alimentos, vai emagrecer. Os especialistas dizem que cerca de 500g de gordura contém em torno de 3.500 calorias. Portanto, excluindo 500 calorias das refeições diárias, aumentando os exercícios para a queima diária de 500 calorias ou fazendo outra combinação

---

HISTÓRIA DE SUCESSO DA DIETA DO ABDÔMEN

"Eu precisava de alguma coisa que fosse fácil."

Nome: Linda Toomey
Idade: 35 anos
Altura: 1,64m
Peso inicial: 67kg
Peso atual: 58kg

Depois que teve seu quarto filho, Linda Toomey, então com 67kg, concluiu que precisava emagrecer. Havia engordado 10kg na terceira gravidez e queria agir rápido, pois sabia que, quanto mais esperasse, mais difícil seria. Sua saúde – e sua barriga – vinham sendo as últimas das suas prioridades. "Sou a rainha das desculpas", afirma.

Linda estava ciente também de que precisava ter o máximo possível de energia, sobretudo porque os cuidados com o filho recém-nascido a estavam privando de boas horas de sono. "Tudo bem que à noite eu me sentisse cansada, mas não duas horas após eu me levantar da cama pela manhã."

dessas duas coisas, será possível perder aproximadamente 500g de gordura por semana. Na teoria, parece sensacional, mas a vida real é diferente. Apesar de todo esse conceito de controle de calorias, é mais provável que você perca o ânimo do que peso. Você "rala" na esteira por 30 minutos e depois lê o registro final: "Exercício concluído: 300 calorias queimadas!" Percebe que se livrou de um pouco da barriga e se aproximou do objetivo – até sentir fome no final da noite e descobrir que um cachorro-quente simples tem cerca de 300 calorias. O que lhe custou 30 minutos para queimar pode ser recuperado em poucos segundos enquanto você assiste à novela. Isso acaba com qualquer dieta.

Evidentemente, não há nada de errado em usar rótulos com indicações nutricionais para que você saiba o que está ingerindo ou como um meio de evitar alimentos altamente calóricos. Muitas mulheres sentem necessidade de contar calorias para se manterem na faixa ideal de consumo diário. Tudo bem, desde que isso seja entendido como um cálculo aproximado. É melhor tentar se concentrar no que está acontecendo dentro do seu corpo durante o resto do dia – enquanto trabalha, dorme, faz amor ou simplesmente está

Seus objetivos eram: recuperar o corpo que tinha antes, sentir-se mais disposta e fortalecer as costas para conseguir carregar os filhos, que eram mais pesados do que a média. "Experimentei outras dietas, mas, em meio à loucura que era minha vida, não tinha tempo para fazer comida nem para me exercitar. Precisava de alguma coisa que eu pudesse preparar com facilidade e rapidamente."

A Dieta do Abdômen proporcionou a Linda o que ela queria. "Não é bem uma dieta", diz. "É um plano alimentar para a vida inteira. Saber que eu poderia comer carboidratos e que não passaria fome me estimulou muito. Foi muito fácil seguir um programa que servia para toda a família. Não havia necessidade de preparar pratinhos diferentes só para mim."

Linda adotou também o Programa de Exercícios de 20 minutos. Com isso, fortaleceu a musculatura abdominal e a da região lombar e não teve mais problemas para carregar os filhos no colo – nem mesmo o mais velho, de seis anos.

Em seis semanas, ela perdeu 9kg, seu percentual de gordura corporal caiu de 36 para 25 e seu manequim passou de 44 para 40. "Espero que isso sirva de motivação para muitas mulheres. Depois de cada parto, eu tinha muita dificuldade de me livrar da barriga. O progresso em um período tão curto foi impressionante."

sentada lendo um livro, como agora. Neste exato momento, seu corpo está ganhando ou perdendo gordura. A Dieta do Abdômen treinará seu organismo para queimar gordura mesmo enquanto você estiver quieta, parada, porque envolve algo que outros programas de dieta ignoram: o metabolismo.

O que é "metabolismo"?

METABOLISMO É A VELOCIDADE com que o corpo queima calorias apenas para permanecer vivo; ou seja, para manter o coração batendo, os pulmões funcionando, o sangue circulando e a mente fantasiando sobre aquela praia deslumbrante do Caribe enquanto você faz os cálculos dos gastos necessários para essa viagem ou ralha com seu filho e o coloca de castigo. O corpo queima calorias o tempo inteiro, mesmo enquanto você lê esta frase. No caso da mulher, são queimadas em média cerca de 10 calorias por 500g de peso corporal todos os dias.

Há três tipos principais de queima de calorias que ocorrem ao longo do dia. Saiba como eles funcionam e compreenderá exatamente por que a Dieta do Abdômen transformará seu corpo em uma máquina de eliminação rápida de gordura.

QUEIMA DE CALORIAS 1: O EFEITO TÉRMICO DE COMER. A simples digestão dos alimentos é responsável pela queima de 10 a 30% das calorias que você ingere todos os dias. O que é incrível: ao satisfazer o apetite, o organismo queima calorias. Mas nem todos os alimentos são iguais. O corpo usa mais calorias para digerir proteína (cerca de 25 calorias queimadas para cada 100 calorias ingeridas) do que para digerir gorduras e carboidratos (10 a 15 calorias queimadas para cada 100 calorias ingeridas). É por isso que a Dieta do Abdômen se concentra em proteínas magras e saudáveis. Aumentando a ingestão dessas proteínas de forma sensata, você se livrará de um número maior de calorias.

QUEIMA DE CALORIAS 2: EXERCÍCIO E MOVIMENTO. Outros 10 a 15% da queima de calorias resultam da movimentação dos músculos, não importa se você está levantando um peso acima da cabeça, correndo para pegar o ônibus ou apenas estalando os dedos. O simples ato de virar a página de um livro queima calorias.

QUEIMA DE CALORIAS 3: METABOLISMO BASAL. Esse é o mais importante. O metabolismo basal, ou o metabolismo em repouso, refere-se às calorias que você queima quando não está fazendo absolutamente nada. Dormir, assistir à televisão, sentar-se para ouvir uma chatíssima apresentação sobre a contabilidade da empresa – todas essas são situações em que calorias estão sendo usadas. Na verdade, de 60 a 80% da queima diária de calorias ocorre quando estamos parados. Isso acontece porque o corpo se mantém em permanente movimento: o coração bate, os pulmões funcionam, as células se dividem, inclusive durante o sono.

Somando as porcentagens, é possível verificar que a maior parte da queima diária de calorias decorre de funções fisiológicas sobre as quais nem pensamos, como o efeito térmico de comer e o metabolismo basal. Os exercícios são importantes, mas as calorias que queimamos durante a prática da atividade física não são tão importantes assim. Por esse motivo é que o Programa de Exercícios da Dieta do Abdômen foi elaborado para alterar o metabolismo basal, transformando seu tempo de repouso em um período de queima de calorias. E é também por isso que as opções alimentares apresentadas neste livro destinam-se a maximizar o número de calorias queimadas no simples ato da digestão. Quero que você se esqueça das calorias que queima durante os 30 minutos em que se exercita e que se concentre naquelas que usa nas outras 23 horas e meia do dia.

A Dieta do Abdômen vai converter seu corpo em um dínamo de queimar gordura de diversas maneiras.

Mude sua maneira de se exercitar

VOCÊ JÁ ESTEVE EM UMA ACADEMIA DE GINÁSTICA na hora de maior movimento? As pessoas se concentram em torno das esteiras e das bicicletas ergométricas. Cartazes avisam que o tempo máximo para o exercício é de 20 ou 30 minutos para que o próximo fanático por suor tenha sua vez. Parece que todos ali querem praticar uma atividade cardiovascular (aeróbica). Quanto mais suam, mais calorias queimam e mais peso perdem, não é mesmo? De certa forma, sim, e eles estão certos. As atividades cardiovasculares – exercícios de resistência prolongados, como correr, andar de bicicleta e nadar – queimam muitas calorias. Na verdade, costumam queimar mais do que outras formas de exercício, como treinamento com pesos, ioga e Pilates. No entanto, quando se trata do controle do peso, a atividade aeróbica é superestimada. Por quê? Por um motivo: ela desenvolve pouco a musculatura – se é que desenvolve algum músculo –, mas a massa muscular é o componente fundamental para um metabolismo acelerado. Ela queima gordura. Adquira cerca de 500g de músculos, e o corpo queimará até 50 calorias adicionais por dia só para mantê-los. Com cerca de 3kg extras de músculos, você queimará em torno de 300 calorias por dia apenas ficando sentada, sem fazer nada.

Esse é o problema do exercício aeróbico de baixa intensidade. Assim como um carro não anda sem gasolina e uma pipa não voa sem vento, o corpo não funciona sem alimento. Ele é o combustível que ajuda você a correr, levantar-se, dançar e ter resistência para fazer amor. De modo geral, durante a atividade física o corpo precisa de glicogênio (uma forma de carboidrato armazenada nos músculos e no fígado), de gordura e, em alguns casos, de proteína. Quando você faz um exercício aeróbico de baixa intensidade, o organismo inicialmente usa gordura e glicogênio (carboidratos) como combustível. Se essa atividade se estender por períodos mais longos (20 minutos ou mais), o corpo entra em depleção, ou seja, esgotam-se suas fontes de energia da primeira camada (as reservas de glicogênio) e ele passa a procurar a fonte mais fácil de energia que pode encontrar: a proteína. Começa então a consumir o tecido muscular, convertendo a proteína armazenada nos músculos na energia necessária para dar continuidade ao esforço. Depois de alcançar esse nível, o corpo queima de 5 a 6g de proteína para cada 30 minutos de exercício contínuo. (É mais ou menos a quantidade de proteína existente em um ovo cozido.) Ao queimar esse nutriente, você está perdendo não apenas uma oportunidade de se livrar da gordura como também os poderosos e importantes músculos. Portanto, a atividade aeróbica diminui a massa muscular. E a redução dessa massa, em última análise, desacelera o metabolismo, o que facilita o aumento de peso.

Há, porém, um fato ainda mais surpreendente. Quando os primeiros estudos compararam os exercícios cardiovasculares ao treinamento com pesos, os pesquisadores descobriram que as pessoas que se dedicavam às atividades cardiovasculares queimavam mais calorias durante os exercícios do que aquelas que faziam o treinamento de força. Desse modo, podia-se presumir que a atividade aeróbica era a ideal. Mas esse não é o fim da história.

Ocorre que quem treinava com pesos não queimava tantas calorias durante os exercícios quanto quem corria ou andava de bicicleta; no entanto, queimava muito mais calorias ao longo das horas subsequentes. Esse fenômeno é conhecido como queima adicional: as calorias a mais que o corpo usa nas horas e nos dias que se seguem à realização de um exercício. Quando verificaram os aumentos metabólicos após as atividades físicas, os pesquisadores observaram que, no caso dos exercícios aeróbicos, a intensificação do efeito metabólico durava apenas de 30 a 60 minutos. No caso do treinamento com pesos, ela permanecia até 48 horas, período em que o corpo estava queimando gordura adicional. A longo prazo, os dois grupos conseguiram emagrecer, mas os participantes que praticaram o treinamento de força se livraram apenas de gordura, enquanto corredores e ciclistas perderam também massa muscular. A mensagem: os exercícios aeróbicos promovem a queima de calorias sobretudo enquanto estão sendo realizados. Com o treinamento com pesos esse processo permanece por mais tempo, mesmo depois que a pessoa deixa a academia, até quando já estiver dormindo, talvez até o próximo treino. E mais: o corpo, ainda que em repouso, continua a usar calorias a longo prazo somente para manter vivo o novo músculo.

Isso levanta uma questão: que aspecto do treinamento com pesos possibilita a longa queima adicional? É provável que seja o processo de reparação muscular. Esse tipo de atividade física faz com que o tecido muscular se rompa e se reconstrua em uma taxa mais elevada do que a normal. (Os músculos estão sempre se rompendo e se reconstruindo, e os exercícios com pesos aceleram esse processo.) O rompimento e a reconstrução exigem muita energia, o que pode explicar o longo período de queima de calorias. Na verdade, um estudo finlandês mostrou que a síntese de proteína (o processo que cria músculos maiores) aumenta 21% três horas após o exercício.

A boa notícia é que você não precisa levantar pesos como um atleta profissional para ver os resultados. Um estudo realizado pela Universidade de Ohio revelou que um treino rápido mas intenso produz o mesmo efeito que os exercícios mais demorados. Usando um circuito de três exercícios consecutivos por 31 minutos, os participantes do experimento continuavam queimando calorias 38 horas após o treino. (O Programa de Exercícios da Dieta do Abdômen baseia-se em princípios similares para reproduzir esses resultados.)

Como eu disse, a construção de músculos acelera o metabolismo de tal maneira que queimamos até 50 calorias por dia para manter cerca de 500g de músculo. Quanto maior a musculatura, mais fácil será emagrecer. Por isso, um dos componentes deste plano é o Programa de Exercícios, que ajudará você a desenvolver os músculos necessários para queimar gordura e remodelar seu corpo. Além disso, ele aponta um dos motivos pelos quais você deve eliminar a ênfase nos exercícios aeróbicos se quiser emagrecer: esse tipo de atividade física causa a depleção do estoque de músculos queimadores de gordura corporal.

Antes que você comece a pensar que sou um fanático detrator dos exercícios aeróbicos, deixe-me esclarecer um ponto: corro quase todos os dias e até já completei a maratona da cidade de Nova York. Esse tipo de atividade física queima calorias, favorece o controle do estresse e beneficia a capacidade cardiovascular. Também contribui para baixar a pressão e melhorar o quadro do colesterol. Se sua escolha é entre o exercício aeróbico e o sedentarismo, trate de sair de casa e começar a correr. Mas, quando a questão é administrar o peso a longo prazo, troco a corrida pelo treinamento com pesos na academia.

Mude a maneira de se alimentar

POUCAS COISAS NA NOSSA SOCIEDADE falham com mais frequência do que as dietas (com exceção da copiadora do escritório). Creio que há uma explicação para isso. Por um lado, um grande número de regimes alimentares baseia-se em alimentos pobres em gordura. Analisarei a questão da gordura em um capítulo posterior, mas adianto que um dos problemas das dietas desse tipo é que elas podem suprimir a produção de testosterona, o hormônio que contribui para o crescimento muscular e a queima de gordura. Quando os níveis de testosterona são baixos, o corpo armazena gordura. Muitas dietas também não dão certo porque deixam de aproveitar o nutriente mais poderoso para o desenvolvimento muscular e o aumento do metabolismo: a proteína.

A proteína – em comparação com nutrientes de outros grupos – funciona de duas maneiras básicas. Primeiro, quando consumida em maior quantidade, ela aumenta em até 30% o efeito térmico da digestão. Segundo, também é a responsável pelo desenvolvimento dos músculos, que queimam calorias. Na verdade, ocorre uma queima dupla: enquanto a comida é ingerida e, depois, durante a prática dos exercícios enquanto os músculos estão sendo trabalhados. Na Dieta do Abdômen, você dará importância especial à proteína por esses motivos, mas priorizará as melhores e mais poderosas fontes desse nutriente. Segundo um estudo dinamarquês publicado no *American Journal of Clinical Nutrition*, parte de um grupo de pessoas foi submetida a uma dieta rica em proteína da carne de porco e a outra parte a uma dieta rica em proteína de soja. A pesquisa revelou que os participantes que seguiam a dieta com mais proteína animal queimavam 2% a mais de calorias em um período de 24 horas do que os indivíduos que adotavam a alimentação com mais proteína de soja, embora estes últimos ingerissem uma quantidade ligeiramente menor de comida. Para quem segue uma dieta de 1.700 calorias, isso corresponde à queima de 34 calorias por dia. Em outras palavras, para os que desejam se livrar das calorias, filé é melhor do que tofu.

Dê outra interpretação à palavra "dieta"

VAMOS ANALISAR UMA SITUAÇÃO TÍPICA. Você come uma torrada no café da manhã e mastiga algumas cenouras no almoço. Imagina que isso lhe dá uma grande vantagem no jogo da contagem de calorias. No jantar, porém, se empanturra de batata frita. Ou seja, com tantas limitações sobre o que comer, por fim você pode se comportar como uma adolescente rebelde e violar todas as regras. Enquanto a maioria das dietas diz "não" com mais frequência do que seu chefe diante dos seus pedidos de aumento, a Dieta do Abdômen lhe oferece opções. Ela prefere a satisfação à restrição.

Por anos ou talvez durante toda a sua vida, você provavelmente teve uma ideia do que deve ser uma dieta. Restringir alimentos, comer como uma supermodelo, suar na esteira e queimar gordura. Na realidade, esses podem ser exatamente os motivos que a impedem de emagrecer. Foi isso que a fez recuperar o que perdeu. Por essa razão a lancha veloz do seu metabolismo reduziu a velocidade para a de uma barca quase parada. E é por esse motivo que a única receita real que muitos programas de dieta fornecem é a do fracasso com recheio de nozes. O que a Dieta do Abdômen faz é reprogramar seus circuitos. Você vai parar de se concentrar em calorias e começar a pensar na melhor maneira de queimá-las. Dessa forma, seu corpo estará equipado com todas as ferramentas de que precisa para se livrar da gordura – e deixar à mostra um abdômen definido.

BOLETIM DE SAÚDE DA DIETA DO ABDÔMEN

Afinal, o que é... pressão alta?

Você sabe que a pressão alta (hipertensão) é prejudicial, mas é provável que tenha dificuldade para entender como ela ocorre. Quando as pessoas pensam nesse assunto, normalmente raciocinam em termos de uma mangueira de jardim: se a pressão for muito forte, a mangueira estoura, a menos que se abra a válvula. Esse modelo, no entanto, é muito simples. O melhor é imaginar o sistema circulatório como uma espécie de canal de navegação com várias comportas que levam o sangue para os lugares em que ele é necessário. A gravidade atua no sangue da mesma forma que no resto do corpo: puxando-o para baixo. Imagine-se saindo da cama de manhã e ficando de pé. A gravidade quer levar para os pés o sangue distribuído por todo o seu corpo. Você, por outro lado, gostaria que ele fosse bombeado para o cérebro, pois isso a ajudaria a se lembrar de onde deixou as chaves do carro.

No momento certo, as artérias na parte inferior do corpo se contraem, enquanto o coração passa a bombear mais sangue. O resultado é instantâneo: a pressão arterial aumenta e o sangue flui para o cérebro. Ah, lá estão as chaves... no quarto das crianças, exatamente onde você as deixou.

É um sistema engenhoso, mas que pode se deteriorar com a maior facilidade. Quando alguém acumula o chamado "pneu" em torno da cintura, seu coração bombeia com mais vigor, a fim de forçar o sangue por todo esse novo tecido gorduroso. Sempre que a pessoa come batata frita e outros alimentos com muito sal, o sangue retém água, a fim de diluir o excesso de cloreto de sódio (o sal de cozinha), e, desse modo, o volume geral de sangue aumenta. Nas ocasiões em que a pessoa forra as artérias com placas resultantes de muitas refeições gordurosas, a pressão se eleva, pois a mesma quantidade de sangue precisa se espremer através de canais que acabaram de se tornar mais estreitos. Sempre que ela deixa as tensões do dia atormentarem sua noite, o cérebro libera hormônios do estresse, que mantêm o corpo em estado permanente de ansiedade, no esquema de luta ou fuga, também obrigando o coração a bombear com mais força. A alimentação com muito sal e gordura combina-se ao excesso de estresse, criando uma situação perigosa.

O coração continua a bombear, e os vasos sanguíneos ainda se contraem e se dilatam para que o sangue possa chegar aonde é necessário. Quando a pressão permanece alta por anos a fio, os vasos de paredes finas no cérebro podem se romper sob pressões extremas, causando a morte das células cerebrais – é o que conhecemos como derrame hemorrágico. A hipertensão pode ocasionar também o acúmulo de placas de gordura em uma das artérias do cérebro e até acarretar o bloqueio do fluxo sanguíneo. (A pressão alta provoca lesões nas paredes arteriais lisas, criando pontos de ancoragem onde as placas se fixam.) Outras consequências do perigoso acúmulo de placas são insuficiência renal e infarto.

Há ainda o desgaste puro e simples que a pressão alta impõe ao coração. Ao longo do tempo, o trabalho extra exigido pela hipertensão faz com que as paredes desse órgão se tornem mais rígidas e mais espessas. O coração passa a funcionar com menos eficiência, incapaz de bombear a quantidade necessária de sangue. O sangue para de circular, o coração pifa e o médico registra "insuficiência cardíaca congestiva" no atestado de óbito.

O ideal é que a pressão seja de 120/80 ou mais baixa. O que esses números representam? O número maior, chamado de pressão sistólica, é a pressão gerada quando o coração bate. O número inferior é a pressão diastólica, a pressão nos vasos sanguíneos quando o coração está em repouso, entre as batidas. As leituras mais elevadas são divididas em três categorias:

- **Pré-hipertensão: sistólica 120-139 / diastólica 80-89.** O pré-hipertenso deve começar a se preocupar com a pressão, concentrando-se na dieta e nas dicas de exercícios fornecidas pelo programa deste livro. Talvez essa pessoa ainda não esteja vendo as luzes piscando no seu retrovisor, mas seu radar acaba de ser acionado. É hora de desacelerar.
- **Hipertensão estágio I: sistólica 140-159 / diastólica 90/99.** Para a pessoa enquadrada nessa categoria, costumam ser recomendadas terapia com remédios e mudanças no estilo de vida. Seu risco de sofrer infarto ou derrame é elevado, e ela precisa de cuidados médicos.
- **Hipertensão estágio II: sistólica 160 ou mais / diastólica 100 ou mais.** Uma terapia com drogas avançadas é quase sempre indispensável para quem apresenta esse quadro. Essa pessoa corre um alto risco de ficar incapacitada ou morrer.

Agora, tenho duas perguntas importantes a fazer. Você alguma vez mediu sua pressão? Se não tiver medido, já está se sentindo preocupada o suficiente para começar a se cuidar? Felizmente, os Alimentos Poderosos da Dieta do Abdômen podem ser úteis, restringindo as gorduras nocivas na sua dieta e aumentando as boas – e eliminando alguns quilos extras. O Programa de Exercícios da Dieta do Abdômen e as dicas para reduzir o estresse também proporcionam esses benefícios. (Para saber como você pode ajudar a controlar seu nível de estresse, consulte o capítulo 12.) Enquanto isso, tente enfrentar o problema com algumas destas sugestões simples:

Caia fora na segunda rodada. Faça com que o segundo drinque da noite seja a saideira. De acordo com um estudo publicado no *New England Journal of Medicine*, um ou dois drinques diários abaixam um pouco a pressão. Três drinques ou mais por dia, no entanto, elevam a pressão sistólica numa média de 10 pontos e a diastólica em 4. O tipo de álcool não faz diferença.

Beba mais chá. Um estudo da American Heart Association revelou que as pessoas que tomavam duas xícaras de chá por dia corriam um risco 25% menor de morrer de doenças cardíacas do que aquelas que raramente tomavam chá. O motivo: os flavonoides presentes nessa bebida fazem com que os vasos sanguíneos tenham mais capacidade de relaxar e também afinam o sangue, reduzindo a coagulação.

Não se esqueça da maçã. Pessoas que comem maçã com frequência correm um risco 20% menor de desenvolver uma doença cardíaca do que as que não ingerem essa fruta.

Coma frutas vermelhas frescas. Morango, framboesa e amora contêm uma grande concentração de ácido salicílico, o mesmo elemento de combate à doença cardíaca que se encontra na aspirina.

Peça atum. As gorduras de ômega-3 presentes no atum e em outros peixes, assim como no óleo de linhaça, ajudam a fortalecer o músculo cardíaco, baixar a pressão, prevenir a coagulação e reduzir os níveis de inflamações potencialmente fatais.

Faça um banquete de potássio. Acrescente uma banana (487mg) cortada ao seu cereal, depois asse duas batatas-doces pequenas (612mg) ou cozinhe espinafre (1 xícara de chá tem 839mg) para o jantar. Todos esses alimentos possuem uma boa quantidade de potássio. Estudos mostram que não ingerir pelo menos 2.000mg de potássio por dia pode favorecer a pressão alta. Outras boas fontes de potássio incluem passas (1 xícara tem 1.086mg), tomate (1 xícara de molho tem 811mg) e papaia (1 unidade tem 781mg desse mineral).

Tome suco de laranja enriquecido com cálcio. Aumentar o cálcio na dieta pode reduzir a pressão. Você obterá também um benefício da vitamina C. Segundo uma pesquisa realizada na Inglaterra, as pessoas com mais vitamina C na corrente sanguínea têm 40% menos probabilidade de morrer de doenças cardíacas.

Coma sementes de abóbora. Em 28g de sementes de abóbora há 151mg de magnésio, mais de 1/3 da ingestão diária recomendada. As deficiências de magnésio têm sido associadas à maioria dos fatores de risco para as doenças cardíacas, inclusive pressão alta, níveis elevados de colesterol e crescente acúmulo de placas nas artérias. Outras grandes fontes: linguado (170mg em 200g de peixe), arroz integral (1 xícara tem 84mg), grão-de-bico (1 xícara tem 79mg), castanha-de-caju (28g têm 74mg) e alcachofras (1 unidade tem 72mg).

Troque o óleo. Pesquisadores na Índia revelaram que as pessoas que substituíram os óleos de milho e de outros vegetais por gorduras monoinsaturadas (azeite de oliva extravirgem ou, no caso dessa pesquisa, óleo de semente de gergelim) baixaram a pressão sanguínea em mais de 30 pontos em apenas 60 dias, sem fazer nenhuma outra mudança na alimentação.

| CAPÍTULO 4 |

Como funciona a Dieta do Abdômen

O QUE SUA ÚLTIMA REFEIÇÃO ESTÁ FAZENDO COM SEU CORPO NESTE MOMENTO

NA MANEIRA MAIS TOSCA, a forma como o alimento viaja através do corpo parece simples. Há uma única entrada e uma única saída, e qualquer coisa deixada para trás se acumula em gordura na barriga, nos quadris, nas coxas, na parte posterior do braço ou embaixo do queixo. Na verdade, os padrões de viagem do café da manhã, almoço e jantar são mais como a malha viária em uma grande cidade. Há os congestionamentos (artérias entupidas) e as passagens ocasionais por tiroteios (indigestões), mas também existe uma complexa rede de vias em que se dá o deslocamento dos nutrientes entre tecidos e órgãos vitais. A capacidade de perder peso e ganhar músculos depende em grande parte de como e quando o corpo é abastecido para operar nesse sistema.

No capítulo anterior, mostrei como a chave para o controle de peso eficaz se concentra na queima de calorias pelo corpo – não na eficiência com que você queima calorias ao se exercitar, e sim na eficiência com que gasta calorias quando está em repouso. Forneci também explicações sobre a maneira como os alimentos ingeridos podem afetar o uso diário de calorias pelo organismo. Antes de eu apresentar as instruções da Dieta do Abdômen, você deve conhecer as substâncias e os nutrientes mais importantes que interferem no modo como o corpo processa os alimentos.

Proteína: o nutriente mais valioso

EM PRATICAMENTE TODAS AS ÁREAS DA VIDA, poucas coisas são tão apreciadas quanto a versatilidade – a mãe que é tão boa nos esportes quanto é na cozinha; o pai que troca um pneu tão bem quanto prepara um molho de tomate; o médico que sabe também consertar computador; o meio de campo que defende, dá passes e faz gols; o armador que consegue pegar rebotes e encestar, a cantora que dança tão bem quanto canta. No seu corpo, a proteína é o jogador mais versátil na equipe de nutrientes. É ingerida em diversas formas e faz uma série de coisas com a maior eficiência – tudo isso sem um contrato multimilionário. Por exemplo:

- Constrói a estrutura do corpo, inclusive músculos, órgãos, ossos e tecidos conjuntivos.
- Na forma de enzimas, auxilia a digestão dos alimentos.
- Como hormônio, diz ao corpo quando usar o alimento como energia e quando armazená-lo como gordura.
- Transporta o oxigênio através do sangue para músculos e órgãos.
- Como um anticorpo, nos protege de doenças quando vírus e bactérias atacam.

Portanto, a proteína é fundamental para auxiliar o organismo a funcionar nos níveis ideais. Mas esse nutriente figura como a base da Dieta do Abdômen por outras quatro razões cruciais.

1. TEM UM SABOR AGRADÁVEL. Fatias de peito de peru defumado. Lombinho assado. Salmão grelhado. A Dieta do Abdômen baseia-se nos alimentos que você sente vontade de comer. Por isso, não é um programa ao qual você vai aderir com o maior esforço, e sim com a maior satisfação.

2. QUEIMA CALORIAS MESMO ENQUANTO ESTÁ SENDO SABOREADA. Os alimentos contêm energia na forma de ligações químicas, porém o organismo não pode usá-la desse modo. Ele precisa decompor o alimento e extrair a energia da ligação química. Esse processo de extrair energia requer energia, e o corpo gasta mais calorias ao realizá-lo. Trata-se do efeito térmico de comer, como expliquei no capítulo 3. A proteína expande tremendamente o funcionamento do efeito térmico: demanda quase duas vezes mais energia para ser decomposta do que os carboidratos. Ao compararem os benefícios de uma dieta rica nesse nutriente aos de uma dieta com predominância de carboidratos, pesquisadores da Universidade Estadual do Arizona constataram que as pessoas que comiam mais proteínas queimavam duas vezes mais calorias nas horas subsequentes às

refeições do que os participantes que se alimentavam com uma quantidade maior de carboidratos.

3. PROPORCIONA A SENSAÇÃO DE SACIEDADE. Pesquisas têm demonstrado que refeições baseadas em proteínas fazem com que a pessoa se sinta satisfeita mais depressa.

4. DESENVOLVE OS MÚSCULOS E MANTÉM O CORPO QUEIMANDO GORDURA DURANTE O DIA INTEIRO. Lembre-se: quanto mais músculos, maior a queima de gordura. A atividade de levantar e abaixar pesos cria lesões microscópicas na musculatura. Para repará-las, a proteína age como a Cruz Vermelha em uma área de desastre. O corpo lança uma proteína nova de paraquedas para avaliar os danos e restaurar o músculo. As proteínas fortalecem a estrutura celular original criando novas fibras musculares.

Todo esse processo, por meio do qual as proteínas constroem novas fibras musculares depois do exercício, pode durar de 24 a 48 horas. Portanto, se você treina com pesos três vezes por semana – acionando as proteínas para reparar os músculos –, seu corpo permanece essencialmente no estágio de desenvolvimento muscular, queimando gordura todos os dias.

Como você já sabe, a proteína é ingerida em muitas formas, como peru, carne bovina, peixe, nozes e tofu. Seu objetivo será se concentrar nas proteínas que mais favorecem o desenvolvimento dos músculos. As pesquisas mostram que a proteína animal é mais eficaz nesse sentido do que a proteína da soja e a proteína vegetal. Portanto, ave, peixe e cortes magros de carne bovina e de porco são opções melhores do que tofu e outros produtos baseados na soja (embora estes últimos sejam opções viáveis, se você for vegetariana). Se você é do tipo que gosta de contar, tente obter cerca de 1g de proteína por aproximadamente 500g de peso corporal por dia, o que é mais ou menos a quantidade de proteína que o organismo consegue usar diariamente. Para uma mulher de 65kg, isso fica em torno de 130g de proteína por dia, o que seria fornecido em uma seleção de alimentos como a seguinte:

3 OVOS (18G)
2 XÍCARAS DE LEITE DESNATADO (16G)
1 XÍCARA DE QUEIJO COTTAGE (28G)
70G DE AMENDOIM (16G)
200G DE PEITO DE FRANGO (54G)

Combine esses quatro motivos – um programa alimentar fácil e saboroso, mais calorias usadas, menos calorias ingeridas e mais músculos queimando gordura –, e você compreenderá por que uma dieta rica em proteínas proporciona perda de peso. Em um estudo dinamarquês, pesquisadores submeteram três grupos de pessoas, num total de 65 participantes, às seguintes dietas: uma com 12% de proteína, outra com 25% de proteína e a terceira com pouca ou nenhuma proteína (o grupo de controle). Nos dois primeiros grupos, o mesmo percentual de calorias – cerca de 30% – originava-se da gordura. Enquanto os indivíduos que se alimentaram com menos proteína perderam em média 5kg, aqueles submetidos às dietas com maior concentração desse nutriente emagreceram em média 9kg e ingeriram menos calorias do que os integrantes do outro grupo.

A estatística mais surpreendente, porém, não foi a quantidade de gordura eliminada, e sim de onde ela desapareceu: as pessoas que seguiram as dietas com mais proteína queimaram duas vezes mais gordura abdominal. Uma razão pode ser a de que uma alimentação mais rica nesse nutriente auxilia o corpo a controlar os níveis de cortisol, hormônio do estresse que faz a gordura convergir para a região abdominal.

Gordura: uma substância incompreendida

QUANDO VOCÊ PENSA EM GORDURA, provavelmente imagina alimentos que têm muita gordura – ou em pessoas gordas. Depois de passar alguns anos suportando seus quilos extras, a única coisa que sabe sobre o assunto é que está cansada de estar acima do peso e quer se livrar desse problema para sempre. Mas a gordura talvez seja um dos mais incompreendidos nutrientes do organismo. E isso decorre de uma crença bastante difundida, porém equivocada: a de que cabe a ela grande parte da culpa pela epidemia de obesidade.

Na década de 1980, o governo dos Estados Unidos divulgou normas nutricionais que diziam, essencialmente, que as pessoas deviam basear a alimentação em batata, arroz, cereais e massas, reduzindo ao mínimo os alimentos ricos em gordura e proteína. Isso deu origem à ideia de que a gordura as fazia ganhar peso. Além disso, estimulou uma nova série de dietas, nas quais a diminuição da gordura na alimentação reduziria a gordura que a falta de exercícios faz se acumular no abdômen. Mas essa linha de pensamento não resistiu quando os cientistas tentaram encontrar vínculos entre dietas pobres em gordura e a perda de gordura corporal. Em 1998, por exemplo, dois proeminentes pesquisadores da área de obesidade calcularam que, se uma pessoa ingerisse apenas 10% das calorias sob a forma de gordura, perderia 16g de gordura por dia – em torno de 23kg por ano. No entanto, quando um pesquisador de Harvard, Walter Willett, tentou encontrar provas de que isso ocorria, não conseguiu descobrir nenhuma ligação entre pessoas que emagreciam e o fato de ingerirem pouca gordura. Na verdade, em alguns estudos, que duraram um ano ou mais, grupos de participantes apresentaram ganhos de peso com dietas pobres em gordura. Willett apontou um provável mecanismo responsável por isso: quando o organismo é submetido a um regime alimentar com pequena quantidade de gordura por um longo período, ele para de perder peso.

Parte do motivo para o corpo se rebelar contra as dietas desse tipo é o fato de que necessitamos da gordura. Por exemplo, ela desempenha um papel fundamental na distribuição das vitaminas A, D, E e K, nutrientes que ficam armazenados no tecido adiposo e no fígado até o momento em que o corpo precisa usá-los. Também favorece a produção de testosterona, hormônio que ajuda a desencadear o desenvolvimento muscular. Além disso, assim como a proteína, contribui para a sensação de saciedade e controla o apetite. Na verdade, se aprendemos alguma coisa sobre a perda de peso nos últimos anos, foi que a redução da ingestão de gordura não acarreta necessariamente a diminuição da gordura corporal. Um pequeno estudo comparou uma dieta rica em carboidratos com uma dieta rica em gordura. Os pesquisadores verificaram que os participantes que ingeriram mais gordura apresentaram menos perda muscular do que os demais. Segundo esses estudiosos, a alimentação com maior quantidade de gordura fez com que a proteína muscular fosse poupada, porque os ácidos graxos, mais do que os carboidratos, eram captados e usados como energia.

Veja a seguir princípios elementares sobre as gorduras presentes na sua vida:

GORDURA TRANS: MÁ. As gorduras trans foram inventadas pelos fabricantes de alimentos na década de 1950 como uma forma de atiçar nosso desejo natural por comidas gordurosas. Mas elas não têm nada de natural: são substâncias químicas que aumentam o colesterol, enfraquecem o coração, causam diabetes e estufam o abdômen. Pesquisas as vincularam a cerca de 30 mil mortes prematuras nos Estados Unidos todos os anos. Em um estudo realizado pela Universidade de Harvard, pesquisadores verificaram que, se meros 3% das calorias diárias forem extraídos de gorduras trans, o risco de doença cardíaca aumenta em 50%. Três por cento de calorias diárias representam cerca de 7g de gorduras trans – mais ou menos a mesma quantidade presente em uma única porção de batata frita.

Para compreender o que são essas gorduras, imagine uma lata de óleo vegetal e um tablete de margarina. Na temperatura ambiente, enquanto o óleo vegetal é líquido, a margarina é sólida. Se você fizesse biscoitos usando óleo vegetal, eles ficariam bastante gordurosos. E quem compraria um biscoito boiando em óleo? Portanto, para produzirem biscoitos, bolos, tortas, sorvetes, waffles e muitos outros produtos, os fabricantes esquentam o óleo em altas temperaturas e adicionam hidrogênio. Ao se ligar ao óleo, o hidrogênio cria uma forma inteiramente nova de gordura – a trans –, que fica sólida na temperatura ambiente. O óleo vegetal transforma-se em margarina. Por isso, os alimentos que podiam ser naturalmente saudáveis – mas talvez não tão saborosos – viram bombas de gordura.

Como as gorduras trans não existem na natureza, o organismo tem grande dificuldade de processá-las. Depois de consumidas, ficam livres para causar todos os tipos de males. Aumentam o número de partículas de colesterol LDL (bandido) na corrente sanguínea ao mesmo tempo que diminuem o colesterol HDL (mocinho). Também elevam os níveis de outras lipoproteínas no sangue – e, quanto mais lipoproteínas na corrente sanguínea, maior a probabilidade de ocorrência de doenças cardíacas. O consumo elevado desse tipo de gordura foi associado ainda ao aumento do risco de câncer.

As gorduras trans, no entanto, são acrescentadas a uma quantidade impressionante de alimentos. Costumam aparecer nos rótulos nutricionais como "gordura vegetal hidrogenada" ou "parcialmente hidrogenada". Dê uma olhada na despensa e na geladeira. Você não vai acreditar na quantidade de itens em que elas estão presentes. Bolachas, pipocas, biscoitos, porções congeladas de peixe e frango, barras de chocolate, recheios. Até mesmo comidas aparentemente saudáveis – como bolinhos de farelo de trigo e cereais matinais – estão muitas vezes impregnadas de gorduras trans. Por se esconderem em produtos que parecem ter pouca gordura, elas estão acabando com sua saúde sem que você perceba.

Assuma o controle do seu consumo de gordura trans. Verifique os rótulos nutricionais de todos os alimentos embalados. Sempre que encontrar a indicação "gordura trans", ou "gordura vegetal hidrogenada" ou "parcialmente hidrogenada", procure uma alternativa. E lembre-se de uma coisa: quanto mais alta estiver na lista de ingredientes a indicação "gordura vegetal hidrogenada" ou "parcialmente hidrogenada", pior o alimento. Talvez não seja possível eliminar essas gorduras completamente, mas você pode escolher itens que as apresentem em uma quantidade mínima.

EVITE

Frituras

Margarina

Produtos de pastelaria

Qualquer alimento que contenha os termos "gordura vegetal hidrogenada" ou "gordura parcialmente hidrogenada" na lista de ingredientes

GORDURA SATURADA: MÁ. As gorduras saturadas são gorduras naturais, encontradas nas carnes e nos laticínios. O problema com essas gorduras é que, uma vez consumidas, elas tendem a ter o mesmo destino que tinham quando estavam no corpo do porco ou da vaca: em vez de serem queimadas como energia, é mais provável que sejam acumuladas como gordura na barriga, nos quadris e no bumbum. Na verdade, parece que seu "efeito de armazenagem" é maior do que o das outras gorduras. Um estudo realizado pela Universidade Johns Hopkins indica que a quantidade de gordura saturada na alimentação pode ser diretamente proporcional à quantidade de gordura em torno dos músculos abdominais. Pesquisadores analisaram as dietas de 84 pessoas e realizaram um exame de ressonância magnética em cada uma delas para medir a gordura. Quem ingeria mais gorduras saturadas apresentava mais gordura abdominal. Essas gorduras também elevam os níveis de colesterol, por isso aumentam o risco de doenças cardíacas e de alguns tipos de câncer.

Não quero que você elimine inteiramente as gorduras saturadas. Afinal, elas estão presentes na maioria dos produtos animais, que são importantes para a Dieta do Abdômen por outros motivos – o cálcio dos laticínios, a proteína das carnes. No entanto, procure consumir os que forem mais magros e menos gordurosos. Seu objetivo é obter o benefício nutricional de uma parte do alimento sem as elevadas quantidades de gordura saturada.

EVITE

Cortes gordurosos de carne vermelha

Laticínios de leite integral

GORDURA POLI-INSATURADA: BOA. Há dois tipos de gorduras poli-insaturadas: ômega-3 e ômega-6. É provável que você já tenha ouvido falar dos ácidos graxos ômega-3. São as gorduras encontradas nos peixes. Foi constatado que uma dieta rica em ômega-3 aumenta a proteção contra doenças cardiovasculares. Há muitos motivos para incluir os alimentos do mar na sua dieta, mas novas descobertas sugerem que esse tipo de gordura pode ajudar a controlar o peso. Em um estudo, as pessoas que tomavam 6g por dia de suplemento de óleo de peixe queimavam mais gordura ao longo de um dia do que os participantes que não faziam isso. Os pesquisadores supõem que uma dieta rica em ômega-3 altera o metabolismo e o impulsiona a queimar gordura com mais eficiência.

Você pode tomar os suplementos de óleo de peixe, se quiser, contudo perderá os benefícios proporcionados ao desenvolvimento muscular pela proteína presente no peixe. O interessante é que os peixes com os níveis mais altos de ômega-3 estão provavelmente entre os mais apreciados: salmão e atum, para indicar apenas dois. (Consulte a tabela na página 61 para verificar que posição seu peixe predileto ocupa.) Além de contar com o ômega-3, que faz bem ao coração e queima gordura, o peixe também é uma grande fonte de proteína magra, que serve para o desenvolvimento muscular.

Há outro Alimento Poderoso que os fisiculturistas conhecem muito bem e que vem se tornando cada vez mais popular: a linhaça. Quase nunca usado como cereal, o linho é pleno de ômega-3 e contém uma fibra que combate o colesterol. A linhaça e o óleo de linhaça são vendidos na maioria das lojas de produtos naturais. Compre-os sem hesitar! Eu guardo a linhaça na geladeira. Acrescento-a a cereais e saladas de frutas e também a espalho por cima de sorvetes. Tem um sabor suave de nozes que você vai apreciar. Destrói o colesterol com o ômega-3, acrescenta fibras para limpar as artérias e pode ser sua melhor arma contra a gordura.

Os ácidos graxos ômega-6 também contribuem para baixar o colesterol ruim e aumentar o bom colesterol. São encontrados em óleos vegetais, carnes, ovos e laticínios. Na verdade, estão presentes em tantos alimentos que apenas náufragos em uma ilha deserta, vivendo do que o mar despeja na areia, precisam se preocupar com a possibilidade de não os terem em quantidade suficiente na sua dieta.

Alimentos do mar com altas concentrações de ômega-3

Todos os dados referem-se a porções de 90g (exceto no caso da sardinha, com porções de 110g). O objetivo é obter um total de 2,5g de ômega-3 por dia.

TIPO DE PEIXE	CONTEÚDO DE ÔMEGA-3	PREPARO
Sardinha	2,4g	Em lata
Cavala	1,9g	Assada
Salmão	1,6g	Aferventado
Atum	1,5g	Grelhado
Ostra	1,4g	Cozida
Truta	1,2g	Assada
Tubarão	1,1g	Grelhado
Espadarte	1,1g	Grelhado

COMA EM MAIOR QUANTIDADE

Peixe

Linhaça e óleo de linhaça

GORDURA MONOINSATURADA: BOA. As gorduras monoinsaturadas são encontradas em nozes, azeitonas, amendoim, abacate, azeite de oliva extravirgem e óleo de canola. Assim como o ômega-3, favorecem a redução dos níveis de colesterol e protegem contra doenças cardíacas, mas também podem auxiliar a queimar gordura. Em um estudo, os pesquisadores observaram que o corpo queima mais gordura nas cinco horas subsequentes a uma refeição rica nessas gorduras do que após uma refeição em que predominam gorduras saturadas.

As gorduras monoinsaturadas não apenas baixam o colesterol e ajudam a diminuir a barriga como contribuem para aplacar a fome. Pesquisadores da Universidade Estadual da Pensilvânia constataram que as pessoas que consumiam purê de batata preparado com óleo rico em gorduras monoinsaturadas, como o azeite de oliva extravirgem, sentiam-se mais satisfeitas por mais tempo do que quando comiam o purê feito com gorduras poli-insaturadas.

Carboidratos: uma péssima reputação

COM AS SURRAS QUE OS CARBOIDRATOS têm levado nos últimos anos, é de admirar que o pão ainda não esteja protegido por alguma lei das espécies em extinção. Por toda parte para onde olho, vejo pessoas comendo hambúrgueres sem o pão, pedindo espaguete com almôndegas – mas sem o espaguete! – ou se gabando da sua dieta só de bacon. Embora seja evidente que as proteínas e as gorduras proporcionam tremendos benefícios nutricionais, é injusto – e pouco saudável – chutar os carboidratos para escanteio, quase que eliminá-los da dieta.

Com um número crescente de evidências de que uma dieta rica em carboidratos contribui para o armazenamento de gordura (exceto no caso de uma corredora de maratona), aceita-se cada vez mais que reduzi-los na alimentação auxilia no controle do peso. Um estudo publicado no periódico *Metabolism* confirmou exatamente isso. Pesquisadores da Universidade de Connecticut mostraram que pessoas que só comiam 46g de carboidratos por dia – cerca de 8% das calorias – perdiam 3kg de gordura e ganhavam quase 1kg de músculo em seis semanas. E isso foi demonstrado com uma dieta bastante satisfatória de 2.337 calorias por dia. Mas eliminar inteiramente os carboidratos pode ser um grande erro. Muitos deles – como frutas, legumes, cereais integrais e feijões – fornecem proteção contra o câncer e algumas doenças, enquanto outros contêm nutrientes, como as fibras, que auxiliam no emagrecimento e no controle do peso.

A confusão envolvendo os carboidratos resultou da necessidade de descobrir meios para classificá-los e avaliar quais deles são os melhores para o organismo. Eles eram analisados apenas por sua estrutura molecular, simples ou complexa. Os carboidratos simples são os que têm uma ou duas moléculas de açúcar, como é o caso da sacarose (presente no açúcar de mesa), da frutose (contida nas frutas) e da lactose (encontrada nos laticínios). Os carboidratos complexos são os que apresentam mais de duas moléculas de açúcar, como massas, arroz, pão e batata. O problema é que não se pode generalizar, dizendo que um carboidrato é bom ou mau somente com base na sua estrutura molecular. Por exemplo, uma maçã contém nutrientes e ajuda a manter o corpo esguio; o açúcar, não.

Os dois são carboidratos simples, mas não podem ser comparados em termos de valor nutricional.

Em vez disso, a maneira de decidir quais carboidratos são melhores está relacionada ao modo como o corpo reage em termos químicos. Um dos instrumentos que os nutricionistas usam hoje em dia é o índice glicêmico (IG). Esse índice atribui números aos alimentos, indicando a rapidez com que cada um deles se transforma em glicose. Os alimentos com IG elevado – os que são digeridos depressa e convertidos em glicose – são em geral menos nutritivos do que aqueles com IG baixo.

A glicose costuma ser chamada também de "açúcar no sangue". A presença de açúcar no sangue faz com que o organismo produza o hormônio insulina. A função desse hormônio é retirar da corrente sanguínea o açúcar que não está sendo usado como energia e armazená-lo no corpo. Vou explicar como o processo ocorre. Os alimentos com um IG alto (como chocolate, massas, pão e arroz branco) são digeridos depressa, inundando a corrente sanguínea de açúcar. A insulina entra em cena e pergunta: "Ei, o que eu faço com tudo isso?" A glicose que não é queimada imediatamente como energia começa a ser armazenada como gordura. E ainda acontece algo pior: quando um carboidrato com IG elevado é ingerido junto com gordura – pão branco com manteiga, por exemplo –, essa gordura também não pode ser queimada como energia, pois a corrente sanguínea está repleta de açúcar. De fato, a insulina faz um trabalho tão bom ao converter esse novo açúcar em gordura que a concentração de açúcar no sangue começa a diminuir rapidamente, e assim a fome volta a atacar.

Quando a refeição contém um IG baixo (como um jantar balanceado composto de frango, hortaliças ricas em fibras e arroz integral), o alimento é digerido mais devagar. O açúcar no sangue sobe aos poucos, e a digestão lenta indica que a glicose fica disponível na forma de energia por horas a fio. Ou seja, há bastante tempo para que o açúcar no sangue seja queimado. A insulina não precisa se precipitar para transformá-lo em gordura – ela pode aproveitá-lo lentamente em outros projetos de construção, como o desenvolvimento e a reparação dos músculos. Além disso, como o açúcar no sangue permanece em níveis regulares, não surge uma fome voraz poucas horas após a refeição. Dessa forma, o corpo desenvolve mais músculos, acumula menos gordura, tem mais energia e o apetite fica sob controle.

É difícil generalizar sobre os carboidratos que ocupam uma posição elevada na lista do IG e quais deles estão lá embaixo. Isso acontece porque o índice glicêmico é simplesmente uma medida de tempo: ou seja, quanto tempo é necessário para que 50g de carboidratos do alimento se transformem em açúcar no sangue independentemente do tamanho da porção. É uma medida, por exemplo, da conversão de carboidrato em açúcar de uma maçã inteira ou de uma melancia, mas isso não determina quanto carboidrato há em uma *porção* dessas frutas. De qualquer forma, ninguém come uma melancia inteira.

É por isso que o último avanço na ciência alimentar é a determinação da carga glicêmica (CG). A CG considera tanto o IG de um alimento quanto a quantidade de carboidratos presente em uma porção dele. Ela ajuda a avaliar o efeito glicêmico, ou a elevação projetada da glicose, a ser causado pelo alimento.

Insulina: o hormônio de duas caras

A insulina é como aquela avó que não gosta de jogar nada fora: guarda tudo. O problema é que ela também é um tanto esquizofrênica: às vezes faz com que os músculos cresçam e às vezes faz com que as células gordurosas se desenvolvam.

Alimentos diferentes fazem com que a insulina reaja de formas diferentes. Os que possuem alto índice glicêmico (incluindo pão branco, a maioria dos cereais, uva e banana) despejam muito açúcar na corrente sanguínea logo depois que são ingeridos, causando um aumento dos níveis de insulina. Então esse hormônio age rapidamente para transformar o açúcar em gordura.

Alguns produtos alimentícios, no entanto, causam outras reações. Os laticínios – leite, iogurte, sorvete – criam enormes fluxos de insulina, sem o efeito correspondente sobre o açúcar no sangue. Esse tipo de reação da insulina também é provocado por determinados alimentos que são virtualmente livres de carboidratos, como carne bovina e peixe, que quase não têm nenhum efeito sobre o açúcar no sangue. Quando esse açúcar permanece relativamente constante, ele permite que a insulina use os nutrientes presentes no sangue para construir e reparar as células, inclusive o tecido muscular.

É por isso que a Dieta do Abdômen se concentra em alimentos ricos em fibras e com muitos nutrientes, também considerados os mais úteis para o controle do peso. A maioria deles apresenta uma concentração de moderada a alta de proteína, alguns são ricos em cálcio derivado de laticínios, e os que são baseados em carboidratos possuem muitas fibras e outros componentes importantes.

Quanto maior a CG de um alimento, mais ele fará com que o açúcar no sangue aumente. Desse modo, será mais difícil controlar os níveis de energia e o apetite. Mas considerar a CG é apenas um dos fatores envolvidos na elaboração de uma dieta balanceada. "É melhor ter uma dieta com CG alta do que uma de gordura saturada", diz Jennie Brand-Miller, Ph.D., professora da Universidade de Sydney e autora da Tabela Internacional de índice glicêmico e carga glicêmica. "A busca da menor CG possível não é uma boa iniciativa, pois assim a pessoa comerá pouco carboidrato e muita gordura – provavelmente gordura saturada." Em vez disso, para manter a melhor reação glicêmica do seu corpo, concentre a refeição em alimentos com uma CG de 19 ou menos. Tente ter uma CG total, ao longo de um dia inteiro, inferior a 120.

Parece confuso? Não precisa ser. Os Alimentos Poderosos da Dieta do Abdômen e suas receitas têm cargas glicêmicas baixas a moderadas. Basta você seguir o programa. Nas ocasiões em que estiver em dúvida quanto a dois ou mais alimentos, consulte a tabela na página 366.

Um carboidrato realmente terrível

O xarope de milho com alto teor de frutose é um adoçante artificial mais barato e mais doce do que o açúcar. Os fabricantes de alimentos adoram comercializá-lo porque ele contribui para o aumento dos lucros. Por isso, o adicionam a uma imensa quantidade de alimentos. Cereais. Ketchup. Refrigerantes. Molho de macarrão. Biscoitos. Mesmo algumas barras energéticas, que deveriam ser boas para a saúde, contêm esse ingrediente.

Esse adoçante processado nem sequer existia na cadeia alimentar até a década de 1970. E ele é muito prejudicial. Está repleto de calorias que o organismo não consegue reconhecer. Na verdade, o xarope de milho com alto teor de frutose desliga os controles naturais do apetite. Assim, faz com que a pessoa coma quantidades exageradas de alimentos, muito além do que o organismo seria capaz de processar normalmente. É provável que você conheça alguém que consegue tomar uma garrafa de 2l de Coca-Cola de uma vez só. Antes da invenção desse adoçante, isso não ocorria. Os controles naturais do apetite interferiam, detectavam o açúcar consumido e diziam "Basta!". Mas, ao desligar esses dispositivos, esse adoçante está criando populações de gordos.

O problema com esse produto não é o xarope de milho, e sim a frutose, um açúcar natural da fruta e do mel. O xarope de milho é feito basicamente de glicose, que pode ser queimada como uma fonte de energia imediata, armazenada no fígado ou nos músculos para uso posterior ou, então, como último recurso, convertida em gordura. No entanto, esse xarope não é tão doce quanto outros açúcares, e foi por isso que sua versão rica em frutose se tornou tão popular. É barata e duas vezes mais doce.

Ao contrário do que faz com a glicose, o corpo não usa a frutose como uma fonte imediata de energia – ele a metaboliza em gordura. A pequena quantidade dessa substância que é ingerida com as frutas e o mel não torna ninguém gordo, mas no caso do xarope de milho com alto teor de frutose é como usar um tubo de soro que pinga gordura direto na barriga. Os refrigerantes figuram entres os piores criminosos. Muitos pesquisadores acreditam que há uma ligação direta entre eles e os números crescentes que observamos nas balanças.

Vou repassar rapidamente algumas explicações que já dei antes para que você possa entender melhor a ação destrutiva desse xarope no organismo. A ingestão de qualquer carboidrato que tenha glicose ou amido faz com que o organismo libere insulina para regular o peso. Primeiro, esse hormônio tenta levar os carboidratos para as células musculares, a fim de que sejam usados como energia. Também facilita seu armazenamento no fígado para utilização posterior. Depois, suprime o apetite, dizendo ao corpo que ele já se alimentou o suficiente. Finalmente, estimula a produção de outra proteína, a leptina, que é fabricada nas células gordurosas. A leptina, em suma, ajuda a regular a quantidade de gordura armazenada e a aumentar o metabolismo para manter o peso sob controle. Assim como algum intrometido que tenta lhe ensinar a maneira certa de criar seus filhos, a frutose estraga esse sistema que funciona perfeitamente sem sua interferência. Ela não estimula a insulina e por isso não aumenta a produção de leptina. E este é o argumento mais importante contra a frutose e o xarope de milho rico nesse açúcar: sem insulina e leptina, o corpo não dispõe de um mecanismo que diga "Basta!".

Os refrigerantes são uma das principais fontes desse inimigo da saúde. Pesquisadores tentaram determinar se o problema estava nesses produtos propriamente ditos ou no xarope de milho com alto teor de frutose. O veredicto: o xarope é o culpado. O *American Journal of Clinical Nutrition* publicou um estudo interessante realizado com dois grupos de pessoas com excesso de peso. Durante 10 semanas, um grupo tomou refrigerantes comuns e o outro grupo consumiu refrigerantes diet (livres desse adoçante). Os integrantes do primeiro grupo ganharam peso e mais gordura corporal, além de terem apresentado um aumento na pressão. Os demais, por terem ingerido menos calorias do que estavam habituados, emagreceram, perderam gordura corporal e ainda contaram com uma queda na pressão arterial.

Mesmo que você não seja alucinada por refrigerantes, o xarope de milho com alto teor de frutose pode agir em seu organismo. É nesse aspecto que os rótulos dos alimentos podem ser úteis. Quando eles informam a presença de "açúcar" ou "açúcar de cana", o produto contém sacarose, uma mistura de glicose e frutose em partes iguais. Isso não parece ser muito problemático. Se o xarope de milho com alto teor de frutose vier em primeiro ou segundo lugar na lista de ingredientes, dê uma olhada na tabela de informações nutricionais para verificar a quantidade de açúcar contida no alimento. Se forem até 2g, não se preocupe. Contudo, se forem 8g ou mais e se o xarope de milho aparecer em um dos primeiros lugares da relação, faça o que você faria quando seu namorado lhe dá um bolo: siga em frente, pois a fila anda. O organismo lida bem com pequenas quantidades de qualquer coisa, mas quando essas quantidades aumentam, os problemas começam.

Consulte a tabela de substituição a seguir para se orientar.

ALIMENTOS RICOS EM XAROPE DE MILHO COM ALTO TEOR DE FRUTOSE OU EM FRUTOSE	SUBSTITUIR POR
Refrigerantes comuns	Água mineral gasosa ou refrigerante diet
Doces, balas e bombons	Barras de chocolate (verifique o rótulo, pois algumas delas contêm xarope de milho com alto teor de frutose)
Cereais com bastante adoçante	Cereais sem açúcar ou com pouco açúcar
Molho de macarrão	Molho de macarrão sem açúcar
Barras energéticas	Barras energéticas sem xarope de milho com alto teor de frutose

BOLETIM DE SAÚDE DA DIETA DO ABDÔMEN

Afinal, o que é... colesterol alto?

O colesterol é uma substância mole e cerosa encontrada entre os lipídios (gorduras) na corrente sanguínea e em todas as células do corpo. Apesar das afirmações negativas contra ele, o fato é que precisamos do colesterol, pois o corpo o usa para formar membranas celulares, criar hormônios e realizar várias operações cruciais de manutenção. Mas um nível elevado de colesterol no sangue – hipercolesterolemia – é um grande fator de risco para doenças coronarianas, que causam o infarto.

Obtemos o colesterol de duas maneiras. O corpo, principalmente o fígado, produz quantidades variadas dessa substância, em geral cerca de 1.000mg por dia. No entanto, quando consumimos alimentos com alto teor de gordura saturada – especialmente as gorduras trans –, o organismo entra no frenesi do colesterol, liberando mais do que poderíamos usar. Alguns alimentos também contêm essa substância, especialmente gema de ovo, carne vermelha, aves, peixes, frutos do mar e laticínios fabricados com leite integral. No entanto, a maior parte do colesterol, aquilo em que vou me concentrar, é produzida pelo próprio corpo.

Uma parte do colesterol em excesso na corrente sanguínea é eliminada por meio do fígado. Uma parcela dele, porém, vai exatamente para onde não queremos: as paredes das artérias, e ali se combina com outras substâncias, formando as placas, que são um perigo por vários motivos. Primeiro, a placa eleva a pressão ao fazer o coração trabalhar mais para levar o sangue através de vasos que subitamente se tornaram mais estreitos. Esse esforço extra pode desgastar o coração. Segundo, há a possibilidade de que ela se solte da parede da artéria e seja arrastada pela corrente sanguínea, eventualmente formando um coágulo, que pode causar derrame, paralisia e morte, entre outras chateações...

Dentro do corpo há uma guerra sendo travada neste momento entre duas facções de agentes especializados – as lipoproteínas – que movimentam o sangue de acordo com suas intenções específicas. Há vários tipos de lipoproteínas, mas vamos nos concentrar nas que são o Dr. Jekyll e o Mr. Hyde da saúde, o médico e o monstro da história: o colesterol HDL (lipoproteína de alta densidade, ou "útil") e o LDL (lipoproteína de baixa densidade, ou "preguiçosa").

O mocinho: colesterol HDL. Cerca de 1/4 a 1/3 do colesterol no sangue é impulsionado pelo HDL, a lipoproteína útil. O HDL quer nos ajudar a recolher o colesterol e tirá-lo da corrente sanguínea, levando-o de volta ao fígado, e dali ser eliminado do corpo. Isso é ótimo. Estudiosos acreditam que o HDL remove o colesterol em excesso das placas e assim retarda seu crescimento. Um alto nível de HDL parece proteger contra ataques cardíacos. O oposto também é verdadeiro: um baixo nível de HDL (menos de 40mg por decilitro, mg/dl) indica um risco maior de ocorrência desses problemas e também de derrame cerebral.

O bandido: colesterol LDL. O preguiçoso LDL não tem nenhum interesse em ser útil. Ele quer apenas fixar o colesterol no lugar mais conveniente que puder encontrar, ou seja, nas artérias. Não se importa com o fato de que muito colesterol revestindo as artérias causa um acúmulo de placas, a chamada aterosclerose. Um alto nível de colesterol LDL (169mg/dl e acima dessa taxa) indica um risco elevado de doença cardíaca.

Em termos bem simples, o HDL tenta nos ajudar, mas o LDL fica onde está, rindo de nós. Portanto, de que lado você está? Se quer dar uma colaboração ao HDL, comece a usar os Alimentos Poderosos da Dieta do Abdômen e siga as orientações dos exercícios. Aqui estão mais algumas ideias rápidas para derrotar o bandido definitivamente.

Apague o cigarro. Fumar é um dos seis principais fatores de risco para doenças cardíacas que você pode mudar ou tratar. O tabagismo reduz os níveis do colesterol HDL (o mocinho).

Controle a bebida. Estudos mostraram que o consumo moderado de álcool está associado a níveis mais altos do colesterol HDL (o mocinho). Mas não exagere. As pessoas que consomem álcool de forma equilibrada (uma média de um ou dois drinques por dia para homens e um drinque por dia para as mulheres) correm um risco menor de apresentar doenças cardíacas. No entanto, a ingestão excessiva dessa substância pode acarretar outros malefícios à saúde, como alcoolismo, pressão alta, obesidade e câncer.

A vitamina B do bem. Uma vitamina B chamada niacina reduz o colesterol LDL (bandido) ao mesmo tempo que aumenta o benéfico HDL. Ela pode ser mais eficaz nesse tipo de tratamento do que os remédios populares que combatem o colesterol. De modo geral, essas drogas tendem a atuar no colesterol total. De qualquer maneira, é preciso tomar cuidado. Embora a niacina obtida de alimentos e de vitaminas vendidas sem restrições seja um elemento positivo, superdoses dessa substância podem causar graves efeitos colaterais; por isso, ela só deve ser tomada sob supervisão médica.

Sirva-se de chá verde. Estudos recentes confirmam que o chá verde ajuda a baixar o nível de colesterol e diminui o risco de desenvolver câncer. Uma ou duas xícaras por dia já produzem um efeito positivo. Pesquisadores da Universidade de Rochester concluíram que o extrato de chá verde previne o crescimento de células cancerosas.

Procure o grapefruit. Se você quer realizar uma única mudança dietética em benefício da sua saúde, a melhor coisa que pode fazer é comer diariamente um grapefruit. Essa fruta adquire um prestígio cada vez maior como um alimento poderoso (embora nem sempre seja fácil encontrá-la no Brasil). Novas pesquisas demonstram que ela combate doenças cardíacas e câncer, impulsiona o corpo a perder peso e até contribui para uma noite de sono melhor. Um grapefruit por dia pode reduzir os níveis de colesterol total e colesterol LDL (o bandido) em 8 e 11%, respectivamente.

Passe produtos light na torrada. Quando usar manteiga ou margarina, experimente os produtos light. Eles contêm éster estanol, uma substância vegetal que inibe a absorção de colesterol. Um estudo realizado na Clínica Mayo constatou que as pessoas que comeram 4 1/2 colheres de sopa desses produtos por dia baixaram o nível de colesterol LDL (bandido) em 14%, em oito semanas. Quando pararam de ingeri-los, o LDL voltou aos níveis anteriores. Também podem ser usados para cozinhar.

Saboreie feijões e leguminosas. Em um estudo realizado por pesquisadores do Hospital St. Michael, em Toronto, foi pedido aos participantes que acrescentassem porções de alimentos como cereais integrais, nozes e leguminosas às suas dietas todos os dias. Um mês depois, seus níveis de colesterol LDL (bandido) estavam quase 30% mais baixos do que no momento em que o experimento começou.

Não fique de estômago vazio. Um estudo publicado no *British Medical Journal* revelou que as pessoas que fazem seis ou mais pequenas refeições por dia têm níveis de colesterol 5% menores do que as que se limitam a uma ou duas refeições fartas. Esse número maior de refeições diárias é suficiente para promover uma redução de 10 a 20% no risco de doenças cardíacas.

Evite as frituras. O *New England Journal of Medicine* publicou um estudo em que os exercícios físicos e os hábitos nutricionais de 80 mil mulheres foram registrados durante 14 anos. Os pesquisadores mostraram que a correlação mais importante com as doenças cardíacas era a ingestão de alimentos que apresentam ácidos graxos trans – formas alteradas da gordura que reduzem o colesterol HDL (mocinho) e aumentam o LDL (bandido). Entre os principais culpados estava a batata frita.

Adote a aveia. De acordo com um estudo realizado pela Universidade de Connecticut, pessoas com colesterol alto que comeram biscoitos de aveia todos os dias durante oito semanas baixaram os níveis de colesterol LDL em mais de 20%. Por isso, você deve comer mais fibras de farelo de aveia como as que se encontram no mingau feito com esse cereal.

Levante-se e coma. Em um estudo com 3.900 participantes, pesquisadores de Harvard verificaram que as pessoas que tomavam café da manhã todos os dias apresentavam uma probabilidade 44% menor de ter excesso de peso e reduziam em 41% sua chance de desenvolver resistência à insulina, ambos fatores de risco para as doenças cardíacas.

Fortaleça-se com ácido fólico. Um estudo publicado no *British Medical Journal* revelou que os indivíduos que consomem a quantidade diária recomendada de ácido fólico têm 16% menos probabilidade de desenvolver doenças cardíacas do que as pessoas cujas dietas não incluem essa vitamina B. Entre as boas fontes desse ácido estão aspargos, brócolis e cereais enriquecidos.

Peça uma salada. As folhas e a gema de ovo são boas fontes de luteína, um fitoquímico que leva os antioxidantes que combatem as doenças cardíacas para as células e tecidos.

Seja uma esponja. Pesquisadores da Universidade de Loma Linda verificaram que beber cinco ou mais copos de água por dia pode contribuir para a redução do risco de doenças cardíacas em até 60% – exatamente a mesma queda que você obterá se parar de fumar, reduzir os níveis de colesterol LDL (bandido), fizer exercícios ou emagrecer um pouco.

Afaste os vampiros. Além de baixar o colesterol e combater as infecções, o alho pode ajudar a limitar os danos para o coração após um ataque cardíaco ou uma cirurgia do coração. Pesquisadores na Índia descobriram que os animais que se alimentavam dessa hortaliça regularmente tinham mais antioxidantes – protetores do coração – no sangue do que os animais que não o ingeriam.

Aumente o cromo. Segundo uma pesquisa de Harvard, as pessoas com baixo nível de cromo no organismo têm muito mais probabilidade de desenvolver problemas cardíacos. Se esse é seu caso, você precisa ingerir diariamente de 200 a 400mcg (microgramas) de cromo – mais do que provavelmente há na sua dieta regular. Procure um suplemento chamado picolinato de cromo, pois é o que o corpo absorve com mais facilidade.

Lanche com nozes. Pesquisadores de Harvard revelaram que os participantes de um experimento que substituíram 127 calorias de carboidratos – o que um saco de batata frita contém aproximadamente – por 30g de nozes diminuíram o risco de doenças cardíacas em 30%.

Cálcio: o futuro do combate à gordura

VOCÊ JÁ VIU MUITAS CRIANÇAS com bigode de leite para saber que o cálcio fortalece os ossos. Mas você sabia que esse mineral também pode diminuir sua barriga? Uma pesquisa da Harvard Medical School mostrou que pessoas que comiam três porções por dia de laticínio – o que proporciona, em conjunto com outros alimentos, cerca de 1.200mg de cálcio (mais ou menos a recomendação diária) – apresentavam 60% menos probabilidade de ter excesso de peso. Em um estudo realizado pela Universidade do Tennessee, voluntários submetidos a uma dieta de 500 calorias a menos por dia do que eles estavam acostumados a comer perderam cerca de 500g de gordura por semana. Quando outro grupo de pessoas fez a mesma dieta, porém ingerindo laticínios às refeições, essa perda dobrou para 1kg por semana. Ou seja, o mesmo consumo de calorias, o dobro da eliminação de gordura.

De acordo com os pesquisadores que conduziram esse experimento, o cálcio parece limitar a quantidade de gordura nova que o corpo consegue produzir. Em outro estudo realizado pela mesma instituição, as pessoas que acrescentaram três porções de iogurte por dia à dieta perderam 61% a mais de gordura corporal e 81% a mais de gordura abdominal em 12 semanas do que aqueles que não comeram iogurte. Um estudo realizado no Havaí mostrou que os adolescentes que ingeriam mais cálcio eram mais esguios do que os que consumiam uma quantidade menor desse mineral.

Alguns pesquisadores supõem que o cálcio presente nos laticínios ajuda a combater a gordura porque aumenta o efeito térmico de comer: em outras palavras, uma pessoa pode queimar mais calorias ao digerir alimentos ricos em cálcio do que ingerindo algo com a mesma quantidade de calorias mas sem esse mineral. Esse é um dos motivos pelos quais os suplementos de cálcio, embora bons para o desenvolvimento dos ossos e outras funções fisiológicas, não produzem o mesmo efeito que os laticínios. Como nos suplementos há menos calorias para digerir, menos calorias são queimadas. Para alcançar o melhor resultado, consuma cerca de 1.200mg de cálcio diariamente.

Os alimentos ricos em cálcio recomendados pela Dieta do Abdômen são os seguintes:

- queijo parmesão ralado – 30g (314mg)
- queijo cottage light – 1 xícara (126mg)
- iogurte light – 240ml (415mg)
- leite semidesnatado – 240ml (246mg)
- queijo suíço light – 30g (224mg)
- queijo cheddar – 30g, ou 1 fatia (204mg)
- queijo mozarela light – 30g (143mg)
- *whey,* proteína em pó do soro de leite – 28g, ou 1 colher (110mg)

| CAPÍTULO 5 |

Um abdômen esculpido em seis semanas

UM GUIA PARA MODELAR SEU CORPO SEMANA A SEMANA

COMO VOCÊ JÁ PERCEBEU, ao longo deste livro há depoimentos de pessoas que fizeram a Dieta do Abdômen e tiveram êxito. Linda Toomey perdeu 9kg, mesmo cuidando de quatro filhos pequenos. Rebecca Carr tornou-se atleta. E Rhonda Hauser ganhou um corpo mais definido e atraente.

Cada corpo é diferente dos outros, e todas as pessoas que adotam este programa partem de uma condição física diferente. Com base na pesquisa científica que descrevi, porém, você pode esperar uma perda média de até 10kg de gordura no programa de seis semanas e ganhar mais de 1kg de massa muscular. Para as mulheres, já é uma transformação suficiente para permitir o aparecimento dos músculos abdominais. Um dos maiores desafios, no entanto, é acompanhar seu progresso. Vamos examinar agora as quatro medidas principais que você pode usar para verificar a eficiência com que a Dieta do Abdômen funciona no seu caso.

PESO. É a medida mais direta. Quanto mais pesada você é, maior é sua probabilidade de contrair doenças e menor é seu condicionamento físico. É uma boa medida para avaliar sua evolução na dieta, mas é incompleta, pois não leva em consideração a quantidade de músculos desenvolvidos ao longo do programa. O músculo pesa cerca de 20% a mais do que a gordura. Portanto, uma perda drástica de gordura pode não equivaler a uma redução expressiva de peso corporal.

ÍNDICE DE MASSA CORPORAL (IMC). O IMC é uma fórmula que inclui a altura e o peso e indica se a pessoa tem excesso de peso, é obesa ou está em boa forma. Para calcular o IMC, divida seu peso em quilos pelo quadrado da altura em metros. Por exemplo, se você mede 1,68m e pesa 80kg, multiplique 1,68 × 1,68 = 2,822 e depois divida o peso por esse resultado, ou seja,

80 / 2,822 = 28,34

Não é tão terrível assim. Um IMC entre 25 e 30 indica que você está com excesso de peso. Mais de 30 corresponde à obesidade.

Essa medida também tem falhas: não leva em consideração a massa muscular e deixa de fora outro fator importante, que é a distribuição do peso, isto é, onde se encontra a maior parte da gordura no seu corpo. No entanto, o IMC lhe proporciona uma boa ideia da gravidade do problema em que você pode estar metida.

PROPORÇÃO CINTURA/QUADRIL. Os pesquisadores começaram a usar a medida da cintura e sua relação com o tamanho do quadril como o meio

---

HISTÓRIA DE SUCESSO DA DIETA DO ABDÔMEN

"Vi minhas medidas diminuírem!"

Nome: Brandee Bratton
Idade: 31 anos
Altura: 1,55m
Peso inicial: 51kg
Seis semanas depois: 48kg

Para Brandee Bratton, foi o trabalho em equipe perfeito: ela se encarregava da parte dos alimentos e das refeições, enquanto o marido se incumbia dos exercícios. O que começou como uma dieta acabou se tornando um hobby, que foi adotado pelos dois. Com 51kg, Brandee não precisava emagrecer muito, mas queria obter alguns benefícios com a Dieta do Abdômen.

"Uma coisa é ser baixinha; outra é ser baixinha, ter saúde, força e bom condicionamento físico", afirma.

Assim, o casal mergulhou de cabeça no programa – ele perdeu quase 5kg em 6 semanas, enquanto Brandee acabou sendo uma das 10 finalistas no Desafio Inicial da Dieta do Abdômen – com base na transformação das suas formas.

mais exato de determinar os riscos à saúde. É considerado mais importante do que o IMC, porque considera a gordura visceral de que falei antes – a gordura que estufa a barriga. Uma vez que a gordura abdominal é a mais perigosa, uma proporção cintura/quadril menor corresponde a mais proteção à saúde. Para fazer esse cálculo, meça a cintura na altura do umbigo e tire a medida dos quadris no ponto mais largo (em torno das nádegas). Divida o resultado que encontrou para a cintura pela medida dos quadris. Por exemplo, se você tem 76cm de cintura e 91cm de quadril, sua proporção cintura/quadril é 0,83.

76 / 91 = 0,83

Não chega a ser ruim, mas não é o ideal. Seu objetivo deve ser uma proporção cintura/quadril de 0,80 ou menos. Perdendo 5cm da cintura – o que

---

"Durante as duas primeiras semanas, não notei alterações significativas em termos de peso. Minhas medidas, sim, começaram a mudar. Depois disso, acabei perdendo quilos também, sobretudo o volume na região dos quadris e das coxas", conta. Ela conseguiu reduzir ainda o percentual de gordura corporal: de 18 para 12. "Foi isso que me animou de verdade."

Brandee, que gostou do treino intervalado e da alimentação saudável, afirma que qualquer pessoa pode seguir a Dieta do Abdômen, porque com esse programa ninguém sente fome.

"Não é um modismo. A dieta segue todas as regras científicas em termos da seleção dos alimentos e de como comer", afirma. "Fazendo seis refeições por dia, a pessoa se sente satisfeita. O corpo fica habituado a se alimentar nos horários determinados e é como se avisasse: 'Ei, já se passaram duas horas, está na hora de comer'."

Agora, Brandee, que se sente mais saudável, mais forte e gosta das formas mais definidas e torneadas que seu corpo adquiriu, vem pensando em se tornar personal trainer.

"As mulheres vivem procurando soluções para o corpo – em remédios, milagres e aparelhos", diz. "Indico este programa para todas as que desejam investir no próprio corpo."

pode fazer em apenas duas semanas com a Dieta do Abdômen –, você entrará na categoria de quem está em boa forma física.

71 / 91 = 0,78

PERCENTUAL DE GORDURA CORPORAL. Embora seja o índice mais difícil para uma pessoa comum calcular porque exige alguns aparelhos específicos, ele é o mais útil em termos de avaliação da eficiência do seu programa de dieta. Isso acontece porque considera não apenas o peso como também quanto dele corresponde à gordura. Muitas academias realizam medições de gordura corporal com a utilização de equipamentos como a balança de bioimpedância e o adipômetro, que mede as dobras de gordura em várias partes do corpo. Verifique as opções que sua academia oferece ou procure um médico especializado.

Esse tipo de medição é o mais adequado, pois realmente lhe permite ter uma noção da eficiência com que você está seguindo o programa. À medida que a porcentagem de gordura corporal diminui, o aumento da musculatura vai se tornando visível. Os especialistas dizem que a gordura deve ser de 12% para que os músculos abdominais apareçam. Para uma mulher, isso equivale a cortar em mais da metade a gordura corporal.

Antes de iniciar o programa, é importante que você anote os resultados dessas medições, para que possa determinar seu progresso. Preencha o quadro a seguir com essas medidas básicas e torne a verificá-las como motivação. Recomendo que repita essa operação a cada duas semanas – será tempo suficiente para registrar mudanças consideráveis que a estimularão pelas duas semanas seguintes. No caso da porcentagem de gordura corporal, realize a medição apenas no início e no fim do programa, a não ser que você tenha fácil acesso aos aparelhos. Se fizer isso antes, corre o risco de se concentrar mais nos números do que no processo em si.

MEDIDAS	INÍCIO	SEMANA 2	SEMANA 4	SEMANA 6
Peso				
IMC				
Proporção cintura/quadril				
Percentual de gordura corporal*				

* Assegure-se de que a mesma pessoa faça as medições da gordura corporal usando o mesmo método, para garantir a coerência.

Como acontece com qualquer programa de dieta, é também importante desenvolver algum objetivo quantitativo: o ideal de peso, o tamanho da cintura ou a porcentagem de gordura corporal. O quadro da página anterior a ajudará a determinar onde você está e para onde precisa ir.

BOLETIM DE SAÚDE DA DIETA DO ABDÔMEN

Afinal, o que é... diabetes?

Se alguém que você ama já enfrentou o tormento da diabetes, você sabe quanto essa doença pode ser brutal. Como uma das principais causas de males do coração, problemas renais e derrame, ela é responsável por um elevado número de mortes. Outras complicações que acarreta incluem cegueira, amputação, disfunção sexual e lesões nos nervos. Mas esse mal também pode ser evitado – e a Dieta do Abdômen e seu Programa de Exercícios são prescrições quase perfeitas para isso.

A diabetes funciona da seguinte maneira: o sistema digestivo transforma a comida em glicose – a forma de açúcar que o corpo usa como energia –, que é enviada para a corrente sanguínea. Quando a glicose se manifesta, o pâncreas – uma glândula enorme, localizada perto do estômago – produz o hormônio insulina, que também a envia para a corrente sanguínea. A insulina é o controlador de tráfego do açúcar do corpo. Assume a administração de toda a glicose e a encaminha para as células, nas quais é usada para reconstruir músculos, manter o coração bombeando e o cérebro pensando e até para permitir que você dance.

Ao longo do tempo, no entanto, hábitos prejudiciais podem cobrar um tributo ao seu centro de controle. Comer demais, em particular alimentos com elevado índice glicêmico, por vezes inunda o corpo com quantidades maciças de glicose. Como qualquer controlador de tráfego, a insulina pode ficar assoberbada e atrapalhada quando é impelida a fazer muitas coisas ao mesmo tempo. Acaba sofrendo um colapso. Perde a capacidade de determinar às células como utilizar corretamente a glicose no sangue – é a chamada resistência à insulina. Depois de vários anos, o pâncreas se cansa de produzir tanta insulina ineficaz e então passa a fabricar menos do que o necessário. É o que se denomina diabetes do tipo 2, ou iniciada na vida adulta. (Como uma dieta ruim é o grande fator de risco, não é surpresa que 80% das pessoas com diabetes do tipo 2 tenham excesso de peso.) A glicose acumula-se no sangue, transborda para a urina e sai do corpo. Assim, o organismo é privado de sua principal fonte de combustível, embora o sangue contenha grandes quantidades de glicose.

Acontecem então duas coisas terríveis. Primeiro, a pessoa começa a ficar sem energia e seu corpo tem dificuldade para se manter. Ela sente cansaço e uma sede fora do comum. Emagrece sem nenhum motivo aparente. Adoece com mais frequência, e a cicatrização de feridas é mais lenta, pois o organismo está perdendo a capacidade de se preservar. Segundo, o açúcar no sangue começa a afetar os pequenos vasos sanguíneos e os nervos por todo o corpo, em particular nas extremidades e nos órgãos vitais. Seguem-se cegueira, disfunção sexual, dormência e lesões cardíacas.

No entanto, em certa medida, a prevenção da diabetes é possível. Exercícios físicos e alimentação adequada são os dois melhores tipos de precaução. Por coincidência, é justamente isso o que este livro quer lhe ensinar. Portanto, adote os princípios da Dieta do Abdômen e o Programa de Exercícios. Enquanto os estiver seguindo, considere as seguintes providências adicionais.

Coma aveia. Esse cereal tem alto teor de fibras solúveis, que podem diminuir o risco de doenças cardíacas, alguns tipos de câncer, diverticulite e diabetes. Trate de misturar: em um dia, coma-o com frutas – morangos e nozes, por exemplo; no dia seguinte, varie combinando-o com carne e ovos.

Comece a subir. De acordo com pesquisadores de Yale, pessoas com resistência à insulina – um fator de risco para doença cardíaca e diabetes – que se exercitavam em um *stair-climber* (aparelho com plataformas para os pés, parecido com o Transport, que exige do corpo um esforço de subida) durante 45 minutos, quatro dias por semana, melhoraram sua sensibilidade à insulina em 43%, em seis semanas.

Não rejeite a maçã. Pesquisadores do National Public Health Institute, de Helsinque, na Finlândia, estudaram as dietas de 60 mil homens e mulheres ao longo de um ano. Constataram que os participantes que comiam maçãs com mais frequência apresentavam 12% menos probabilidade de morrer ao longo do estudo do que aqueles que quase nunca saboreavam essa fruta. Em particular, reduziram o risco de diabetes em 27%.

Escolha os carboidratos certos. Conheça o índice glicêmico (IG), uma medida da rapidez com que os carboidratos em um alimento específico são convertidos em glicose, liberada na corrente sanguínea. Um estudo realizado em Harvard mostrou que as pessoas que comiam alimentos com IG mais baixo, como o pão de trigo integral, tinham 37% menos probabilidade de desenvolver diabetes do que aquelas que consumiam alimentos com IG alto, como o arroz branco. (Para conhecer os índices glicêmicos dos seus alimentos prediletos, consulte os livros *A Dieta do Índice Glicêmico*, de Rick Gallop, e *200 receitas de bons carboidratos,* de Sandra Woodruff, ambos da Editora Sextante.)

Aumente a ingestão de vitamina E. A vitamina E ajuda a prevenir a diabetes. Quando avaliaram as dietas de 944 pessoas, pesquisadores finlandeses observaram que as que ingeriam mais vitamina E corriam um risco 22% menor de desenvolver diabetes do que aquelas que comiam menos desse nutriente. Essa vitamina atua também na prevenção dos danos causados pelos radicais livres, que contribuem para as complicações desencadeadas pela diabetes.

Comece a tomar vinho. Em um estudo realizado com 23 mil gêmeos, pesquisadores mostraram que os participantes que tomavam uma ou duas taças de vinho por dia tinham até 40% menos probabilidade de desenvolver diabetes do que as pessoas que bebiam menos de uma dose diária. Uma pesquisa anterior vinculou o consumo de álcool a uma sensibilidade para a insulina aumentada. Apenas não exagere na quantidade. Em outro estudo, pesquisadores concluíram que beber demais pode elevar em três vezes o risco de câncer de cólon e reto.

Não tenho a menor intenção de bombardeá-la com números. Quando você começar a ver os músculos abdominais, isso significa que tudo mais diminuiu: o peso, o IMC, a proporção cintura/quadril e o percentual de gordura corporal. Este programa de seis semanas vai ajudá-la a atingir seus objetivos. Veja a seguir o que você pode esperar se persistir na dieta.

SEMANAS	O QUE ESPERAR
1-2	Uma redução de peso significativa, à medida que o corpo se ajusta a uma nova maneira de comer. Algumas pessoas podem perder mais de 5kg nas duas primeiras (especialmente se fazem outra atividade física todos os dias, como caminhadas), mas a média é de 2 a 4kg.
3-4	Ao introduzir uma quantidade mínima de treinamento com pesos na sua rotina, você passará a perceber mudanças no seu corpo, pois o metabolismo ficará mais acelerado. Observará uma queda adicional no peso (em média 2 a 4kg) e uma sensível alteração nas suas formas.
5-6	Depois de duas semanas de exercícios, o corpo está pronto para uma queda considerável de gordura, ao mesmo tempo que também ganha massa muscular. Você vai notar que a parte superior do corpo está mais tonificada e que as dimensões da cintura e de outras regiões em que há concentração de gordura terão se reduzido. Dependendo do seu ponto de partida, é o momento em que começará a ver os músculos abdominais e realmente observar efeitos até maiores.

O mais extraordinário neste programa é a simplicidade com que pode ser seguido, a frequência com que você come – todas as refeições e lanches são saborosos e servem para desenvolver os músculos e queimar gordura – e seu diferencial em relação a outras dietas. Nos termos mais simples possíveis, é um programa que lhe pedirá que:

- Faça três refeições e três lanches por dia, cada um deles incluindo vários dos Alimentos Poderosos apresentados no capítulo 7.
- Mantenha-se atenta a alguns destruidores de dieta, que você aprenderá a localizar com facilidade e a reduzir na sua alimentação – e não eliminar.
- Faça uma atividade física simples de 20 minutos três vezes por semana para acelerar a perda de gordura e o desenvolvimento muscular.

A Dieta do Abdômen é tão simples que não se divide em fases. Além disso, não elaborei um complexo programa de "manutenção" (apenas menciono algumas palavras na página 354). A redução do peso e os ganhos musculares serão seus para sempre, assim como o plano alimentar. Garanto que você não se sentirá ansiosa pelo fim da "dieta". Vai gostar tanto dela – e ficará tão maravilhada com os resultados – que a seguirá sem nenhum esforço pelo resto da vida.

| CAPÍTULO 6 |

O Programa de Nutrição da Dieta do Abdômen

OS ALIMENTOS PODEROSOS E O SISTEMA QUE MUDARÁ SEU CORPO

NOS CAPÍTULOS ANTERIORES APRESENTEI uma visão geral de fatos científicos: como o corpo reage a diferentes alimentos, por que algumas gorduras são boas e outras são más e como alguns produtos, como os laticínios, possuem um ingrediente secreto que favorece a queima de gordura. Os dados científicos podem ser interessantes, mas neste ponto da leitura é provável que você já tenha uma pergunta na ponta da língua: "Afinal, o que eu posso comer?"

Por isso, vou esclarecer tudo, pois consumir maiores quantidades dos alimentos certos e com mais frequência é a base da Dieta do Abdômen. Lembre-se:

MAIS ALIMENTOS = MAIS MÚSCULOS = MENOS FLACIDEZ

É o motivo pelo qual a Dieta do Abdômen não é uma dieta que você "tem" que fazer, e sim uma dieta que você quer fazer.

Norma 1: faça seis refeições por dia

ESTAMOS TÃO ACOSTUMADOS a ouvir esse papo de que precisamos comer menos que isso se tornou a doutrina do emagrecimento. No entanto, como você deve estar lembrada, pela fisiologia do metabolismo, temos que nos alimentar com mais frequência para mudar a composição do corpo. A nova filosofia que vamos seguir é a do "equilíbrio energético".

Pesquisadores da Universidade Estadual da Geórgia desenvolveram uma técnica para medir hora a hora o equilíbrio energético, isto é, a quantidade de calorias que está sendo gasta versus a quantidade de calorias que está sendo queimada. De acordo com esse método, se a pessoa mantiver o superávit ou o déficit entre 300 e 500 calorias em todos os momentos, terá mais possibilidade de mudar a composição corporal, descartando gordura e acrescentando massa muscular magra. Os participantes que apresentaram desequilíbrios mais expressivos de energia (os que ficavam acima de 500 calorias no consumo ou na queima) eram os mais gordos, enquanto os que tinham níveis de energia mais equilibrados eram os mais magros. Portanto, quem faz apenas três refeições diárias cria enormes desequilíbrios nos níveis de energia. No período entre as refeições, a quantidade de calorias queimadas é maior do que o número de calorias consumidas. Durante as refeições, consumimos muito mais calorias do que queimamos. Pesquisas mostram que esse tipo de plano alimentar é fantástico – para quem quer engordar. No entanto, se você quiser emagrecer, melhorar seu condicionamento físico e, o que não é coincidência, viver mais, precisa comer com mais frequência. No mesmo estudo, as pessoas que acrescentaram três lanches por dia às três refeições regulares equilibraram melhor sua energia, eliminaram gordura e aumentaram a massa muscular (além de terem incrementado a força e a resistência).

A ciência confirma que um número maior de refeições é um recurso que dá resultados. Mas o motivo puro e simples para isso é que esse procedimento produz um efeito não alcançado por muitas dietas: deixa a pessoa sempre satisfeita, sem fome, o que reduz a probabilidade do que se convencionou chamar de farra alimentar, que destrói qualquer dieta.

COMO ISSO FUNCIONA. Por uma questão de conveniência, alterne as refeições maiores com os lanches. Faça um lanche cerca de duas horas antes do almoço e outro duas horas antes do jantar.

Experimente a seguinte programação:

8H: CAFÉ DA MANHÃ

11H: LANCHE

13H: ALMOÇO

17H30: LANCHE

20H: JANTAR

22H: LANCHE

Para um plano de refeições semanais, consulte o capítulo 9. Não é um esquema que você precise seguir religiosamente, apenas uma sugestão sobre como fazer a Dieta do Abdômen funcionar no seu caso. Também mostra de que maneira incorporar ao seu cotidiano as receitas apresentadas no capítulo 8.

Norma 2: converta os 11 Alimentos Poderosos da Dieta do Abdômen na base da sua alimentação

A DIETA DO ABDÔMEN vai lhe ensinar a privilegiar (e não se restringir a) determinados tipos de alimentos – os 11 Alimentos Poderosos – para suprir suas necessidades nutricionais básicas. Todos eles são excelentes e quase que sozinhos transformarão sua gordura em músculos (desde que as receitas sejam mantidas). Outro dado importante: elaborei o esquema dos 11 Alimentos Poderosos para incluir, literalmente, milhares de combinações de itens. Há uma grande quantidade de laticínios, frutas, legumes, carnes magras e outras opções para atender todas as preferências. A incorporação desses componentes nas suas seis refeições diárias é capaz de satisfazer suas predileções e desejos e assim evitar que você se empanturre com perigosos causadores de gordura.

Há mais informações sobre os Alimentos Poderosos no capítulo 7. Por enquanto, quero apenas lembrá-la:

AMÊNDOAS E OUTRAS NOZES

AVEIA INSTANTÂNEA (SEM ADOÇANTE NEM SABOR ARTIFICIAL)

AZEITE DE OLIVA EXTRAVIRGEM

ESPINAFRE E OUTRAS HORTALIÇAS VERDES

FRUTAS VERMELHAS, COMO MORANGO, FRAMBOESA E AMORA

FEIJÕES E LEGUMINOSAS

LATICÍNIOS – LEITE SEMIDESNATADO OU DESNATADO, IOGURTE LIGHT E QUEIJO COM POUCA GORDURA (COTTAGE OU RICOTA)

OVOS

PÃES E CEREAIS INTEGRAIS

PERU E OUTRAS CARNES COM POUCA GORDURA (CARNE VERMELHA MAGRA, FRANGO E PEIXE)

WHEY (PROTEÍNA EM PÓ DO SORO DO LEITE)

Norma 3: tome "vitaminas" regularmente

COM A VIDA ATRIBULADA que temos hoje em dia, não é de admirar que sua definição de utensílios de cozinha se restrinja a cardápios de restaurantes que entregam comida em casa. Mas agora você precisa abrir uma exceção para um aparelho um pouco maior: um liquidificador. Não me importa quantas velocidades ele tem nem de que marca é. Também não faz diferença para mim a maneira como você prepara a "vitamina" – se a prefere simples ou com frutas picadas. Só me importa saber se vai misturar direito todos os ingredientes e que gosto a mistura terá ao ser despejada no copo. (Mas recomendo: compre um liquidificador grande e com boa potência para que possa picar bem as frutas e também gelo.)

Quando você levar em conta que a mudança no seu corpo exige tempo, motivação e conhecimento, pense no liquidificador como um dos instrumentos mais poderosos do programa. As "vitaminas" feitas com uma mistura dos Alimentos Poderosos podem substituir refeições e ser lanches extraordinários. São recomendadas por vários motivos:

- Exigem pouco tempo de preparo.
- Satisfazem a vontade de comer doces. Se forem elaboradas com frutas vermelhas, *whey* (proteína em pó do soro do leite) ou manteiga de amendoim,* ficarão com gosto de sobremesa.
- Como têm bastante consistência, ocupam muito espaço no estômago.

Veja a seguir provas de que as "vitaminas" ajudam a controlar o peso.

- Pesquisadores da Universidade Purdue mostraram que as pessoas ficavam mais satisfeitas por mais tempo quando tomavam "vitaminas" mais consistentes do que mais ralas, mesmo quando as calorias, a temperatura e as quantidades eram iguais.

* É verdade que a manteiga de amendoim apresenta uma grande quantidade de calorias. Mas é rica em gorduras monoinsaturadas, benéficas para o coração, que podem aumentar a produção de testosterona, hormônio que favorece o desenvolvimento dos músculos e a eliminação de gordura. Se você tiver dificuldade em encontrar esse produto, substitua-o por Nutella.

- Um estudo realizado pela Universidade Estadual da Pensilvânia constatou que as pessoas que consumiam "vitaminas" de iogurte batidas até que alcançassem o dobro do volume ingeriam 96 calorias a menos do que aquelas que tomavam "vitaminas" de densidade normal.
- Em uma pesquisa apresentada na Associação Norte-americana de Estudo da Obesidade, pesquisadores constataram que substituir regularmente as refeições por "vitaminas" aumenta a chance de emagrecer e se manter assim por mais de um ano.
- Um estudo realizado pela Universidade do Tennessee revelou que as pessoas que acrescentavam três porções diárias de iogurte à dieta perdiam 61% mais gordura corporal e 81% mais gordura abdominal do que aquelas que não comiam esse alimento. Os pesquisadores supõem que o cálcio ajude a queimar gordura e a limitar a quantidade de nova gordura que o corpo pode produzir.

COMO ISSO FUNCIONA. Tome uma "vitamina" de 220ml para substituir o café da manhã ou como lanche, antes ou depois da atividade física.

Norma 4: não se obrigue a contar calorias

CONSUMINDO OS 11 Alimentos Poderosos da Dieta do Abdômen e muitos outros itens relacionados, os próprios alimentos, de certa forma, realizarão os cálculos para você. Permitirão que se mantenha saudável e se sinta satisfeita, sem o menor sinal de fome.

É evidente que isso não lhe dá licença para acelerar na estrada das porções monstruosas. A maioria das pessoas afirma que controla o que come, mas quase ninguém tem a menor ideia do que está ingerindo. Se você fizer seis refeições equilibradas, seu corpo regulará as porções por meio de recursos como fibras, proteínas e simplesmente o volume das "vitaminas". Com isso em mente, é sempre sensato – ainda mais no início do programa, quando o organismo está mais vulnerável e se ajustando a um novo tipo de nutrição – concentrar-se no controle da porção, limitando as quantidades de alguns alimentos, em particular os que têm gordura e carboidratos (como arroz e pão). Uma boa regra: atenha-se a uma ou duas porções por grupo alimentar e restrinja o conteúdo total da refeição à dimensão do seu prato. Se gostar de contar calorias, vá em frente. Na página 153, apresento algumas estratégias para controlá-las.

Norma 5: saiba o que beber e o que não beber

BEBO CERVEJA. E bebo vinho. Gosto dessas duas bebidas, assim como de gim-tônica em um dia quente de verão e de várias outras coisas. Um ou dois drinques diários proporcionam benefícios à saúde, mas o álcool também pode causar problemas. Ainda mais importante: essa bebida, assim como os refrigerantes, acrescenta calorias de que você não precisa neste momento. São calorias vazias, pois não ajudam a lhe dar a sensação de saciedade nem a comer menos. Na verdade, a fazem comer mais e estimulam o corpo a queimar menos gordura. Quando pesquisadores suíços deram a oito pessoas saudáveis álcool suficiente para ultrapassar as necessidades diárias de calorias em 25% (cinco cervejas para alguém que come 3 mil calorias por dia), verificaram que essa substância diminuía em até 36% a capacidade de queimar gordura. O álcool também provoca o acúmulo de gordura. O corpo o considera um veneno e tenta eliminá-lo. O fígado para de processar todas as outras calorias enquanto se ocupa dessa substância. Qualquer alimento ingerido junto com álcool provavelmente se transformará em gordura. De forma indireta, ele pode inibir a produção de hormônios que auxiliam na queima de gordura e no desenvolvimento dos músculos.

Detesto ter que lhe dizer para tomar água, mas beber cerca de oito copos d'água por dia proporciona muitos benefícios. Contribui para manter você satisfeita (muitas vezes o que interpretamos como fome é, na verdade, sede). A água leva embora os resíduos que o corpo produz quando decompõe a gordura para extrair energia ou quando processa proteína. Transporta nutrientes para os músculos, favorece a digestão e mantém o metabolismo no ritmo certo.

Se você está mesmo decidida a se livrar da flacidez na barriga, recomendo que se abstenha de álcool pelas seis semanas de duração do programa. No máximo, tome dois ou três drinques por semana. As melhores coisas para beber nesse período são leite desnatado ou semidesnatado, água e chá verde (ou, se não houver outro jeito, dois copos de refrigerante diet por dia).

Norma 6: em uma refeição por semana, esqueça as outras cinco normas

EU NUNCA CONCORDARIA com o fato de você enganar seu marido, seu empregador ou o fisco. Mas desejo que trapaceie nesta dieta. Quero que faça uma refeição por semana em que esquecerá tudo sobre carboidratos bons e gorduras boas. Coma meia pizza, uma barra de chocolate, molho branco ou qualquer outro alimento de que sinta mais falta enquanto segue o programa. Deguste, saboreie e depois volte à dieta. Eu a estimulo a pular a cerca por dois motivos. Primeiro, quero que tenha o controle quando isso acontecer. Planeje a refeição da gula durante uma semana. Ela pode ser feita em uma saída no sábado à noite, enquanto você assiste a um filme na televisão, em um jantar na casa de uma amiga ou em qualquer outra ocasião. Mas, uma vez que a tenha programado, mantenha-se firme. A maneira de controlar seus anseios é satisfazê-los de vez em quando. Se você é capaz de aguentar por seis dias e der a si mesma uma recompensa no fim desse período, saberá que seis dias de boa alimentação é um esquema que conseguirá cumprir a longo prazo. Há outro motivo importante para que trapaceie: isso a ajudará a mudar seu corpo. Um plano de dieta bem-sucedido é aquele que trata do modo como você come durante a maior parte do tempo, e não durante todo o tempo. Na verdade, um dia com um alto consumo de calorias pode acelerar o metabolismo. Pesquisadores do National Institutes of Health constataram que pessoas que ingeriam o dobro de calorias do que normal em um dia aumentaram o metabolismo em 9% nas 24 horas subsequentes. Porém, é nesse ponto que você precisa mostrar controle. Creio que esta dieta lhe permite comer muitos alimentos que não apenas são bons como são bons para você, contudo também sei que vai desejar outros itens que não se enquadram nas normas do programa. Pense nessa trapaça como a

Substituições inteligentes

EM LUGAR DE	COMA	CALORIAS A MENOS
Porco agridoce	Filé-mignon com brócolis	480
Massa recheada	Lasanha	295
Omelete de queijo com presunto	2 ovos fritos e 2 fatias de bacon	130
Picanha (340g)	Bife de alcatra (340g)	120
Bolo de chocolate	Torta de nozes	120
Sanduíche de peru com maionese, bacon e batata chips	Peru com batata cozida	115

cenoura oferecida no fim de uma semana de alimentação adequada. Trate de desfrutá-la ao máximo – e, por favor, não deixe que a cenoura seja literalmente uma cenoura.

BOLETIM DE SAÚDE DA DIETA DO ABDÔMEN

Afinal, o que são... células cancerosas?

O câncer é um flagelo que pode se abater sobre nós em qualquer momento da vida. Estamos sujeitos a vê-lo surgir tanto em partes do corpo nas quais pensamos e com as quais nos preocupamos todos os dias – a pele, os pulmões, o cérebro – quanto em órgãos cujo funcionamento nem sequer compreendemos muito bem, como o pâncreas e os rins.

Numa explicação simplificada, o câncer se desenvolve quando as células em uma região do corpo começam a crescer fora de controle. Enquanto somos crianças, as células se dividem sem parar, dando origem a novas células que nos ajudam a crescer. Quando nos tornamos adultos, esse desenvolvimento celular para quase totalmente. Assim que alcançamos a altura e o peso da nossa programação genética, as células, em sua maioria, só se dividem para substituir as que estão esgotadas ou agonizantes e para reparar lesões.

Mas as células cancerosas agem como crianças: continuam a crescer, a se dividir e a se multiplicar, sobrevivendo às células normais e interferindo com várias funções do organismo. O tipo mais comum de câncer entre os homens é o de próstata (a próstata é a glândula situada por trás do escroto, que produz a maior parte do fluido seminal). Entre as mulheres o câncer mais frequente é o de mama.

Não compreendemos plenamente suas causas, mas conhecemos alguns fatores de risco para o surgimento desse mal. Obesidade, alimentação pobre em fibras, tabagismo, consumo excessivo de álcool, superexposição ao sol e exposição à radiação e a outras toxinas figuram entre os maiores perigos. Além disso, há um forte vínculo entre hereditariedade e câncer – se um ou mais parentes tiveram a doença, a pessoa corre um risco maior de ter câncer em geral, bem como aquele tipo específico de câncer.

Gostaria muito de dizer que a Dieta do Abdômen é um fator mágico de prevenção do câncer, porém não posso. As mudanças na alimentação e os exercícios contribuem muito para a redução dos riscos relacionados às doenças cardíacas, ao derrame e especialmente à diabetes; no entanto, o câncer ainda é um problema difícil de entender. Mesmo assim, ao adotar os princípios da Dieta do Abdômen, você diminuirá de modo automático a probabilidade de apresentar diversos tipos dessa doença porque vai perder peso e aumentar o consumo de fibras. Enquanto isso, siga também estas dicas adicionais para intensificar sua proteção.

Faça um prato colorido. Um estudo de 14 anos constatou que as pessoas que adotavam dietas mais ricas em frutas e legumes corriam um risco 70% menor de ter câncer no aparelho digestivo.

Peça o tinto chileno. O Cabernet Sauvignon chileno é 39% mais rico em flavonoides – os chamados compostos antioxidantes que ajudam a prevenir o câncer – do que os vinhos franceses.

Experimente a tábua de queijos. Um estudo em larga escala, com 120 mil mulheres, mostrou que as participantes na pré-menopausa que consumiam muitos laticínios, em especial os desnatados e semidesnatados, estavam menos sujeitas ao câncer de mama.

Tome suco de cenoura. Um copo de 220ml de suco puro de cenoura proporciona 700% da recomendação diária de betacaroteno (e apenas 70 calorias). Em vários estudos, o betacaroteno tem sido associado a um risco menor de câncer.

Mastigue brócolis. O brócolis contém um composto chamado carbinol-3, que comprovadamente combate vários tipos de câncer.

Sirva-se de salmão. Ou de qualquer outro peixe rico em ácidos graxos ômega-3, que ajudam a prevenir o câncer.

Não despreze as cascas de limão e de laranja. De acordo com uma pesquisa da Universidade do Arizona, as cascas do limão e da laranja contêm d-limoneno, um antioxidante que reduz o risco de câncer de pele em até 30%, mesmo que consumido em uma quantidade tão pequena quanto uma colher de sopa por semana. Incremente bebidas com esses ingredientes.

Vá de chá verde. Em um estudo realizado pela Universidade Rutgers, camundongos que receberam chá verde tiveram 51% menos incidência de câncer de pele do que os camundongos de controle. O chá verde é outra grande fonte de antioxidantes que combatem o câncer.

Privilegie a vitamina D. Os alimentos ricos nessa vitamina, como o leite semidesnatado, contribuem para desintoxicar o organismo das substâncias causadoras de câncer durante a digestão de alimentos com grande quantidade de gordura, de acordo com um estudo realizado pelo Centro Médico da Universidade Southwestern do Texas.

Seja um Popeye. Pesquisadores japoneses observaram que a neoxantina, uma substância presente no espinafre, foi bem-sucedida na prevenção do crescimento de algumas células cancerosas.

Experimente o soro do leite. A proteína em pó do soro do leite (*whey*) é uma grande fonte de cisteína, uma das bases do agente glutationa, que combate o câncer de próstata. É encontrada em lojas de produtos naturais e de suplementos vitamínicos.

Coma cereais integrais. Os carboidratos de cereal integral são muito ricos em fibras. Pesquisadores europeus revelaram que as pessoas que consomem mais fibras diariamente correm um risco 40% menor de desenvolver câncer de cólon.

Aposte no tomate. O tomate é uma das melhores fontes de licopeno, um nutriente que inibe o crescimento das células cancerosas na próstata. Pesquisadores afirmam que duas a quatro porções de tomate por semana podem reduzir em 34% o risco desse tipo de câncer. (Uma notícia ainda melhor: o licopeno não é afetado quando se cozinha o tomate. Ou seja, o molho de macarrão e a pizza também são um golpe contra a doença.)

| CAPÍTULO 7 |

Os 11 Alimentos Poderosos da Dieta do Abdômen

OS SUPER-HERÓIS QUE VÃO FAZER SUA BARRIGA ENCOLHER E MANTER VOCÊ SAUDÁVEL PELO RESTO DA VIDA

NO CAPÍTULO ANTERIOR, apresentei as seis normas para seguir este programa. Também me referi de passagem aos 11 Alimentos Poderosos da Dieta do Abdômen. Agora quero que você conheça melhor esses super-heróis. Eles vão compor uma parte considerável da sua alimentação.

Esses 11 alimentos formarão a base da sua dieta. Quanto mais você os ingerir, mais capacidade seu corpo terá de desenvolver músculos e evitar o acúmulo de gordura. Embora você possa basear lanches e refeições completas nesses alimentos, isso não é necessário. Mesmo assim, siga estas normas:

- Incorpore dois ou três deles a cada uma das três refeições principais e pelo menos um deles a cada um dos três lanches.
- Diversifique os alimentos em todas as refeições, a fim de obter uma combinação de proteína, carboidratos e gordura.
- Não deixe de acrescentar um pouco de proteína a cada lanche.

COMO LER O ÍCONE: Para um reconhecimento à primeira vista, incluí ícones abaixo das descrições de todos os Alimentos Poderosos da Dieta do Abdômen. Eles indicam os papéis importantes que cada um deles desempenha na manutenção da saúde.

DESENVOLVE OS MÚSCULOS. Os alimentos ricos em proteínas vegetais e animais, que desenvolvem os músculos, qualificam-se para esse selo de aprovação. É o que acontece com determinados minerais ligados à manutenção apropriada dos músculos, como o magnésio.

AJUDA A PROMOVER A PERDA DE PESO. Os alimentos ricos em cálcio e fibras (que protegem contra a obesidade), assim como aqueles que favorecem o desenvolvimento do tecido muscular eliminando a gordura, merecem esse emblema de respeito.

FORTALECE OS OSSOS. Cálcio e vitamina D são os principais construtores de ossos. Protegem contra a osteoporose. E tome cuidado com um fato: altos níveis de sal podem remover o cálcio do tecido ósseo. Felizmente, todos os Alimentos Poderosos são pobres em cloreto de sódio.

BAIXA A PRESSÃO ARTERIAL. Qualquer alimento que não tenha grande concentração de sal pode contribuir para baixar a pressão – e merecer essa classificação –, caso apresente quantidades adequadas de potássio, magnésio e cálcio.

HISTÓRIA DE SUCESSO DA DIETA DO ABDÔMEN

"Estou com uma definição muscular que há anos eu não via!"

Nome: Kristen Hutchinson
Idade: 39 anos
Altura: 1,62m
Peso inicial: 60kg
Seis semanas depois: 56kg

Quando conheceu a Dieta do Abdômen, Kristen Hutchinson estava frustrada. Sua rotina de corridas não a estava impedindo de engordar. Ela vinha recuperando parte do peso que perdera com uma dieta e não conseguia encontrar a resposta para o que estava acontecendo.

"A Dieta do Abdômen parecia fazer sentido, por isso resolvi experimentar. E foi perfeito", conta Kristen.

Ela modificou sua alimentação – começou a comer mais grãos integrais, frutas e hortaliças e limitou o consumo de pães. Além disso, mudou seu programa de atividade física e inclui exercícios de resistência rápidos. Com essas medidas, perdeu os quilos que desejava.

COMBATE O CÂNCER. Estudos mostram que há um risco menor de alguns tipos de câncer entre pessoas que mantêm dietas com pouca gordura e muitas fibras. Alimentos ricos em cálcio, betacaroteno e vitamina C também ajudam a prevenir essa doença. Recebem ainda esse selo todos os vegetais crucíferos (como o repolho) e aliáceos (como a cebola) porque, segundo pesquisas, são eficazes na prevenção de certos tipos de câncer.

MELHORA A FUNÇÃO IMUNOLÓGICA. As vitaminas A, E, B_6 e C, o ácido fólico e o mineral zinco contribuem para aumentar a imunidade a determinados tipos de doença. O ícone indica um Alimento Poderoso com níveis elevados de um ou mais desses nutrientes.

COMBATE AS DOENÇAS CARDÍACAS. Se você comer alimentos em que predominam gorduras saturadas e trans, poderá ter problemas com o colesterol, que obstrui as artérias. Por outro lado, ingredientes ricos em gorduras monoinsaturadas ou poli-insaturadas a ajudarão a proteger seu coração, mantendo os níveis de colesterol sob controle.

Aprendeu também algumas coisas novas sobre os alimentos. "Percebi que as amêndoas fazem bem. Como-as todo santo dia", afirma.

O que ela notou de imediato foi a definição da musculatura da parte superior do corpo – em especial a dos ombros e a dos braços. Em seguida, veio a parte inferior. "Estou com uma definição muscular que há anos eu não via!", afirma.

Kristen gostou especialmente da flexibilidade dos treinos – ela tanto pode ir à academia e usar os equipamentos de musculação quanto se exercitar em casa, com pesos livres. "Aprecio também a variedade dos exercícios abdominais. Dá para mudar um pouco e não fica chato."

Agora ela está curtindo muito a fase de manutenção, em que pode se dar ao luxo de comer o que quiser durante um dia inteiro, e não apenas em uma única refeição. No entanto, uma de suas maiores recompensas com a dieta foi o fato de ter praticamente se livrado das dores nas costas.

Kristen diz que tem muito mais energia hoje. "Estou com quase 40 anos, mas me sinto com a mesma disposição que tinha aos 20. Na verdade, estou me preparando para um triátlon. A última vez que participei desse tipo de competição foi há 12 anos. Devo isso à Dieta do Abdômen. É um programa fácil de seguir, e já o recomendei a muita gente."

1. Amêndoas e outras nozes

Superpoderes: desenvolvem os músculos e combatem desejos alimentares.
Armas secretas: proteína, gordura monoinsaturada, vitamina E, fibras, magnésio, ácido fólico (amendoim) e fósforo.
Combatem: obesidade, doenças cardíacas, perda de massa muscular, rugas, câncer e pressão alta.
Associados: sementes de abóbora, sementes de girassol e abacate.
Impostores: nozes salgadas.

Hoje em dia ouvimos falar em gorduras boas e gorduras más da mesma forma como ouvimos falar em bons e maus policiais. As primeiras estão do seu lado, enquanto as outras estão ansiosas para deixá-la na pior. Biscoitos doces recheados enquadram-se na segunda categoria, porém as nozes estão obviamente empenhadas em ajudar você. Contêm gorduras monoinsaturadas, as que desobstruem as artérias e proporcionam mais sensação de saciedade.

Todas as nozes são ricas em proteínas e gordura monoinsaturada. Mas as amêndoas são as rainhas das nozes. Uma porção desse alimento supre metade da necessidade diária de vitamina E e 8% da de cálcio. Também atende 19% da necessidade diária de magnésio, um componente fundamental para o desenvolvimento muscular. Em um estudo realizado pela Universidade do Estado de Washington, as pessoas que estavam tomando magnésio extra eram capazes de levantar 20% mais peso e desenvolver mais massa muscular do que os participantes que não estavam ingerindo esse suplemento. Pesquisadores da Universidade de Toronto verificaram que a ingestão de duas porções de amêndoas todos os dias não promove ganho de peso. Em uma pesquisa feita pela Universidade Purdue, as pessoas que consumiam nozes ricas em gordura monoinsaturada sentiam-se satisfeitas por uma hora e meia a mais do que aquelas que ingeriam alimentos sem gordura (no caso, bolo de arroz). Se você comer 60g de amêndoas (cerca de 24 unidades), será o suficiente para se sentir satisfeita – ainda mais se acompanhá-las de 220ml de água. O líquido ajuda a expandir as fibras das amêndoas, proporcionando a sensação de saciedade. Procure manter a pele dessas nozes, pois ela é rica em nutrientes.

Veja algumas maneiras de introduzir amêndoas e outras nozes na dieta:

- Espalhe uma porção sobre cereais, iogurte ou sorvete.
- Adicione-as à omelete.
- Para uma alternativa rápida, como se fosse pipoca: coloque uma porção de amêndoas sobre uma assadeira untada com óleo de canola e asse por 5 a 10 minutos. Retire do forno e salpique com uma mistura de açúcar mascavo e canela ou de pimenta-de-caiena e tomilho.
- Acrescente-as à manteiga de amendoim simples.

Antes que você se entusiasme demais com esse alimento, vale lembrar que as nozes salgadas não entram nesta categoria por causa do seu alto teor de sal, que pode causar pressão alta.

2. Aveia instantânea (sem adoçante nem sabor artificial)

Superpoderes: estimula a energia e a libido, reduz o colesterol e mantém estáveis os níveis de açúcar no sangue.
Armas secretas: fibras e carboidratos complexos.
Combate: doenças cardíacas, obesidade, diabetes e câncer do cólon.
Associados: cereais ricos em fibras, como All Bran.
Impostores: cereais com açúcar adicional e xarope de milho com alto teor de frutose.

A aveia é a grande estrela da sua despensa. A nota 10, perfeita! Você pode comer esse cereal depois de se levantar da cama, para animar suas manhãs de preguiça; duas horas antes de praticar um exercício, para se sentir plenamente energizada quando começar a fazer força; ou à noite, para evitar uma farra alimentar de madrugada. Recomendo a aveia instantânea por sua conveniência. Mas quero que compre a variedade sem adoçante e com sabor natural e use outros Alimentos Poderosos, como leite e frutas, para dar gosto. A aveia com sabor artificial contém muitas calorias de açúcar.

Esse cereal possui fibras solúveis, e isso quer dizer que atrai fluidos e permanece no estômago por mais tempo do que as fibras insolúveis (como as vegetais). Acredita-se que as fibras solúveis reduzem o colesterol sanguíneo ligando-se a ácidos digestivos feitos de colesterol e eliminando-os do corpo.

Quando isso acontece, o fígado tem que retirar colesterol do sangue para produzir mais ácidos digestivos, o que acarreta a queda do nível de colesterol.

Confie em mim: você precisa de mais fibras, tanto solúveis quanto não solúveis. Os médicos recomendam a ingestão diária de 25 a 35g de fibras, mas a maioria das pessoas consome apenas metade disso. A fibra age como o segurança de boate do corpo: expulsa os indesejáveis que criam problemas. Protege contra doenças cardíacas e câncer do cólon ao remover rapidamente os carcinógenos dos intestinos.

Um estudo realizado pela Universidade Estadual da Pensilvânia mostrou que a aveia mantém os níveis de açúcar no sangue estáveis por mais tempo do que muitos outros alimentos, faz com que as taxas de insulina também permaneçam inalteradas e prolonga a sensação de saciedade. Isso é bom porque os piques de produção de insulina desaceleram o metabolismo e enviam um sinal para o corpo de que é hora de começar a acumular gordura. Como a aveia é digerida lentamente no estômago, causa menos piques nos níveis desse hormônio. Inclua-a no preparo de "vitaminas" ou como cereal no café da manhã. (Um estudo promovido pela Marinha dos Estados Unidos mostrou que basta comer aveia no café da manhã para acelerar o metabolismo em 10%.)

Outro fato incrível sobre a aveia: pesquisas preliminares indicam que ela aumenta os níveis de testosterona livre no corpo, o que melhora a capacidade de desenvolver músculos e queimar gordura, além de estimular a libido.

3. Azeite de oliva extravirgem

Superpoderes: reduz o colesterol e fortalece o sistema imunológico.
Armas secretas: gordura monoinsaturada e vitamina E.
Combate: obesidade, câncer, doenças cardíacas e pressão alta. Associados: óleo de canola, óleo de amendoim e óleo de gergelim. Impostores: óleos vegetais e óleos vegetais hidrogenados, ácidos graxos trans e margarina.

O azeite de oliva e seus associados ajudarão você a comer menos controlando seus desejos alimentares. Além disso, contribuirão para queimar gordura e manter o colesterol sob controle. Quer mais motivos para pedir o vidro de azeite?

4. Espinafre e outras hortaliças verdes

Superpoderes: neutralizam os radicais livres, que são as moléculas que aceleram o processo de envelhecimento.

Armas secretas: vitaminas (incluindo A, C, e K), ácido fólico, minerais (entre os quais cálcio e magnésio), fibras e betacaroteno.

Combatem: câncer, doenças cardíacas, derrame, obesidade e osteoporose.

Associados: vegetais crucíferos, como brócolis e couve-de-bruxelas; hortaliças verdes, amarelas, vermelhas e laranja, como aspargos e pimentões.

Impostores: nenhum, desde que não sejam fritos nem levem queijos gordurosos.

Você sabe que as hortaliças contêm grande concentração de nutrientes importantes, e elas constituem uma parte fundamental da dieta para a mudança da forma do seu corpo. Acima de tudo, gosto do espinafre porque uma porção dele proporciona toda a vitamina A de que precisamos em um dia e a metade da vitamina C. Também é rico em ácido fólico, que protege contra doenças cardíacas, derrame e câncer do cólon. Use-o fresco no sanduíche, no lugar da alface, ou refogue-o rapidamente com azeite de oliva extravirgem e alho.

O brócolis é outro vegetal poderoso. Rico em fibras, tem grande concentração de vitaminas e minerais, maior do que a de quase todos os outros alimentos. Por exemplo, contém 90% da vitamina C presente no suco de laranja fresco e quase a metade do cálcio do leite. Também protege contra doenças como o câncer porque aumenta as enzimas que ajudam a desintoxicar o corpo dos carcinógenos. Dica: descarte o caule do brócolis – os botões florais possuem três vezes mais betacaroteno e são uma excelente fonte de outros antioxidantes.

Se você é daquelas que odeiam hortaliças, pode aprender a camuflá-las na comida e colher os benefícios que elas proporcionam. Experimente prepará-las como purê ou acompanhá-las com molhos escabeche ou chili. Quanto mais picadas ou amassadas, mais invisíveis elas se tornam e mais facilidade o organismo tem de absorvê-las. No caso do brócolis, refogue-o rapidamente com azeite de oliva extravirgem e alho e acrescente o molho.

As máquinas verdes do emagrecimento

Em essência, a alface-americana é o equivalente nutricional de uma planta de escritório de plástico: acrescenta um pouco de cor, mas de modo geral apenas ocupa espaço. Embora essa variedade de alface seja barata e abundante, quase não contém fibras, vitaminas nem minerais. Se você pretende saborear uma salada, é melhor que ela tenha personalidade. Dê uma olhada nesta seleção campeã.

A aniquiladora do câncer: alface-romana. É uma das melhores fontes de betacaroteno: 712mcg por xícara. Um estudo realizado pela Universidade de Illinois mostrou que níveis elevados de betacaroteno inibem o crescimento das células de câncer na próstata em 50%.

A construtora de ossos: rúcula. Em uma xícara das folhas dessa planta há o correspondente a 10% do cálcio presente em um copo de leite integral e a 100% menos de gordura saturada. A rúcula contém também um pouco de magnésio, o que proporciona proteção adicional contra a osteoporose.

O protetor das "tubulações": agrião. Funciona como um filtro para o corpo. As substâncias fitoquímicas que contém podem evitar que a fumaça do cigarro e outros poluentes no ar causem câncer de pulmão.

A protetora do coração: endívia. É levemente amarga e um pouco crocante. Fornece duas vezes mais fibras do que a alface-americana. Uma xícara de endívia supre quase 20% da necessidade diária de ácido fólico. Pessoas que não ingerem o suficiente dessa vitamina B essencial podem ter um risco 50% maior de desenvolver doenças cardíacas.

A estimuladora do cérebro: mostarda. Esse condimento picante contém o aminoácido tirosina. Em um estudo militar nos Estados Unidos, os pesquisadores verificaram que comer uma refeição rica em tirosina uma hora antes de fazer um teste ajudava os soldados a melhorar consideravelmente a memória e a concentração.

O aguçador da visão: espinafre. O espinafre é uma excelente fonte de luteína e zeaxantina, dois poderosos antioxidantes que protegem a vista do desgaste causado pela velhice. Um estudo realizado pela Universidade Tufts mostrou que as pessoas que comem essa hortaliça regularmente correm um risco 43% menor de apresentar degeneração macular relacionada à idade.

O carrasco da pressão alta: rábano. Seu sabor parece uma mistura de repolho e nabo. Uma porção dessa raiz supre quase 25% da necessidade diária de potássio (que ajuda a manter a pressão sob controle), além de conter glicosinolato, substância fitoquímica que previne alguns tipos de câncer.

5. Frutas vermelhas

Superpoderes: protegem o coração; aguçam a visão; melhoram o equilíbrio, a coordenação e a memória recente; evitam os desejos alimentares.

Armas secretas: antioxidantes, fibras, vitamina C, tanino. Combatem: doenças cardíacas, câncer e obesidade.

Associados: a maioria das frutas, em especial maçã e grapefruit.

Impostores: geleias, que em geral não contêm fibras e apresentam açúcar adicionado.

Qualquer fruta vermelha serve, assim escolha as de sua preferência. Gosto de framboesa, tanto por seu poder quanto pelo sabor. Ela possui níveis extraordinários de antioxidantes, que auxiliam o organismo a combater as doenças cardíacas e o câncer. Seus flavonoides também são benéficos para a visão, o equilíbrio, a coordenação e a memória recente. Uma xícara de framboesas contém 6g de fibras e supre mais da metade da necessidade diária de vitamina C.

O mirtilo (*blueberry*), assim como a aveia, possui muita fibra solúvel, que garante a sensação de saciedade por mais tempo. Supera 39 outras frutas e legumes nas classificações de poder antioxidante.

O morango apresenta um valioso tipo de fibra chamada pectina (assim como o grapefruit, o pêssego, a maçã e a laranja). O *Journal of the American College of Nutrition* publicou um estudo em que um grupo de pessoas tomou suco de laranja simples e outro grupo ingeriu o suco com acréscimo de pectina. Os integrantes do segundo grupo sentiram-se mais satisfeitos depois de beber o suco do que os demais participantes. A diferença se manteve pelo significativo prazo de quatro horas.

6. Feijões e leguminosas

Superpoderes: desenvolvem músculos, ajudam a queimar gordura e regulam a digestão.

Armas secretas: fibras, proteína, ferro e ácido fólico.
Combatem: obesidade, câncer do cólon, doenças cardíacas e pressão alta.
Associados: lentilhas, ervilhas e grão-de-bico.
Impostores: feijoada, que contêm alto teor de gorduras saturadas, e feijões assados, pois são ricos em açúcar.

A canção acerta na mosca ao chamá-lo de "o preto que satisfaz": quanto mais você come feijão, mais consegue controlar a fome. Preto, branco, mulatinho... escolha o feijão ou a leguminosa entre as muitas variedades. Mas nada de feijoada impregnada de gordura. Esse é um alimento de baixa caloria pleno de proteína, fibras e ferro, ingredientes fundamentais para o desenvolvimento dos músculos e a perda de peso.

É um dos elementos-chave da Dieta do Abdômen por todo o seu poder nutricional. Substitua um prato à base de carne por um prato à base de feijão duas ou três vezes por semana – com isso estará trocando uma grande quantidade de gordura saturada por generosas porções de fibras. Para acompanhar, experimente o arroz integral.

Os melhores para sua dieta são:

- Feijão-de-soja
- Feijão-branco grande
- Feijão-branco pequeno
- Feijão-carioquinha
- Feijão-de-lima
- Feijão-mulatinho
- Feijão-preto
- Grão-de-bico

7. Laticínios – leite semidesnatado ou desnatado, iogurte light e queijo com pouca gordura (cottage ou ricota)

Superpoderes: desenvolvem ossos fortes e aceleram a perda de peso.
Armas secretas: cálcio, vitaminas A e B_{12}, riboflavina, fósforo e potássio.
Combatem: osteoporose, obesidade, pressão alta e câncer.
Associados: nenhum.
Impostor: leite integral.

Os laticínios são uma versão nutricional daquele tipo de ator que é escolhido para fazer sempre o mesmo papel. Recebem tanta atenção por uma atividade em que se saem bem – fortalecer os ossos – que quase ninguém se lembra das suas outras qualidades. Já está na hora de os laticínios serem reconhecidos por colaborarem para o processo de emagrecimento. As provas disso estão se acumulando. Um estudo realizado pela Universidade do Tennessee revelou que as pessoas que consumiam entre 1.200 e 1.300mg de cálcio por dia emagreciam quase duas vezes mais do que os participantes que ingeriam menos cálcio. Segundo os pesquisadores, é provável que esse mineral previna o ganho de peso, porque faz com que o organismo decomponha mais gordura corporal, além de dificultar sua formação. Iogurte, queijos e outros laticínios light podem desempenhar um papel importante na dieta. No entanto, como principal fonte de cálcio, recomendo o leite por uma razão básica: o volume. Os líquidos ocupam um espaço valioso no estômago e enviam ao cérebro o sinal de saciedade. Usar chocolate em pó diet no leite também é bom, pois ajuda a superar a vontade de comer doce ao mesmo tempo que proporciona uma grande força nutricional.

BOLETIM DA SAÚDE DA DIETA DO ABDÔMEN

Afinal, o que é... osteoporose?

Na escala que quantifica o grau de dureza dos materiais, a diferença entre as duas pontas do espectro é imensa. Na extremidade dos mais sólidos, estão, por exemplo, o aço e o diamante; na dos mais frágeis, ovos, porcelana, taças de champanhe. Todo o resto se situa entre esses dois polos. Embora pareçam estar mais próximos da categoria dos mais sólidos, os ossos também podem acabar se enquadrando entre os frágeis. Na verdade, eles são um tecido que se regenera, formando e construindo novas células ósseas ao longo da nossa vida. Porém, ainda que a massa óssea seja muito forte (é a segunda substância mais dura do organismo, depois do esmalte dentário), ela atinge seu ponto máximo aos 30 anos. Depois disso, os ossos vão se enfraquecendo, tornando-se cada vez mais porosos, mais frágeis e propensos a fraturas.

A osteoporose é uma doença decorrente da redução do tecido ósseo e da perda da densidade óssea. Acomete sobretudo as mulheres porque elas normalmente têm menos massa óssea (por isso sentem mais rápido os efeitos dos ossos frágeis) e também por fatores hormonais. As mulheres podem perder até 20% da massa óssea nos cinco a sete anos subsequentes à menopausa.

Entretanto, o mais importante a saber sobre esse problema é que é possível reduzi-lo construindo novo tecido ósseo e células ósseas ao longo da vida. Hoje, existem muitos medicamentos destinados às pessoas que correm mais riscos de desenvolver osteoporose. Além disso, os médicos aconselham a realização de um exame que mede a densidade óssea assim que as mulheres chegam à menopausa. (Em geral, as pessoas só percebem os sintomas da doença depois que fraturam um osso.) Mas você pode fazer muitas outras coisas para manter os ossos fortes. A Dieta do Abdômen serve como um excelente programa de prevenção da osteoporose, especialmente porque enfatiza o treinamento de resistência e a ingestão de cálcio – dois componentes fundamentais na construção de tecido ósseo.

Saboreie mais bebidas brancas. Há um bom motivo para os constantes anúncios de leite na mídia: trata-se de uma das melhores fontes de cálcio, mineral que constrói os ossos. À medida que envelhecemos, a quantidade de cálcio nos ossos diminui, deixando-os mais propensos a fraturas. Esse mineral – que também é encontrado em outros laticínios e em muitas hortaliças, como o espinafre –, é o principal elemento envolvido na construção e na manutenção da estrutura óssea. Você precisa de 1.000 a 1.200mg de cálcio por dia, quantidade fornecida por dois copos de leite, um copo de iogurte e algumas fatias de queijo.

Adote os suplementos. Se você não tem certeza de que está ingerindo a quantidade apropriada de laticínios, considere a possibilidade de tomar um suplemento de cálcio para garantir a ingestão de 1.200mg/dia. Estudos demonstram que a suplementação com cálcio pode promover uma redução de 30 a 50% na incidência de fraturas ósseas entre as pessoas que consomem baixas quantidades desse mineral.

Mostre sua resistência. Estudos têm revelado repetidamente que é preciso fazer exercícios de resistência, como os indicados no programa da Dieta do Abdômen, para ajudar a prevenir a perda óssea. Pesquisadores da Penn State descobriram que os exercícios são quatro vezes mais eficazes do que o cálcio na criação de massa óssea. Em uma pesquisa realizada pela Universidade do Arizona, as mulheres que praticaram de 20 a 25 minutos de treinamento de resistência e menos de 10 minutos de uma atividade cardiovascular que inclui o próprio peso corporal (como pular corda ou correr) apresentaram aumento significativo da massa óssea. São os exercícios com pesos que ajudam a estimular o crescimento ósseo. Esse não é o caso, por exemplo, da natação e do ciclismo, pois essas atividades não exigem a utilização do peso corporal nem de pesos adicionais. Por isso, ainda que você caminhe, é importante realizar o treinamento com pesos para a parte superior do corpo, pois a caminhada não ajuda a estimular o crescimento ósseo nos braços, nos ombros e nos punhos.

Tome um pouco de sol. Por mais forte que seja, o cálcio, sozinho, não fortalece os ossos. O organismo necessita de vitamina D para absorver esse mineral. Em geral, conseguimos vitamina D suficiente por meio da luz solar. Além disso, os Alimentos Poderosos (laticínios e peixes, especificamente) são excelentes fontes dessa vitamina. No entanto, com o avanço da idade, às vezes é preciso recorrer a suplementos de vitamina D ou comer alimentos enriquecidos com ela. Procure ingerir de 200 a 400UI de vitamina D por dia.

Atenção com a proteína. Comer proteína em excesso, como recomendam algumas dietas, pode ocasionar a excreção de cálcio, aumentando a necessidade de ingerir quantidades ainda maiores desse mineral.

Prefira halteres. Faça exercícios que exijam equilíbrio – ou seja, use pesos livres em vez dos equipamentos de musculação e faça abdominais na bola suíça, e não no chão. Ter mais equilíbrio não contribui para a construção dos ossos nem impede a osteoporose em si, mas ajuda a prevenir quedas, causa de muitas fraturas relacionadas a essa doença.

8. Ovos

Superpoderes: desenvolvem músculos e queimam gordura.
Armas secretas: proteína, vitamina B_{12} e vitamina A.
Combatem: obesidade.
Associados: nenhum.
Impostores: nenhum.

Um número cada vez maior de pesquisas tem demonstrado que comer um ou dois ovos por dia não eleva os níveis de colesterol como se acreditava antes. Na verdade, estudos revelaram que a maior parte do colesterol no sangue é produzida pelo corpo a partir da gordura presente nos alimentos, e não do colesterol que eles contêm. E um dado importante: a proteína dos ovos é a que possui o mais alto "valor biológico" – uma medida de sua alta capacidade de suprir a necessidade que o corpo tem desse nutriente. Ou seja, ela é mais eficaz no desenvolvimento dos músculos do que a proteína de outras fontes, até mesmo do leite e da carne bovina. Nos ovos também há vitamina B_{12}, necessária para dissolver a gordura.

9. Pães e cereais integrais

Superpoderes: impedem o corpo de acumular gordura.
Armas secretas: fibras, proteína, tiamina, riboflavina, niacina, piridoxina, vitamina E, magnésio, zinco, potássio, ferro e cálcio.
Combatem: obesidade, câncer, pressão alta e doenças cardíacas.
Associados: arroz integral e massas de trigo integral.
Impostores: produtos de confeitaria, como pão branco e rosquinhas e pães com a indicação "trigo" em vez de "trigo integral".

Uma pessoa só consegue seguir uma dieta apenas de proteína, apenas de salada ou apenas de qualquer outra coisa por determinado período. Logo ela estará ansiando por carboidratos, pois o corpo precisa deles. O importante é comer os que forem menos processados, ou seja, os que ainda mantêm intactas as fibras, que são benéficas para o coração e inimigas da barriga.

Os carboidratos feitos de grãos integrais desempenham um importante papel em um estilo de vida saudável. Em um estudo de 11 anos com 16 mil participantes de meia-idade, pesquisadores da Universidade de Minnesota descobriram que consumir três porções diárias de cereais integrais pode reduzir em 23% o risco de mortalidade ao longo de uma década. (Conte essa para sua irmã que está seguindo uma dieta pobre em carboidratos.) O pão de cereal integral mantém baixos os níveis de insulina ao mesmo tempo que impede o acúmulo de gordura. Na Dieta do Abdômen, ele é um componente bastante versátil, porque suplementa qualquer tipo de refeição e exige pouco tempo de preparo – torradas no café da manhã, sanduíches no almoço e fatias com manteiga de amendoim no lanche. Não acredite nas pessoas que exageram. Os carboidratos do tipo certo são bons para você.

Atenção: os fabricantes de alimentos são traiçoeiros. Às vezes, depois de retirarem todos os minerais, vitaminas e fibras do trigo, eles acrescentam melaço para deixá-lo escuro. E o enviam para as prateleiras dos supermercados com uma etiqueta que diz "pão de trigo". É um truque! Os pães e outros produtos realmente nutritivos têm a identificação "trigo integral" ou "grão integral". Não se deixe enganar.

10. Peru e outras carnes com pouca gordura (carne vermelha magra, frango e peixe)

Superpoderes: desenvolvem os músculos e fortalecem o sistema imunológico.
Armas secretas: proteína, ferro, zinco, creatina (carne bovina), ácidos graxos ômega-3 (peixe), vitaminas B_6 (frango e peixe) e B_{12}, fósforo e potássio.
Combatem: obesidade e várias doenças.
Associados: moluscos e lombinho canadense.
Impostores: linguiça, bacon, carnes defumadas, presunto e cortes gordurosos de carne bovina, como costela.

Um nutriente clássico no desenvolvimento dos músculos, a proteína é a base de todo programa de dieta bem estruturado. Você já sabe que o organismo precisa de mais energia para digerir a proteína da carne do que para digerir carboidratos e gordura. Portanto, quanto mais proteína ingerida, maior a quantidade de calorias queimadas. Muitas pesquisas confirmam a ideia de que dietas ricas nesse nutriente promovem o emagrecimento. Em um estudo, pesquisadores dinamarqueses observaram que as pessoas que substituíam 20% de carboidratos por proteínas eram capazes de acelerar o metabolismo e elevar a quantidade de calorias queimadas todos os dias em até 5%.

Entre as carnes, o peru é um alimento excepcional. O peito dessa ave é uma das carnes mais magras que podemos encontrar e supre quase 1/3 das necessidades diárias de niacina e vitamina B_6. A carne escura, caso você a prefira, tem muito zinco e ferro. Um aviso: se for assar um peru inteiro para a refeição da família, evite as aves semiprontas, pois em geral elas recebem gordura durante o preparo.

A carne bovina contém outra proteína importante para o desenvolvimento dos músculos. Ela é a principal fonte alimentar de creatina, a substância que o corpo usa quando nos exercitamos com pesos. Mas essa carne tem uma característica negativa: possui gorduras saturadas, alguns cortes mais do que outros. Procure carnes bem magras, como filé-mignon e alcatra. E lembre-se de que a parte posterior da alcatra e o lombo são menos gordurosos do que as costelas. Acompanhe a carne com um copo de leite desnatado. Pesquisas revelam que o cálcio (outra vez essa substância mágica!) reduz a quantidade de gordura saturada que o corpo absorve. Escolha os cortes no lado esquerdo da tabela a seguir, pois são os que apresentam menos gordura e fornecem concentrações maiores de proteína.

CARNE BOVINA MAGRA (55 CALORIAS E 2 A 3G DE GORDURA EM UMA PORÇÃO DE 28G)	CARNE BOVINA COM QUANTIDADE MÉDIA DE GORDURA (75 CALORIAS E 5G DE GORDURA EM UMA PORÇÃO DE 28G)
Alcatra	Carne moída (sem a indicação de magra ou extramagra)
Carne moída (com a indicação de magra ou extramagra)	Contrafilé
Filé-mignon	Costela de primeira
Rosbife	Picanha

Para reduzir ainda mais as gorduras saturadas, prefira peixes como atum e salmão, que contêm uma saudável dose de ácidos graxos ômega-3, além de proteína. Esses ácidos baixam os níveis de um hormônio chamado leptina. De acordo com alguns estudos, a leptina exerce uma influência direta sobre o metabolismo: quanto mais altos os níveis dessa substância, mais depressa o corpo acumula calorias na forma de gordura. Pesquisadores da Clínica Mayo que estudaram as dietas de duas tribos africanas constataram que a tribo que comia peixe com mais frequência tinha níveis de leptina quase cinco vezes mais baixos do que a tribo que se alimentava basicamente de hortaliças. Um benefício adicional: pesquisadores em Estocolmo verificaram que os homens que não ingeriam peixe corriam um risco três vezes maior de ter câncer de próstata do que aqueles que comiam esse alimento com regularidade. O ômega-3 inibe o crescimento do câncer de próstata.

Independentemente de você comer ou não peixe, quero que considere o acréscimo de linhaça moída à sua alimentação. Como ressaltei antes, uma colher de sopa contém apenas 60 calorias, mas possui ômega-3 e quase 4g de fibras. Como a linhaça tem um sabor parecido com o das nozes, você pode salpicá-la em diversos alimentos, adicioná-la à carne bovina ou ao feijão, acrescentá-la ao cereal ou adicionar uma colher de sopa ao preparo das vitaminas.

Teor de gordura da carne (112g, crua, sem pele nem osso)

	TOTAL (G)	SATURADA (G)
Peito de frango sem pele	1,41	0,37
Bife de vitela	2,45	0,74
Carne moída magra	4,00	1,50
Presunto defumado	4,68	1,56
Coxa de frango assada	5,05	1,34
Contrafilé	5,15	2,00
Coxa de peru	7,62	2,34
Peito de peru	7,96	2,17
Filé-mignon	8,02	3,00
Costeleta de porco magra	8,19	2,85
Alcatra	8,58	3,00
Carne magra de peru, moída	9,37	2,55
Peito de vitela	9,73	3,80
Costela bovina	18,03	7,30
T-bone	19,63	7,69
Presunto	21,40	7,42
Pernil de porco	60,11	21,92
Porco defumado	91,29	33,32

11. *Whey*, proteína em pó do soro do leite

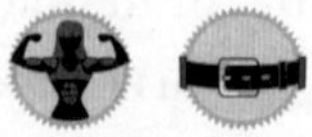

Superpoderes: desenvolve os músculos, queima a gordura.
Armas secretas: proteína, cisteína, glutationa.
Combate: obesidade.
Associado: ricota.
Impostor: proteína da soja.

Proteína em pó? O que é isso? É o único Alimento Poderoso da Dieta do Abdômen que não é vendido em supermercados. Mas vale a pena passar em uma loja de produtos naturais ou de suplementos vitamínicos para comprá-lo. Estou falando de *whey*, a proteína em pó do soro do leite, um tipo de proteína animal que contém uma substância que atua no desenvolvimento muscular. Ao adicioná-la a uma refeição – uma "vitamina", por exemplo –, você pode muito bem estar criando a mais poderosa refeição para a queima de gordura. Essa proteína é de alta qualidade – possui aminoácidos essenciais que desenvolvem os músculos e queimam gordura. É bastante eficaz, pois apresenta a maior quantidade de proteína para a menor quantidade de calorias, o que a torna uma criptonita contra a gordura. As "vitaminas" preparadas com ela são mais eficientes quando ingeridas antes dos exercícios físicos. Um estudo de 2001 realizado pela Universidade do Texas revelou que os levantadores de peso que tomavam uma "vitamina" contendo aminoácidos e carboidratos antes do treino apresentavam uma síntese de proteína (a capacidade de desenvolver músculos) mais elevada do que os que a ingeriam após o exercício. Como a atividade física aumenta o fluxo de sangue para os tecidos, a teoria é de que a presença da proteína do soro do leite no organismo durante a prática de exercícios pode promover uma absorção mais intensa de aminoácidos – os elementos básicos do desenvolvimento muscular – pelos músculos.

Antes que eu me esqueça: a única fonte dessa proteína encontrada nos supermercados é a ricota. Ao contrário dos outros queijos, que são feitos de leite coalhado, a ricota é produzida com o soro do leite.

| CAPÍTULO 8 |

O Programa de Refeições da Dieta do Abdômen

Receitas rápidas e fáceis com os Alimentos Poderosos

Se você é como muitas das pessoas com quem eu trabalho e como um grande número das que conheço, passa mais tempo no banheiro, no carro ou no sofá do que na cozinha. Nunca tem tempo para preparar refeições. Toma o café da manhã às pressas ou no próprio escritório, almoça com colegas ou clientes ou com os filhos e, às quatro horas da tarde, está beliscando alguma coisa. À noite, ao voltar para casa, a última coisa que tem vontade de fazer é ir para a cozinha.

Devo confessar que também sou assim. Não tenho tempo, energia nem impulso criativo para cozinhar. É mais provável encontrar contas a pagar em cima do meu fogão do que panelas e frigideiras. E o forno é mais usado como depósito do que para assar qualquer coisa. (Em uma das suas visitas, minha mãe assou acidentalmente uma bola de basquete.) Na primeira vez que fiz o jantar para minha namorada, ela identificou o prato principal como "alguma espécie de carne".

Assim, o conteúdo das próximas páginas leva tudo isso em consideração – você não tem tempo para preparar sua comida. Mas, se souber usar um liquidificador e uma frigideira, conseguirá fazer isso.

A maioria das receitas é de preparo rápido – algumas ficam prontas em menos de cinco minutos. Também sei que você não vai fazer todas as refeições do dia. Por isso, incluí amostras de combinações de alimentos que proporcionam refeições balanceadas, utilizando os Alimentos Poderosos. Para os jantares, as porções são maiores do que seria necessário para uma só pessoa. Assim, no dia seguinte, você pode aproveitar o que sobrar como almoço. Se tiver que preparar também as refeições da sua família, será fácil dobrar ou triplicar as receitas.

"Vitaminas" da Dieta do Abdômen

AS "VITAMINAS" FIGURAM entre as melhores partes da Dieta do Abdômen. São preparadas em menos de três minutos. Concentram vários alimentos com muitos nutrientes. Proporcionam a sensação de saciedade. Como se tudo isso não fosse suficiente, também podem ter o sabor de uma sobremesa de restaurante cinco estrelas. Invente suas próprias misturas usando leite desnatado, iogurte natural light, *whey* e gelo como ingredientes principais. A aveia e as frutas são ótimos acréscimos, assim como uma colher de manteiga de amendoim. Junte tudo no liquidificador e bata bem. Para aumentar o volume, acrescente mais gelo. Veja algumas opções:

"VITAMINA" SUPREMA DA DIETA DO ABDÔMEN (NÚMERO DE ALIMENTOS PODEROSOS: 5)

1 xícara de leite semidesnatado
2 colheres de sopa de iogurte natural light
3/4 de xícara de aveia dissolvida em água e cozida no micro-ondas
2 colheres de chá de manteiga de amendoim
2 colheres de chá de *whey* sabor chocolate
6 cubos de gelo em pedaços

Rendimento: 2 porções de 220ml.
Calorias por porção: 220; proteína: 12g; carboidratos: 29g; gordura: 4g; gordura saturada: 1,5g; sal: 118mg; fibras: 3g.

"VITAMINA" GENERAL MORANGO (NÚMERO DE ALIMENTOS PODEROSOS: 5)

1/2 xícara de iogurte natural light
1 xícara de leite semidesnatado
2 colheres de chá de manteiga de amendoim
1 xícara de morangos congelados
2 colheres de chá de *whey*
6 cubos de gelo em pedaços

Rendimento: 2 porções de 220ml.
Calorias por porção: 186; proteína: 11g; carboidratos: 26g; gordura: 5g; gordura saturada: 2g; sal: 151mg; fibras: 3g.

"Vitamina" de Fibras (número de Alimentos Poderosos: 4)

1/2 xícara de cereal All-Bran rico em fibras
1 xícara de leite semidesnatado
1/2 xícara de frutas vermelhas
1 colher de sopa de mel
2 colheres de chá de *whey*
6 cubos de gelo em pedaços

Rendimento: 2 porções de 220ml.
Calorias por porção: 145; proteína: 8g; carboidratos: 32g; gordura: 2g; gordura saturada: 1g; sal: 155mg; fibras: 9g.

"Vitamina" Banana Split (número de Alimentos Poderosos: 3)

1 banana
1/2 xícara de iogurte natural light
1/8 de xícara de suco de laranja concentrado congelado
1/2 xícara de leite semidesnatado
2 colheres de chá de *whey*
6 cubos de gelo em pedaços

Rendimento: 2 porções de 220ml.
Calorias por porção: 171; proteína: 8g; carboidratos: 33g; gordura: 2g; gordura saturada: 1g; sal: 94mg; fibras: 2g.

"Vitamina" Delícia Mista (número de Alimentos Poderosos: 4)

3/4 de xícara de aveia dissolvida em água ou em leite desnatado e cozida no micro-ondas
3/4 de xícara de leite desnatado
3/4 de xícara de frutas vermelhas congeladas e misturadas
2 colheres de chá de *whey*
3 cubos de gelo em pedaços

Rendimento: 2 porções de 220ml.
Calorias por porção: 144; proteína: 7g; carboidratos: 27g; gordura: 1g; gordura saturada: 0g; sal: 109mg; fibras: 4g.

"Vitamina" dos Deuses (número de Alimentos Poderosos: 5)

3/4 de xícara de iogurte natural light
3/4 de xícara de leite semidesnatado
2 colheres de chá de manteiga de amendoim
1 banana média
1/2 xícara de morangos congelados, sem açúcar
2 colheres de chá de *whey*
4 cubos de gelo em pedaços

Rendimento: 2 porções de 220ml.
Calorias por porção: 235; proteína: 11g; carboidratos: 39g; gordura: 5g; gordura saturada: 2g; sal: 154mg; fibras: 4g.

"Vitamina" de Verão (número de Alimentos Poderosos: 4)

2/3 de xícara de morangos congelados
1 banana
1/2 xícara de melão-cantalupo
100g de iogurte natural light
3/4 de xícara de leite semidesnatado
2 colheres de chá de *whey* de baunilha
3 cubos de gelo em pedaços

Rendimento: 2 porções de 220ml.
Calorias por porção: 199; proteína: 9g; carboidratos: 39g; gordura: 2g; gordura saturada: 1g; sal: 117mg; fibras: 4g.

"Vitamina" Superpoderosa (número de Alimentos Poderosos: 3)

1 bola de sorvete de creme light
1/4 de xícara de frutas vermelhas congeladas
1/2 xícara de leite semidesnatado
1 colher de sopa de *whey* sabor baunilha
2 cubos de gelo

Rendimento: 1 porção de 220ml.
Calorias por porção: 251; proteína: 15g; carboidratos: 38g; gordura: 4g; gordura saturada: 2g; sal: 116mg; fibras: 4g.

"Vitamina" com Mel e Canela (número de Alimentos Poderosos: 3)

1 bola de sorvete de nozes light
1/2 xícara de leite semidesnatado
1 colher de sopa de *whey* sabor baunilha
1 colher de chá de semente de linhaça moída
1 pitada de canela
1 colher de chá de mel
3 cubos de gelo

Rendimento: 1 porção de 220ml.
Calorias por porção: 250; proteína: 15g; carboidratos: 38g; gordura: 4g; gordura saturada: 2g; sal: 131mg; fibras: 3g.

"Vitamina" Chocolate Maravilha (número de Alimentos Poderosos: 2)

1 bola de sorvete de chocolate light
1 colher de sopa de calda de chocolate
1/2 xícara de leite achocolatado light
1 colher de sopa de *whey* sabor chocolate
1/2 banana
3 cubos de gelo

Rendimento: 1 porção de 220ml.
Calorias por porção: 355; proteína: 17g; carboidratos: 60g; gordura: 6g; gordura saturada: 4g; sal: 158mg; fibras: 4g.

"Vitamina" de Abóbora (número de Alimentos Poderosos: 3)

1 bola de sorvete de nozes light
1/2 xícara de abóbora cozida
1/2 xícara de leite semidesnatado
1 colher de sopa de *whey* sabor baunilha
1 colher de chá de semente de linhaça moída
3 cubos de gelo

Rendimento: 1 porção de 220ml.
Calorias por porção: 265; proteína: 17g; carboidratos: 41g; gordura: 5g; gordura saturada: 2g; sal: 136mg; fibras: 7g.

"Vitamina" Fofura de Framboesa (número de Alimentos Poderosos: 3)

1 bola de sorvete de chocolate light
1/2 xícara de framboesas congeladas
1/2 xícara de leite achocolatado light
1 colher de sopa de *whey* sabor chocolate
1/2 banana
3 cubos de gelo

Rendimento: 1 porção de 220ml.
Calorias por porção: 340; proteína: 17g; carboidratos: 56g; gordura: 7g; gordura saturada: 4g; sal: 145mg; fibras: 7g.

"Vitamina" Gotas de Limão (número de Alimentos Poderosos: 4)

1 bola de sorvete de creme light
1/2 xícara de ricota
1/2 xícara de leite semidesnatado
1 colher de sopa de *whey* sabor baunilha
1 colher de sopa de amêndoas picadas
1/2 limão, sumo e raspas
3 cubos de gelo

Rendimento: 1 porção de 220ml.
Calorias por porção: 387; proteína: 27g; carboidratos: 37g; gordura: 16g; gordura saturada: 8g; sal: 289mg; fibras: 2g.

Cafés da manhã da Dieta do Abdômen

Em geral, depois de acordar, você tem que tomar banho, dar uma lida no jornal e ainda ajudar o filho nos deveres de casa. Resultado: o café da manhã acaba sendo a refeição mais sacrificada do dia. Costuma ser preterido por qualquer coisa que exija sua atenção. Mas, se fôssemos classificar as seis refeições em ordem de importância, ele ficaria em primeiro lugar. O café da manhã desperta o metabolismo e diz ao corpo para começar a queimar gordura, diminuindo o risco de obesidade. O meio mais rápido de incorporar a Dieta do Abdômen à sua alimentação matinal é combinar os Alimentos Poderosos. Por exemplo:

- Uma "vitamina" de 200ml
- 2 colheres de sopa de requeijão light em torrada de cereal integral e fatias de lombinho canadense
- 1 3/4 de xícara de farelo de trigo com 1 xícara de leite semidesnatado, 3 rodelas de presunto de peru light e 1/2 xícara de morangos (ou de uma fruta similar)
- 2 ovos mexidos, 2 fatias de torrada de cereal integral, 1 banana e 1 xícara de leite desnatado ou semidesnatado
- Cereal feito com 3/4 de xícara de cereal rico em fibras, 1/4 de xícara de granola, 2 colheres de sopa de amêndoas e 3/4 de xícara de leite desnatado ou semidesnatado
- 1 fatia de pão integral com 1 colher de sopa de Philadelphia Cream Cheese light, 1 laranja média, 1/2 xícara de cereal All-Bran com 1/2 xícara de leite semidesnatado e 1/2 xícara de morangos (ou de uma fruta similar)

Nos fins de semana ou nas manhãs em que dispuser de mais tempo, aproveite para incluir alguns alimentos nutricionais especiais.

Sanduíche Estimulante de Ovos (Número de Alimentos Poderosos: 5)

1 ovo grande, com ômega-3
2 claras de ovos grandes
1 colher de chá de linhaça moída
2 fatias de pão de trigo integral torradas
1 fatia de lombinho canadense
1 tomate fatiado ou 1 pimentão verde fatiado
1/2 copo de suco de laranja

1. Em uma tigela, misture o ovo inteiro e as claras. Junte a linhaça.
2. Unte uma frigideira antiaderente com óleo vegetal e frite a mistura. Em seguida, espalhe-a sobre as torradas.
3. Acrescente o lombinho canadense, o tomate ou o pimentão.
4. Beba o suco de laranja.

Rendimento: 1 porção.
Calorias por porção: 399; proteína: 31g; carboidratos: 46g; gordura: 11g; gordura saturada: 3g; sal: 900mg; fibras: 6g.

Sanduíche Misto Especial (número de Alimentos Poderosos: 4)

1 baguete de trigo integral
1/2 colher de chá de margarina sem gordura trans
1 ovo
1 1/2 fatia de queijo suíço light
1 fatia de lombinho canadense
Hortaliças de sua preferência

1. Corte a baguete, torre e passe a margarina.
2. Quebre o ovo em um prato refratário, fure a gema com um palito e cubra com uma tampa de plástico. Leve ao micro-ondas por no máximo 30 segundos. Deixe descansar por mais 30 segundos.
3. Acrescente o ovo, a mozarela e o lombinho canadense à baguete e leve ao micro-ondas por mais 20 segundos.
4. Adicione as hortaliças a gosto.

Rendimento: 1 porção.
Calorias por porção: 300; proteína: 22g; carboidratos: 28g; gordura: 11g; gordura saturada: 3,5g; sal: 868mg; fibras: 3g.

Sanduíche de Quem Ainda Não Tomou o Café da Manhã (número de Alimentos Poderosos: 5)

1 1/2 colher de chá de requeijão light
1 pão árabe de trigo integral, cortado ao meio para formar dois bolsos
2 fatias de peru ou presunto light
Alface ou outras folhas verdes

1. Passe o requeijão nas duas metades do pão.
2. Recheie com as fatias de peru ou presunto e com as folhas.
3. Leve à boca, mastigue e engula.

Rendimento: 1 porção.
Calorias por porção: 225; proteína: 10g; carboidratos: 42g; gordura: 3g; gordura saturada: 1g; sal: 430mg; fibras: 6g.

Atum em Nova Versão (número de Alimentos Poderosos: 3)

2 ovos
2 colheres de sopa de atum em lata, escorrido
1/2 cebolinha verde fatiada

1. Em um recipiente refratário, misture os ovos e acrescente o atum e a cebolinha. Leve ao micro-ondas por 2 minutos e 30 segundos ou até os ovos estarem bem cozidos.

Rendimento: 1 porção.
Calorias por porção: 189; proteína: 20g; carboidratos: 2g; gordura: 10g; gordura saturada: 3g; sal: 249mg; fibras: 1g.

Melão com Hortelã (número de Alimentos Poderosos: 2)

1 xícara de iogurte natural light
1/2 colher de chá de hortelã (fresca ou desidratada)
1 xícara de melão cortado em cubos

1. Misture o iogurte com a hortelã e despeje sobre os cubos de melão até cobri-los inteiramente.

Rendimento: 1 porção.
Calorias por porção: 209; proteína: 14g; carboidratos: 30g; gordura: 4g; gordura saturada: 3g; sal: 195mg; fibras: 1g.

Ovos com Espinafre (número de Alimentos Poderosos: 3)

2 ovos
1/2 colher de sopa de queijo feta esfarelado
1/3 de xícara de folhas de espinafre
1 pitada de orégano desidratado

1. Em um recipiente refratário, bata os ovos e acrescente o queijo feta, o espinafre e o orégano. Leve ao micro-ondas por 2 minutos e 30 segundos ou até os ovos estarem bem cozidos.

Rendimento: 1 porção.
Calorias por porção: 163; proteína: 13g; carboidratos: 2g; gordura: 11g; gordura saturada: 4g; sal: 205mg; fibras: 0g.

Waffles Rancheiros (número de Alimentos Poderosos: 2)

1 ovo
1 waffle de trigo integral
1 colher de sopa de molho Salsa (veja a receita na página 138)

1. Em um recipiente refratário pequeno, quebre o ovo misturando bem a clara e a gema. Leve ao micro-ondas por 2 minutos e 30 segundos.
2. Prepare o waffle segundo as instruções da embalagem. Acrescente o ovo batido e o molho Salsa. Corte o waffle ao meio e sobreponha as fatias.

Rendimento: 1 porção.
Calorias por porção: 183; proteína: 10g; carboidratos: 14g; gordura: 9g; gordura saturada; 3g; sal: 263mg; fibras: 1g.

Café da Manhã Original (número de Alimentos Poderosos: 3)

1 porção de milho em flocos ou de farelo de milho
4 camarões congelados
1 colher de sopa de queijo cheddar light ralado
Molho Barbecue

1. Pique o camarão depois de descongelado.
2. Prepare o cereal de acordo com as instruções da embalagem. Acrescente o camarão e o queijo cheddar, mexendo bem. Adicione o molho Barbecue.

Rendimento: 1 porção.
Calorias por porção: 167; proteína: 9g; carboidratos: 31g; gordura: 1g; gordura saturada: 0g; sal: 731mg; fibras: 2g.

Milho Selvagem (número de Alimentos Poderosos: 2)

2 ovos
2 colheres de sopa de milho em conserva
1 fatia de tomate picada
1 colher de sopa de feijão-preto, sem o caldo

1. Em um recipiente refratário, misture os ovos, batendo bem. Adicione o milho, o tomate e o feijão-preto. Leve ao micro-ondas por 2 minutos e 30 segundos ou até os ovos estarem bem cozidos.

Rendimento: 1 porção.
Calorias por porção: 180; proteína: 14g; carboidratos: 7g; gordura: 10g; gordura saturada: 3g; sal: 203mg; fibras: 3g.

Cereais de Roupa Nova (número de Alimentos Poderosos: 4)

1 porção de milho em flocos ou de farelo de milho
1 colher de chá de linhaça moída
2 tirinhas de carne-seca cozidas e desfiadas
1 colher de sopa de queijo cheddar light ralado

1. Prepare o cereal de acordo com as instruções da embalagem. Adicione a linhaça, a carne-seca e o queijo cheddar, misturando bem.

Rendimento: 1 porção.
Calorias por porção: 199; proteína: 11g; carboidratos: 2g; gordura: 6g; gordura saturada: 2g; sal: 786mg; fibras: 3g.

Almoços da Dieta do Abdômen

Em um dia de trabalho, as lanchonetes e balcões de pizzaria podem ser terrivelmente tentadores como opções na hora do almoço. Seja forte! Você ainda conseguirá seguir o plano alimentar onde quer que almoce. Frango grelhado e sashimi são boas alternativas. Em um lugar em que se come sentado, é possível pedir com inteligência, sem cair na armadilha dos pratos especiais. Combinações salvadoras incluem salada com frango grelhado ou salmão, hortaliças, amêndoas ou outras nozes, acompanhados de azeite de oliva extravirgem e vinagre balsâmico. Você também pode optar por uma carne magra – no pão integral ou pura – com uma porção de hortaliças. Se costuma levar o almoço para o escritório ou comer em casa, aqui estão algumas opções:

Salada de Quem Não Quer Salada (número de Alimentos Poderosos: 4)

70g de frango grelhado
1 xícara de alface-romana
1 tomate picado
1 pimentão verde pequeno picado

1 cenoura média picada
3 colheres de sopa de molho de salada italiano light ou 1 colher de chá de azeite de oliva extravirgem
1 colher de sopa de queijo parmesão ralado
1 colher de sopa de linhaça moída

1. Corte o frango em pedaços pequenos.
2. Misture todos os ingredientes e mantenha na geladeira. Coma com pão de cereais ou mesmo sem acompanhamento.

Rendimento: 1 porção.
Calorias por porção: 248; proteína: 16g; carboidratos: 33g; gordura: 8g; gordura saturada: 2g; sal: 875mg; fibras: 10g.

Enrolado de Peru (número de Alimentos Poderosos: 3)

3/4 de colher de sopa de maionese light
1 tortilha de trigo integral ou 1 pão árabe de trigo integral
60g de peito de peru assado, cortado em cubinhos
2 fatias de tomate
2 folhas de alface

1. Passe a maionese na tortilha.
2. Cubra com o peito de peru, o tomate e a alface.
3. Enrole firme para formar um canudo.

Rendimento: 1 porção.
Calorias por porção: 206; proteína: 17g; carboidratos: 26g; gordura: 7g; gordura saturada: 2g; sal: 1.270mg; fibras: 3g.

Guacamole no Pão Integral (número de Alimentos Poderosos: 4)

1 lata (170g) de atum (conservado em óleo)
2/3 de xícara de guacamole
1/4 de xícara de tomate picado
1 colher de chá de suco de limão
1 colher de sopa de maionese light
1 colher de chá de linhaça moída
2 baguetes pequenas de trigo integral

PARA O GUACAMOLE
1 abacate maduro
1/2 cebola pequena picada
2 colheres de sopa de suco de limão ou lima
3 colheres de sopa de coentro fresco picado
pimenta-vermelha picada a gosto
azeite de oliva extravirgem a gosto
(Amasse o abacate com um garfo e misture todos os temperos. Mantenha na geladeira por 2 horas coberto com filme-plástico.)

1. Com um garfo, misture os seis primeiros ingredientes em uma tigela.
2. Corte as baguetes ao meio e recheie cada metade delas com 1/4 de xícara da mistura.

Rendimento: 2 porções.
Calorias por porção: 606; proteína: 36g; carboidratos: 58g; gordura: 28g; gordura saturada: 5g; sal: 942mg; fibras: 13g.

ATUM ESPERTO (NÚMERO DE ALIMENTOS PODEROSOS: 4)

1/2 xícara de aipo picado
1 cebola picada
1/2 xícara de mozarela light ralada
1/2 xícara de queijo cottage light
170g de atum em lata (conservado em água), escorrido e desfiado
1/4 de xícara de maionese light
1 colher de sopa de suco de limão
6 torradas de trigo integral

1. Preaqueça o forno a 180°C.
2. Aqueça uma frigideira antiaderente e cozinhe o aipo e a cebola em fogo baixo até ficarem tenros. Acrescente a mozarela, o queijo cottage, o atum, a maionese e o suco de limão e mantenha no fogo até esquentar.
3. Passe 1/6 da mistura em cada torrada e asse por 10 minutos.

Rendimento: 2 porções.
Calorias por porção: 628; proteína: 50g; carboidratos: 54g; gordura: 24g; gordura saturada: 6g; sal: 1.300mg; fibras: 8g.

A Supersopa (número de Alimentos Poderosos: 3)

220g de peito de frango
1 xícara de cebola picada
1 colher de chá de azeite de oliva extravirgem
2 dentes de alho picados
6 xícaras de caldo de galinha light
1 xícara de feijão-branco pequeno, escorrido
1/2 xícara de cenoura picada
1 xícara de milho
1/2 xícara de tomate em lata, sem pele
2 colheres de sopa de manjericão ou salsa picados
1/4 de colher de chá de pimenta-do-reino moída

1. Em uma panela, refogue o frango e a cebola no azeite de oliva em fogo baixo por cerca de 10 minutos ou até que a cebola esteja dourada. Acrescente o alho e deixe por 1 minuto.
2. Adicione o caldo de galinha, o feijão-branco e a cenoura. Deixe ferver. Junte o milho e o tomate (com o suco). Cozinhe por 15 minutos. Acrescente o manjericão ou a salsa e tempere com a pimenta-do-reino

Rendimento: 4 porções.
Calorias por porção: 260; proteína: 27g; carboidratos: 30g; gordura: 5g; gordura saturada: 1g; sal: 602mg; fibras: 6g.

Salada Crocante (número de Alimentos Poderosos: 5)

3 xícaras de folhas verdes mistas
2 fatias de peito de peru defumado, picadas
1/2 maçã pequena, picada
2 colheres de sopa de cenoura ralada
1 colher de sopa de nozes picadas
1 1/2 colher de sopa de passas
1 colher de sopa de queijo-de-minas esfarelado

Molho: 1 1/2 colher de chá de azeite de oliva extravirgem; 1 colher de sopa de vinagre balsâmico

1. Misture todos os ingredientes e mantenha na geladeira (com o molho à parte) até a hora de servir.

Rendimento: 1 porção.

Calorias por porção: 296; proteína: 15g; carboidratos: 31g; gordura: 15g; gordura saturada: 3g; sal: 590mg; fibras: 7g.

Curry Apressado (número de Alimentos Poderosos: 3)

1/2 xícara de iogurte natural light
1/2 xícara de maionese light
3 colheres de sopa de cebola picada
1 colher de chá de gengibre
1 colher de chá de curry em pó
1/2kg de peito de frango, sem osso nem pele, cortado em tiras
1 colher de chá de páprica
1/2 colher de chá de pimenta-do-reino moída
2 xícaras de arroz integral cozido

1. Em uma tigela pequena, misture o iogurte, a maionese, a cebola, o gengibre e o curry.
2. Coloque o frango em uma tigela média. Salpique com a páprica e a pimenta-do-reino e mexa bem.
3. Em uma frigideira antiaderente, cozinhe o frango por 4 a 5 minutos em fogo médio. Acrescente a mistura de iogurte e refogue, mexendo por 2 minutos. Sirva por cima do arroz.

Rendimento: 2 porções.

Calorias por porção: 598; proteína: 61g; carboidratos: 69g; gordura: 7g; gordura saturada: 1g; sal: 704mg; fibras: 6g.

Salada de Grão-de-bico com Frango (número de Alimentos Poderosos: 4)

3 xícaras de folhas verdes mistas
1/3 de xícara de grão-de-bico cozido, lavado e escorrido
1/2 xícara de peito de frango cozido, cortado em cubos
1/4 de xícara de pimentão vermelho, cortado em cubos
1 colher de chá de linhaça moída

Molho: 1 1/2 colher de sopa de molho Ranch light (veja a receita na página 138)

1. Misture todos os ingredientes e mantenha na geladeira (com o molho à parte) até a hora de servir.

Rendimento: 1 porção.
Calorias por porção: 391; proteína: 41g; carboidratos: 27g; gordura: 11g; gordura saturada: 2g; sal: 884mg; fibras: 8g.

Wrap de Frango com Queijo Feta (Número de Alimentos Poderosos: 4)

3/4 de xícara de frango cozido cortado em cubos
2 colheres de sopa de cebola em cubos
2 colheres de sopa de queijo feta esfarelado
Folhas de alface-romana, picadas
1 tortilha de trigo integral, grande

1. Arrume o frango, a cebola, o queijo e a alface no centro da tortilha.
2. Enrole bem e corte ao meio.
3. Em uma frigideira antiaderente, aqueça os wraps *em fogo médio a alto. Grelhe por 2 a 3 minutos de cada lado. Sirva com o molho Salsa (veja a receita na página 138).*

Rendimento: 1 porção.
Calorias por porção: 397; proteína: 56g; carboidratos: 25g; gordura: 10g; gordura saturada: 4g; sal: 493mg; fibras: 3g.

Salada de Espinafre com Alface-Romana e Tangerina (Número de Alimentos Poderosos: 4)

1 1/2 xícara de espinafre picado
1 1/2 xícara de alface-romana picada
1/3 de xícara de tangerina
1/3 de xícara de morangos fatiados
2 colheres de sopa de cebola-roxa fatiada

Molho: 1 1/2 colher de sopa de azeite de oliva extravirgem, 1 colher de vinagre de vinho tinto, 1/2 dente de alho amassado, pimenta-do-reino a gosto

1. Misture todos os ingredientes e mantenha na geladeira (com o molho à parte) até a hora de servir.

Rendimento: 1 porção.
Calorias por porção: 238; proteína: 9g; carboidratos: 23g; gordura: 14g; gordura saturada: 4g; sal: 450mg; fibras: 6g.

Chucrute Incrementado (Número de Alimentos Poderosos: 5)

Azeite de oliva extravirgem, para untar
1/4 de xícara de chucrute
1 colher de sopa de queijo feta esfarelado
1 colher de sopa de molho Thousand Island (veja a receita na página 138)
2 fatias de pão de centeio
2 fatias de peito de peru defumado, com pouco sal
1 fatia de queijo suíço light

1. Unte uma frigideira com azeite de oliva e leve ao fogo médio.
2. Em um recipiente pequeno, misture o chucrute, o queijo feta e o molho Thousand Island. Espalhe sobre uma fatia do pão. Cubra com o peito de peru, a mozarela e a outra fatia de pão.
3. Grelhe por 2 a 3 minutos de cada lado.

Rendimento: 1 porção.
Calorias por porção: 335; proteína: 23g; carboidratos: 42g; gordura: 9g; gordura saturada: 3g; sal: 1.625mg; fibras: 5g.

Banquete de Melão (Número de Alimentos Poderosos: 4)

3 xícaras de folhas mistas
1/3 de xícara de melancia cortada em cubos
1/2 xícara de melão-cantalupo em cubos
2 colheres de sopa de cenoura ralada
30g de salmão defumado, picado
1 colher de sopa de pinhão
1 colher de sopa de hortelã picada

Molho: 1 1/2 colher de chá de azeite de oliva extravirgem; 2 colheres de sopa de vinagre balsâmico; 1 colher de chá de suco de limão

1. Misture todos os ingredientes e mantenha na geladeira (com o molho à parte) até a hora de servir.

Rendimento: 1 porção.
Calorias por porção: 274; proteína: 11g; carboidratos: 20g; gordura: 19g; gordura saturada: 2g; sal: 635mg; fibras: 5g.

Salada de Camarão (Número de Alimentos Poderosos: 4)

5 camarões grandes congelados
1/3 de xícara de milho congelado
3 xícaras de alface-romana picada
1/2 abacate cortado em cubos
1 xícara de tomate-cereja
2 colheres de sopa de rolinhos de tortilha amassados
1 colher de chá de coentro picado

Molho: 1 1/2 colher de sopa de molho Ranch (veja a receita na página 138)

1. Quando o camarão e o milho estiverem descongelados, misture todos os ingredientes e mantenha na geladeira (com o molho à parte) até a hora de servir.

Rendimento: 1 porção.
Calorias por porção: 395; proteína: 13g; carboidratos: 38g; gordura: 25g; gordura saturada: 4g; sal: 439mg; fibras: 14g.

Jantares da Dieta do Abdômen

O JANTAR É O MOMENTO em que a maioria de nós dá uma desacelerada e se empanturra. Isso ocorre porque passamos o dia todo atendendo as pessoas e nessa hora estamos ansiosos para satisfazer nossas próprias vontades. Pela Dieta do Abdômen, você já terá comido quatro vezes antes do jantar. Por isso, estará sentindo uma fome agradável, não voraz. As refeições a seguir proporcionam o gosto do pecado – sem a culpa.

Almôndegas da Força (Número de Alimentos Poderosos: 4)

500g de carne moída magra
1/2 xícara de bolachas de trigo integral salgadas, esmigalhadas
1 cebola grande picada
1 dente de alho picado
1 colher de sopa de linhaça moída ou de *whey*
1 lata (450g) de molho de tomate
4 baguetes pequenas de trigo integral
1/2 xícara de mozarela light cortada em tiras

1. Misture a carne, as bolachas, a cebola, o alho e a linhaça ou o whey *formando almôndegas do tamanho de uma bola de golfe.*
2. Em uma frigideira antiaderente, cozinhe as almôndegas em fogo médio até ficarem douradas por inteiro. Escorra a gordura e acrescente o molho de tomate.
3. Enquanto a mistura estiver esquentando, use um garfo para tirar um pouco de miolo das baguetes, formando valas rasas. Com uma colher, coloque as almôndegas e o molho em cada pão e cubra com a mozarela.

Rendimento: 4 porções.
Calorias por porção: 569; proteína: 38g; carboidratos: 65g; gordura: 19g; gordura saturada: 6g; sal: 1.341mg; fibras: 10g.

Frango à Brasileira (número de Alimentos Poderosos: 2)

1 limão
1 lima
1 colher de sopa de linhaça moída
1 lata (220g) de molho de tomate
180ml de suco de laranja
1 1/2 dente de alho picado
1 colher de café de pimenta-malagueta
1 colher de chá de condimento italiano desidratado
4 metades de peito de frango, sem osso nem pele
3/4 de xícara de molho Salsa (veja a receita na página 138)

1. Raspe a casca do limão e da lima em um saco plástico. Esprema o suco no saco e descarte a polpa e as sementes.
2. Misture o restante dos ingredientes, exceto o frango e o molho Salsa.
3. Acrescente o frango, feche o saco e deixe na geladeira por algumas horas.
4. Grelhe o frango virando e salpicando o molho marinado algumas vezes, por 10 a 15 minutos ou até que o centro não esteja mais rosado. Sirva com o molho Salsa.

Rendimento: 4 porções.
Calorias por porção: 205; proteína: 29 g; carboidratos: 18g; gordura: 2g; gordura saturada: 0,5g; sal: 726mg; fibras: 3g.

Contrafilé Apimentado (número de Alimentos Poderosos: 4)

1 colher de sopa de azeite de oliva extravirgem
2 cenouras fatiadas
1 xícara de brócolis picado
2 pimentas-*jalapeño* fatiadas
2 pimentas-de-caiena fatiadas
340g de contrafilé magro em fatias finas
4 xícaras de arroz integral cozido

1. Em uma frigideira antiaderente, aqueça o azeite de oliva em fogo alto. Adicione a cenoura e o brócolis e cozinhe até ficarem tenros. Acrescente as pimentas e as fatias de contrafilé e frite até que estejam ao ponto.
2. Sirva com o arroz integral.

Rendimento: 4 porções.
Calorias por porção: 485; proteína: 32g; carboidratos: 57g; gordura: 14g; gordura saturada: 3,5g; sal: 224mg; fibras: 6g.

Sanduíche da Fartura (número de Alimentos Poderosos: 3)

1 cebola média cortada em rodelas
1 pimentão vermelho pequeno fatiado
1 pimentão verde pequeno fatiado
2/3 de xícara de molho de chili
4 pães pequenos de cereais
340g de rosbife em fatias finas
1/2 xícara de queijo cheddar light, ralado

1. Em uma frigideira antiaderente, cozinhe a cebola e os pimentões em fogo médio até ficarem tenros. Acrescente o molho de chili e deixe esquentar.
2. Prepare os sanduíches com os pães, o rosbife, a cebola, os pimentões e o queijo. Em seguida, aqueça no micro-ondas por 1 a 2 minutos até que o queijo comece a derreter.

Rendimento: 4 porções.
Calorias por sanduíche: 558; proteína: 35g; carboidratos: 40g; gordura: 28g; gordura saturada: 12,5g; sal: 653mg; fibras: 4g.

Peru à Mexicana (número de Alimentos Poderosos: 4)

1/2kg de carne de peru moída
1 lata (400g) de tomate cortado em cubos
425g de feijão-preto, cozido e escorrido
1 lata (400g) de milho verde, escorrido
1 colher de chá de pimenta-do-reino branca
1 colher de sopa de linhaça moída
1/4 de xícara de água
1 xícara de arroz cozido

1. Em uma frigideira antiaderente grande, doure a carne de peru em fogo médio a alto. Acrescente o restante dos ingredientes, exceto o arroz, e cozinhe em fogo baixo por 10 minutos.
2. Sirva por cima do arroz.

Rendimento: 4 porções.
Calorias por porção: 407; proteína: 30g; carboidratos: 52g; gordura: 11g; gordura saturada: 3g; sal: 1.578mg; fibras: 9g.

Frango King Kong (número de Alimentos Poderosos: 3)

2 colheres de sopa de azeite de oliva extravirgem
1/2 cebola picada
1 colher de chá de farinha de trigo
2 colheres de sopa de água
1/2kg de peito de frango
4 colheres de chá de chili em pó
1 xícara de molho de espaguete
250g de espaguete de trigo integral cozido

1. Em uma frigideira antiaderente, aqueça o azeite de oliva em fogo médio. Acrescente a cebola e cozinhe por 1 minuto até dourar.
2. Em um recipiente pequeno, misture a farinha de trigo e a água.
3. Na frigideira, junte o frango, o chili, o molho de espaguete e a mistura de farinha de trigo. Mexa. Cozinhe sem tampar, em fogo brando, por 10 minutos. Sirva por cima do espaguete cozido.

Rendimento: 4 porções.
Calorias por porção: 320; proteína: 31g; carboidratos: 26g; gordura: 10g; gordura saturada: 2g; sal: 360mg; fibras: 5g.

Salmão Encantado (número de Alimentos Poderosos: 5)

2 colheres de sopa de azeite de oliva extravirgem
1 colher de sopa de suco de limão
1/4 de colher de chá de sal
1/4 de colher de chá de pimenta-do-reino moída
1 colher de sopa de linhaça moída
1 dente de alho
4 filés de salmão de 180g cada um
Óleo de canola (para untar)
Hortaliças de sua preferência
1 xícara de arroz integral cozido

1. Em uma assadeira, misture o azeite de oliva, o suco de limão, o sal, a pimenta-do-reino, a linhaça e o alho. Acrescente o salmão, tampe e mantenha na geladeira por 15 minutos.
2. Preaqueça o forno a 230°C. Forre uma assadeira com papel-alumínio e pincele com óleo de canola.
3. Tire o peixe da marinada e coloque na assadeira, com o lado da pele virado para baixo. Leve ao forno por 9 a 12 minutos. Sirva com as hortaliças e o arroz.

Rendimento: 4 porções.
Calorias por porção: 411; proteína: 40g; carboidratos: 15g; gordura: 20g; gordura saturada: 3g; sal: 231mg; fibras: 1g.

Linguiça de Peru Tentação (número de Alimentos Poderosos: 5)

150g de linguiça de peru defumada, fatiada
1 cebola pequena picada
1 vidro (85g) de cogumelos fatiados
1 dente de alho picado
450g de feijão-preto cozido
1 lata (220g) de feijão-branco pequeno escorrido
1 lata (400g) de polpa de tomate
Sal e pimenta-do-reino a gosto
1/4 de xícara de migalhas de pão
3/4 de colher de sopa de linhaça moída
3/4 de colher de sopa de azeite de oliva extravirgem

1. Preaqueça o forno a 180°C. Coloque a linguiça em uma assadeira e leve ao forno até ficar dourada (cerca de 5 minutos). Escorra a gordura e reserve a linguiça na assadeira.

2. Em uma frigideira antiaderente, refogue a cebola, os cogumelos e o alho em fogo médio por 5 a 7 minutos.
3. Transfira todo o conteúdo da frigideira para a assadeira. Em seguida, acrescente os feijões, a polpa de tomate, o sal e a pimenta-do-reino. Asse por 20 minutos ou até que comece a borbulhar nas beiradas.
4. Em uma tigela pequena, misture as migalhas de pão, a linhaça e o azeite de oliva. Salpique na carne e grelhe a uma distância de 10 a 15cm da chama até que a parte de cima fique dourada (cerca de 3 minutos).

Rendimento: 4 porções.
Calorias por porção: 348; proteína: 20g; carboidratos: 53g; gordura: 8,5g; gordura saturada: 2g; sal: 1.463mg; fibras: 13g.

Maravilha de Espaguete (número de Alimentos Poderosos: 5)

340g de carne bovina magra moída
1 1/2 cebola picada
1 pimentão verde picado
2 dentes de alho picados
1 xícara de cogumelos fatiados
2 latas (450g) de tomate
500g de molho de espaguete
2 colheres de sopa de tempero italiano light
500g de espaguete de trigo integral

1. Em uma panela grande, frite a carne em fogo médio a alto até tostar. Escorra a gordura que sair da carne. Acrescente a cebola, o pimentão e o alho. Cozinhe até ficarem tenros. Adicione os cogumelos, o tomate (com o suco), o molho de espaguete e o tempero italiano. Misture bem. Deixe cozinhar em fogo brando.
2. Em outra panela, cozinhe o espaguete de acordo com as instruções na embalagem.
3. Sirva com 1/2 xícara do molho sobre cada xícara de espaguete.

Rendimento: 4 porções.
Calorias por porção: 400; proteína: 28g; carboidratos: 50g; gordura: 12g; gordura saturada: 4g; sal: 798mg; fibras: 10g.

Tortilha de Godzilla (número de Alimentos Poderosos: 5)

220g de carne bovina magra moída ou de carne de peru moída
1/2 xícara de cebola picada
2 dentes de alho picados
1/2 xícara de feijão-mulatinho cozido e amassado
2 pimentões verdes sem sementes cortados em cubos
2 colheres de chá de chili
4 tortilhas grandes de trigo integral ou pão árabe de trigo integral
2/3 de xícara de alface picada
1 xícara de tomate cortado
1/2 xícara de queijo suíço light

1. Em uma frigideira antiaderente grande, refogue a carne, a cebola e o alho em fogo médio a alto até que a carne fique dourada. Escorra a gordura.
2. Misture o feijão, os pimentões e o chili e cozinhe até esquentar. Retire do fogo.
3. Aqueça as tortilhas no micro-ondas por 20 segundos. Em seguida, preencha cada uma delas com metade da mistura. Cubra com a alface, o tomate e o queijo suíço. Enrole cada tortilha na forma de um canudo.

Rendimento: 4 porções.
Calorias por porção: 270; proteína: 21g; carboidratos: 32g; gordura: 9g; gordura saturada: 4g; sal: 341mg; fibras: 6g.

Filé de Peixe com Vagem (número de Alimentos Poderosos: 5)

1 1/2 colher de sopa de azeite de oliva extravirgem
1 filé de truta
Sal e pimenta-do-reino
1 colher de sopa de fubá
1/2 colher de chá de salsa fresca picada
1 xícara de vagem picada
2 colheres de chá de amêndoas fatiadas

1. Em uma frigideira antiaderente, aqueça 1 colher de sopa do azeite de oliva em fogo médio.
2. Enquanto isso, tempere a truta com o sal e a pimenta-do-reino e passe no fubá.
3. Coloque a truta em uma frigideira e frite por 4 minutos. Vire e frite o outro lado por mais 2 minutos. Cubra com a salsa picada.
4. Cozinhe a vagem no vapor por 5 minutos. Misture com as amêndoas e o restante do azeite de oliva. Tempere com sal e pimenta-do-reino.

Rendimento: 1 porção.
Calorias por porção: 372; proteína: 20g; carboidratos: 17g; gordura: 26g; gordura saturada: 4g; sal: 48mg; fibras: 5g.

Sanduíche de Ricota (número de Alimentos Poderosos: 3)

3 colheres de sopa de queijo ricota light
1 colher de chá de alho tostado
1 pão árabe de trigo integral
3/4 de xícara de frango cozido, desfiado
3 colheres de sopa de mozarela light ralada
Sal e pimenta-do-reino

1. Misture a ricota com o alho. Passe no pão árabe. Acrescente o frango e a mozarela. Tempere com sal e pimenta-do-reino a gosto. Leve ao forno por 6 minutos a 190°C.

Rendimento: 1 porção.
Calorias por porção: 352; proteína: 41g; carboidratos: 19g; gordura: 13g; gordura saturada: 6g; sal: 409mg; fibras: 2g.

Costeleta de Porco com Mostarda (Alimentos Poderosos: 3)

1 colher de sopa de Maple Syrup
1 colher de sopa de mostarda de Dijon
1 colher de chá de azeite de oliva extravirgem
Sal e pimenta-do-reino
2 costeletas de porco, cortadas bem fino
2 xícaras de folhas verdes mistas
1 colher de sopa de vinagrete balsâmico (veja a receita na página 138)

1. Em um recipiente pequeno, misture o Maple Syrup, a mostarda, o azeite de oliva, o sal e a pimenta-do-reino.
2. Coloque as costeletas e a mistura de mostarda dentro de um saco plástico, feche e balance bem.
3. Em uma frigideira antiaderente, frite as costeletas em fogo médio a alto por 2 a 3 minutos de cada lado. No último minuto do cozimento, despeje o restante da mistura de mostarda.
4. Antes de servir, misture as folhas verdes com o vinagrete balsâmico.

Rendimento: 1 porção.
Calorias por porção: 393; proteína: 42g; carboidratos: 23g; gordura: 17g; gordura saturada: 5g; sal: 650mg; fibras: 2g.

Frango com Amendoim (número de Alimentos Poderosos: 5)

2 colheres de sopa de óleo de amendoim
1/4 de colher de chá de pimenta-malagueta em flocos
2 filés de peito de frango sem osso nem pele, cortado em tiras
1/3 de xícara de cenoura cortada em tiras
1/3 de xícara de aipo picado
1 cebolinha verde picada
2 colheres de sopa de amendoim torrado sem sal
1 colher de sopa de molho chinês Hoisin

1. Aqueça o óleo e frite a pimenta-malagueta em fogo médio. Junte o peito de frango e cozinhe por 2 a 3 minutos. Adicione os itens restantes e mantenha no fogo por mais 2 ou 3 minutos. Sirva com arroz integral.

Rendimento: 1 porção.
Calorias por porção: 356; proteína: 45g; carboidratos: 18g; gordura: 11g; gordura saturada: 2g; sal: 444mg; fibras: 5g.

Frango à Little Italy (número de Alimentos Poderosos: 3)

1 1/2 colher de sopa de azeite de oliva extravirgem
1 filé de peito de frango sem pele nem osso
1 colher de sopa de queijo parmesão
Sal e pimenta-do-reino a gosto
1 colher de sopa de *croûtons* com orégano
1/4 de xícara de molho de espaguete
1 dente de alho pequeno amassado
1/2 maço de folhas de espinafre

1. Em uma frigideira antiaderente, leve ao fogo médio 1 colher de sopa de azeite de oliva.
2. Enquanto o azeite aquece, afine os filés de frango com um martelo de carne. Salpique o queijo parmesão, o sal e a pimenta-do-reino. Finalize com os croûtons, *pressionando para que grudem. Frite por 2 a 3 minutos de cada lado. Cubra com o molho de espaguete.*
3. Em uma frigideira antiaderente, misture o alho e o azeite de oliva restante e leve ao fogo médio a alto. Acrescente o espinafre, mexendo sempre por cerca de 6 minutos.

Rendimento: 1 porção.
Calorias por porção: 395; proteína: 32g; carboidratos: 19g; gordura: 22g; gordura saturada: 3g; sal: 608mg; fibras: 5g.

Camarão com Castanha-de-caju (Número de Alimentos Poderosos: 4)

1 1/2 xícara de camarão congelado pré-cozido
2 colheres de sopa de óleo de amendoim
1/4 de xícara de pimenta-malagueta em flocos
1/2 xícara de vagem picada
1/3 de xícara de castanha-de-caju torrada, sem sal
2 colheres de sopa de molho de soja com baixo teor de sódio
2 colheres de chá de suco de laranja
1/4 de colher de chá da casca da laranja ralada

1. Deixe o camarão descongelar.
2. Em uma frigideira aquecida, misture o óleo de amendoim e a pimenta-malagueta em flocos. Junte os ingredientes restantes, exceto o camarão. Cozinhe por 2 a 3 minutos, mexendo sempre. Acrescente o camarão e mantenha no fogo por mais 2 a 3 minutos, sem parar de mexer.
3. Sirva com arroz branco.

Rendimento: 2 porções.
Calorias por porção: 332; proteína: 39g; carboidratos: 11g; gordura: 15g; gordura saturada: 3g; sal: 578mg; fibras: 2g.

Lanches da Dieta do Abdômen

A MAIORIA DAS DIETAS APRESENTA o chamado lanchinho como um fracasso. Quero que você pense nele exatamente como o oposto, isto é, como o segredo para o sucesso. Mas a chave para a eficácia é escolher o momento ideal para o lanche: cerca de duas horas antes do horário previsto para a próxima refeição. Será tempo suficiente para acabar com a fome. Isso a manterá satisfeita para evitar um desastre na hora em que for comer. As opções de lanches são variadas. Você pode usar uma das receitas listadas a partir da página 136, sobras do jantar, um sanduíche, uma "vitamina" ou, ainda, uma combinação de alguns dos 11 Alimentos Poderosos. Para facilitar, escolha um alimento da coluna A e um da coluna B. Sua saciedade estará garantida.

A		B	
PROTEÍNA	LATICÍNIOS	FRUTAS OU HORTALIÇAS	CARBOIDRATOS COMPLEXOS
2 colheres de chá de manteiga de amendoim light	220g de iogurte light	30g de passas	1 ou 2 fatias de pão de grãos integrais
30g de amêndoas	1 xícara de leite semidesnatado natural ou achocolatado	Hortaliças cruas (aipo, cenoura-*baby*, brócolis) à vontade	1 tigela de aveia ou de outro cereal rico em fibras
3 fatias de peito de peru com pouco sal	3/4 de xícara de sorvete diet	1 1/2 xícara de frutas vermelhas	
3 fatias de rosbife	1 1/2 fatia de queijo light	110g de melão-cantalupo	
		1 laranja grande	
		1 lata (320ml) de suco V8 ou de suco de tomate	

Tubinhos de Pepino (Número de Alimentos Poderosos: 5)

1 pepino
1 colher de chá de salsa picada
1/4 de colher de chá de manjericão picado
1/2 colher de chá de cebolinha verde picada
3/4 de queijo cottage light

1. Corte o pepino ao meio, no sentido do comprimento. Cave o centro, retirando as sementes, com uma colher ou faca. Misture as ervas com o queijo cottage e recheie o pepino.

Rendimento: 2 porções.
Calorias por porção: 84; proteína: 12g; carboidratos: 7g; gordura: 1g; gordura saturada: 1g; sal: 11mg; fibras: 2g.

Maçã com Manteiga de Amendoim (número de Alimentos Poderosos: 2)

2 colheres de sopa de manteiga de amendoim
1 pitada de canela
1 maçã vermelha grande, cortada ao meio, sem as sementes

1. Em uma tigela, mistura a manteiga de amendoim e a canela (atenção, pois a canela tem um sabor muito forte). Passe sobre as metades da maçã.

Rendimento: 1 porção.
Calorias por porção: 276; proteína: 8g; carboidratos: 30g; gordura: 17g; gordura saturada: 3g; sal: 1mg; fibras: 8g.

Pasta de Feijão-branco (número de Alimentos Poderosos: 2)

1 lata (425mg) de feijão-branco, lavado e escorrido
1 colher de sopa de alecrim fresco picado
1 dente de alho amassado
1/2 limão, espremido
2 colheres de sopa de azeite de oliva
Sal e pimenta-do-reino

1. No liquidificador ou no processador de alimentos, misture o feijão-branco, o alecrim, o alho e o suco de limão. (Se for usar o liquidificador, talvez tenha que parar de vez em quando, misturar um pouco com uma colher e voltar a bater.) Adicione o azeite de oliva aos poucos, com o liquidificador ligado até obter a consistência desejada. Tempere a gosto com sal e pimenta-do-reino.

Calorias por porção de 1 colher de sopa: 21; proteína: 1g; carboidratos: 2g; gordura: 1g; gordura saturada: 0g; sal: 20mg; fibras: 1g.

Picolé de Iogurte (número de Alimentos Poderosos: 1)

4 potinhos de iogurte light, no sabor de sua preferência
4 palitinhos de picolé

1. Enfie um palitinho de picolé em cada pote de iogurte. Leve ao congelador.

Rendimento: 4 porções.

Calorias por porção: 118; proteína: 4g; carboidratos: 24g; gordura: 1g; gordura saturada: 0g; sal: 59mg; fibras: 0g.

Molhos light

MOLHO RANCH: Misture 1/4 de xícara de creme de leite light, 2 colheres de sopa de maionese light, 2 colheres de sopa de *sour cream* light (veja a receita abaixo), 1 colher de sopa de vinagre de vinho tinto, 1 colher de cebolinha verde picada, 1 colher de chá de manjericão picado, 1 colher de chá de mostarda em pó, 1/4 de colher de chá de tomilho e, se desejar, 1 pitada de adoçante em pó. Tempere com sal e pimenta-do-reino moída na hora.

MOLHO SALSA: No liquidificador, junte 375g de tomates-cereja descascados e cortados em 4 partes, 2 pimentas-malagueta ou dedos-de-moça frescas, 1/4 de cebola em fatias finas e 1/3 de xícara de água. Bata rapidamente, deixando alguns pedaços. Junte 1/3 de xícara de coentro fresco, tempere com sal e bata até obter um purê. Prove e acerte o sal. Rende duas xícaras. O que não for usado pode ser guardado na geladeira por até três dias.

MOLHO THOUSAND ISLAND: Misture 1/2 xícara de maionese light, 2 colheres de sopa de molho de chili, 2 colheres de sopa de pimentão vermelho assado e picado, 1 1/2 colher de sopa de aneto picado, 1 colher de sopa de alcaparras picadas e 1 colher de sopa de cebolinha verde picada. Tempere com molho de pimenta a gosto.

SOUR CREAM: Despeje 1 lata de creme de leite light em uma vasilha e bata com um batedor de arame, acrescentando um pouco de suco de limão. Prove e vá adicionando mais suco de limão até obter o nível de acidez desejado. (O *sour cream* nada mais é do que um creme de leite azedo.)

VINAGRETE BALSÂMICO: Junte 3 colheres de sopa de vinagre balsâmico, 1 colher de sopa de mostarda de Dijon, 1 dente de alho pequeno picado, 1 colher de chá de cebola-roxa picada e 1 pitada de tomilho. Acrescente 1/2 xícara de azeite de oliva extravirgem e misture bem. Tempere com sal e pimenta-do-reino moída na hora.

| CAPÍTULO 9 |

Planos de refeições da Dieta do Abdômen

TRÊS SEMANAS DE CARDÁPIOS PERFEITOS PARA MULHERES

AO CONTRÁRIO DA MAIORIA DAS DIETAS, cheias de normas complexas e difíceis de seguir, com vários alimentos proibidos que você adora, mas aos quais deve renunciar, a Dieta do Abdômen lhe permite comer o que você aprecia, mantém seus anseios a distância e a ajuda a controlar o estresse – tudo isso ao mesmo tempo. Veja a seguir exemplos de como estruturar três semanas de alimentação. É claro que não são recomendações rígidas. Combine as refeições a seu critério e faça substituições sempre que quiser. Também não me importo se você optar pelas mesmas coisas todos os dias durante uma semana. O objetivo desse esquema é apenas mostrar como seguir os princípios da Dieta do Abdômen. Divirta-se!

SEMANA PERFEITA – EXEMPLO 1

SEGUNDA-FEIRA: 1.443 CALORIAS

Café da manhã
Atum em Nova Versão (página 117)

Lanche 1
220ml da "Vitamina" Superpoderosa (página 112), 1 maçã

Almoço
Salada Crocante (página 122), 15g de queijo light

Lanche 2
Tubinhos de Pepino (página 136)

Jantar
Filé de Peixe com Vagem (página 132)

Lanche 3
Sorvete diet

Cinco maneiras de acrescentar fibras à sua vida

Aos ovos: Um terço de 1 xícara de cebola picada e 1 dente de alho acrescentam 1g de fibras aos ovos mexidos.

Ao sanduíche: Você é daquelas que odeiam pão integral? Coma pão de centeio. Cada fatia desse pão, assim como as do pão integral, contém 2g de fibras. É mais do que o dobro de fibras presente no pão branco.

Ao jantar: Coma uma batata-doce, que contém 2g a mais de fibras do que a batata-inglesa.

Ao cereal: Meia xícara de framboesas acrescenta 4g de fibras.

Ao lanche: Misturando 1/2 xícara de cereal de fibras, 30g de nozes e 5 damascos secos, você obterá quase 7g de fibras.

TERÇA-FEIRA: 1.568 CALORIAS

Café da manhã
Melão com Hortelã (página 117)

Lanche 1
220ml de "Vitamina" com Mel e Canela (página 113)

Almoço
Wrap de Frango com Queijo Feta (página 124), 1 xícara de frutas vermelhas

Lanche 2
1 fatia fina de mozarela light, 5 a 7 bolachas integrais

Jantar
Sanduíche de Ricota (página 133)

Lanche 3
Picolé de Iogurte (página 137)

QUARTA-FEIRA: 1.407 CALORIAS

Café da manhã
Ovos com Espinafre (página 117)

Lanche 1
220ml da "Vitamina" Chocolate Maravilha (página 113)

Almoço
Salada de Espinafre com Alface-romana e Tangerina (página 124)

Lanche 2
Maçã com Manteiga de Amendoim (página 137)

Jantar
Costeleta de Porco com Mostarda (página 133)

Lanche 3
Sorvete diet

QUINTA-FEIRA: 1.510 CALORIAS

Café da manhã
Waffles Rancheiros (página 118), 1 pera

Lanche 1
220ml de "Vitamina" de Abóbora (página 113)

Almoço
Chucrute Incrementado (página 125)

Lanche 2
1 fatia de mozarela light, 5 a 7 bolachas integrais

Jantar
Frango com Amendoim (página 134)

Lanche 3
Picolé de Iogurte (página 137)

SEXTA-FEIRA: 1.490 CALORIAS

Café da manhã
Café da Manhã Original (página 118)

Lanche 1
220ml da "Vitamina" Fofura de Framboesa (página 114)

Almoço
Banquete de Melão, (página 125)

Lanche 2
Tubinhos de Pepino (página 136)

Jantar
Frango à Little Italy (página 134)

Lanche 3
Iogurte de frutas diet

SÁBADO: 1.424 CALORIAS

Café da manhã
Milho Selvagem (página 118)

Lanche 1
220ml da "Vitamina" Superpoderosa (página 112)

Almoço
Salada de Grão-de-bico com Frango (página 123)

Lanche 2
2 colheres de sopa de Pasta de Feijão-branco, 3/4 de xícara de brócolis ou de cenoura

Jantar
Camarão com Castanha-de-caju (página 135)

Lanche 3
Picolé de Iogurte (página 137)

DOMINGO: 1.294 CALORIAS, MAIS REFEIÇÃO LIVRE

Café da manhã
Cereais de Roupa Nova (página 119), 1/2 copo de suco de laranja

Lanche 1
110ml da "Vitamina" Gotas de Limão (página 114)

Almoço
Salada de Camarão (página 126)

Lanche
110 a 220ml da "Vitamina" Gotas de Limão (página 114), 1 xícara de melão

Jantar
Refeição livre

SEMANA PERFEITA – EXEMPLO 2

SEGUNDA-FEIRA: 1.457 CALORIAS

Café da manhã
220ml da "Vitamina" Suprema da Dieta do Abdômen (página 110); guarde o restante para tomar mais tarde

Lanche 1
1 colher de chá de manteiga de amendoim, hortaliças cruas (à vontade)

Almoço
Sanduíche de peru ou de rosbife no pão integral, 1 xícara de leite semidesnatado ou desnatado

Lanche 2
30g de amêndoas, 1 1/2 xícara de frutas vermelhas

Jantar
Almôndegas da Força (página 126)

Lanche 3
110ml da "Vitamina" Suprema da Dieta do Abdômen (página 110)

TERÇA-FEIRA: 1.472 CALORIAS

Café da manhã
Sanduíche Estimulante de Ovos (página 115)

Lanche 1
1 colher de chá de manteiga de amendoim, 1 prato de mingau de aveia ou de um cereal rico em fibras

Almoço
Salada de Quem Não Quer Salada (página 119)

Lanche 2
3 fatias de peito de peru, 1 laranja grande

Jantar
Frango à Brasileira (página 127)

Lanche 3
15g de amêndoas, 120g de melão-cantalupo

QUARTA-FEIRA: 1.578 CALORIAS

Café da manhã
220ml da "Vitamina" General Morango (página 110); guarde o restante para tomar mais tarde

Lanche 1
30g de uva-passa

Almoço
Guacamole no Pão Integral (página 120)

Lanche 2
15g de queijo light, hortaliças cruas (à vontade)

Jantar
Contrafilé Apimentado (página 128)

Lanche 3
110 a 220ml da "Vitamina" General Morango (página 110)

Quinta-feira: 1.520 calorias

Café da manhã
1 fatia de pão integral com 1 colher de chá de manteiga de amendoim, 1/2 xícara de All-Bran com 1 xícara de leite desnatado ou semidesnatado

Lanche 1
220ml de iogurte light, 1 copo de suco de hortaliças

Almoço
Enrolado de Peru (página 120)

Lanche 2
3 fatias de rosbife, 1 laranja grande

Jantar
Sanduíche da Fartura (página 128)

Lanche 3
1 colher (chá) de manteiga de amendoim, 1/2 xícara de sorvete diet

Sexta-feira: 1.584 calorias

Café da manhã
220ml de "Vitamina" Banana Split (página 111); guarde o restante para tomar mais tarde

Lanche 1
15g de amêndoas, 120g de melão-cantalupo

Almoço
Atum Esperto (página 121)

Lanche 2
3 fatias de rosbife, 1 laranja grande

Jantar
Peru à Mexicana (página 129)

Lanche 3
110ml da "Vitamina" Banana Split (página 111)

SÁBADO: 1.071 CALORIAS, MAIS REFEIÇÃO LIVRE

Café da manhã
200ml da "Vitamina" Delícia Mista (página 111); prepare um pouco mais para tomar mais tarde

Lanche 1
1 xícara de cereal rico em fibras com 1 xícara de iogurte light

Almoço
Sobras do Peru à Mexicana do dia anterior

Lanche 2
1 colher de chá de manteiga de amendoim, 1 ou 2 fatias de pão integral

Jantar
Refeição livre. Coma o que quiser: queijos com vinho, sanduíches, filé de "sabe-se lá o quê"...

Lanche 3
110ml da "Vitamina" Delícia Mista (página 111)

DOMINGO: 1.579 CALORIAS

Café da manhã
Sanduíche de Quem Ainda Não Tomou o Café da Manhã (página 116)

Lanche 1
1 colher de chá de manteiga de amendoim, 1 copo de suco de hortaliças

Brunch (relaxe, é domingo)
2 ovos mexidos, 2 fatias de torrada de pão integral, 1 banana, 1 xícara de leite desnatado ou semidesnatado

Lanche 2
2 fatias de rosbife, 15g de queijo light

Jantar
Linguiça de Peru Tentação (página 130)

Lanche 3
15g de amêndoas, 1/2 xícara de sorvete diet

Como escolher os produtos

Frutas e hortaliças frescas podem ser deliciosas, desde que você saiba escolher esses alimentos e prepará-los. Veja algumas dicas a seguir.

Frutas vermelhas. Antes de comprar morangos ou framboesas, vire a caixa ao contrário. É como verificar a data de validade indicada pela natureza: manchas causadas pelo sumo. Compre frutas que você possa pegar com as pontas dos dedos sem que pareça que acabou de tirar as impressões digitais.

Melancia. Esqueça a cor, o formato e o tamanho. Essa fruta deve ser avaliada pelo peso. Quanto mais pesada, mais água contém, e é a água que lhe dá sabor.

Melão-cantalupo. Não bata com os nós dos dedos em um melão para verificar se ele está maduro. Em vez disso, dê-lhe um tapa. Se escutar um som oco, e não um baque seco ou um grito de outro mundo, é porque está bom.

Tomate. Procure tomates que sejam firmes e pesados para seu tamanho. E de aroma adocicado.

Pêssego. Prefira os de cor uniforme, sem manchas verdes. A polpa deve ceder um pouco quando apertada de leve. O aroma tem que ser suave e agradável.

SEMANA PERFEITA – EXEMPLO 3

SEGUNDA-FEIRA: 1.592 CALORIAS

Café da manhã
Omelete feito com 3 claras e hortaliças picadas, 1 brioche de trigo integral com 2 colheres de chá de margarina sem gordura trans

Lanche 1
Hortaliças cruas, 1/4 de xícara de *homus tahine*

Almoço
85g de peito de peru fatiado em uma tortilha de trigo integral, tomate e 2 ou 3 fatias de abacate; 1 xícara de salada verde mista temperada com 2 colheres de chá de azeite de oliva extravirgem e vinagre

Lanche 2
1 xícara de frutas vermelhas com 2 colheres de sopa de iogurte desnatado light

Jantar
Salada de frango à moda asiática: 2 xícaras de folhas verdes mistas, cebola-roxa e tomate em fatias; 85g de peito de frango cozido, em fatias; 1 xícara de gomos de tangerina; 15g de castanhas-de-caju temperadas com 2 colheres de chá de azeite de oliva extravirgem e vinagre; 4 bolachas integrais

Lanche 3
1 fruta, 1 xícara de iogurte desnatado ou diet, natural ou com sabor de frutas

TERÇA-FEIRA: 1.597 CALORIAS

Café da manhã
1 xícara de cereal integral com 2 colheres de sopa de passas e 1 xícara de leite desnatado ou semidesnatado, 1 banana

Lanche 1
1 potinho de iogurte natural desnatado com 2 colheres de sopa de frutas desidratadas e 2 colheres de chá de mel

Almoço
1 xícara de sopa de tomate ou de caldo de legumes; 2 fatias de pão integral recheadas com 30g de rosbife fatiado, alface, tomate e mostarda

Lanche 2
15g de queijo light, 2 bolachas integrais

Jantar
1 xícara de arroz branco ou integral cozido, 85g de camarão grelhado, salada verde mista temperada com 2 colheres de chá de azeite de oliva extravirgem e vinagre

Lanche 3
1 Picolé de Iogurte (veja a página 137)

QUARTA-FEIRA: 1.407 CALORIAS

Café da manhã

1 xícara de aveia instantânea com 2 colheres de chá de frutas secas, nozes e 1 colher de chá de canela, 1/4 xícara de iogurte natural desnatado, 1 copo de suco de laranja ou de grapefruit

Lanche 1

1/4 de xícara de pipoca de micro-ondas (o equivalente a 100 calorias, veja o rótulo)

Almoço

Salada de atum: 85g de atum grelhado ou em lata, 5 batatas pequenas (do tipo bolinha), 1/2 xícara de vagem, 5 a 8 azeitonas sobre uma cama de folhas verdes temperadas com 2 colheres de chá de azeite de oliva extravirgem e 1 colher de chá de vinagre de vinho tinto

Lanche 2

1 bolacha integral grande com 1 colher de chá de margarina sem gordura trans, 1 fruta

Jantar

1 hambúrguer vegetariano com alface, tomate e cebola-roxa no pão integral; salada verde com hortaliças e 2 colheres de chá de azeite de oliva extravirgem e vinagre de vinho tinto

Lanche 3

1/2 xícara de sorvete diet

QUINTA-FEIRA: 1.564 CALORIAS

Café da manhã

3/4 de xícara de *muesli* com 1 xícara de leite desnatado, 1 laranja ou 1/2 grapefruit

Lanche 1

15g de queijo light, 2 bolachas integrais

Almoço

Salada mista: verduras, pepino, pimentão vermelho, cebola-roxa, cenoura picada, tomate, 1/2 xícara de grão-de-bico, 1/2 xícara de feijão-fradinho e 15g de queijo parmesão ralado, temperada com 1 colher de azeite de oliva extravirgem e 1 colher de sopa de vinagre de vinho tinto; 1 brioche integral pequeno

Lanche 2
1 xícara de leite de soja fortificado; 2 bolachas integrais

Jantar
Espaguete com molho de tomate: 1 xícara de massa integral cozida, 1/2 xícara de molho de tomate e 1 colher de sopa de queijo ralado; salada temperada com um molho light ou com azeite de oliva extravirgem e vinagre

Lanche 3
2 kiwis

SEXTA-FEIRA: 1.115 CALORIAS, MAIS REFEIÇÃO LIVRE

Café da manhã
1 xícara de aveia instantânea com 1/4 de xícara de iogurte natural desnatado e 2 colheres de sopa de passas

Lanche 1
1 barra de cereal

Almoço
60g de pão árabe, 60g de peito de frango ou de peru, folhas verdes mistas temperadas com 1 colher de sopa de molho de uva ou com azeite de oliva extravirgem e vinagre

Lanche 2
1 potinho de iogurte desnatado, no sabor de sua preferência, 1 banana

Jantar
Refeição livre

Lanche 3
1 *brownie* diet, 1 xícara de leite desnatado

SÁBADO: 1.557 CALORIAS

Café da manhã
2 ovos + 1 clara, mexidos; 2 torradas de pão integral com 2 colheres de chá de margarina sem gordura trans e 1 colher de sopa de geleia diet; 1/2 xícara de frutas e 1/2 xícara de iogurte desnatado

Lanche 1
1/2 pão árabe com 1 colher de sopa de *homus tahine*

Almoço
1 xícara de canja de galinha com legumes e massa, 4 bolachas integrais, salada verde com 1 colher de sopa de queijo parmesão e 5 azeitonas picadas, temperada com 2 colheres de chá de azeite de oliva e vinagre

Lanche 2
1 1/2 xícara de melancia em pedaços

Jantar
180g de filé magro grelhado, 1/2 xícara de purê de batata (feito com margarina sem gordura trans), 1 xícara de brócolis no vapor e 2 colheres de chá de queijo parmesão

Lanche 3
1 fruta fresca com 1/2 xícara de sorvete diet

DOMINGO: 1.448 CALORIAS

Café da manhã
2 waffles de trigo integral com 1 colher de sopa de manteiga de amendoim e 1/2 banana média, fatiada; 1 xícara de leite desnatado

Lanche 1
220ml de iogurte natural desnatado

Almoço
1 batata média cozida com hortaliças mistas (por exemplo, cogumelo, cebola, brócolis) levemente refogadas em 1 colher de sopa de azeite de oliva com 15g de queijo ralado

Lanche 2
10 amêndoas ou 10 castanhas-de-caju

Jantar
Hambúrguer de frango ou peru: 85g de peito de frango ou de peru moído (somente a carne branca) com cebola, tomate e alface no pão integral; salada verde temperada com 2 colheres de chá de azeite de oliva extravirgem e vinagre

Lanche 3
1 flã (120g) diet

| CAPÍTULO 10 |

Adaptações da Dieta do Abdômen

AJUSTANDO O PROGRAMA PARA AS NECESSIDADES INDIVIDUAIS DE CADA MULHER

O MAIOR OBSTÁCULO AO SUCESSO DE QUALQUER programa de emagrecimento começa com um I maiúsculo: **I**nconveniência. Se a dieta não se encaixa no seu horário de trabalho, no seu estilo de vida nem nos seus hábitos, adeus. Para a maioria das pessoas, não é conveniente fazer todas as refeições em uma lanchonete, assim como não é nada simples preparar meio quilo de bacon para o café da manhã todos os dias nem pedir ao garçom que aqueça um jantar congelado no micro-ondas. Muitas dietas são pouco práticas. Acredito que a Dieta do Abdômen é conveniente porque fornece orientações suficientes para ajudar você a entender o que é uma alimentação saudável e, ao mesmo tempo, é flexível o bastante para funcionar a seu favor – independentemente de você comer em casa, na rua, no carro ou enquanto assiste ao jogo de futebol ou à aula de balé das suas crianças.

Enfim, seguir uma dieta – ou melhor, mudar os hábitos alimentares – não é apenas uma questão de ajustá-la ao seu horário, mas também à sua vida e ao seu corpo. As necessidades femininas são um pouco diferentes das masculinas. Por exemplo, as mulheres costumam estar mais atentas à saúde do que os homens. Além disso, há fundamentos biológicos que tornam o corpo delas diferente do corpo deles (falarei sobre hormônios e gravidez nos próximos capítulos). Por isso vou apresentar estratégias que podem ser úteis especificamente para as mulheres. Essas diretrizes se baseiam no feedback que tive de mulheres sobre o que elas desejam além dos princípios fundamentais e das receitas da Dieta do Abdômen.

Veja a seguir algumas medidas que você pode adotar para que os seis princípios fundamentais da Dieta do Abdômen complementem sua vida, sua personalidade e sua saúde em vez de competir com elas.

Se você gosta de contar calorias...

Eu não gosto de contar calorias – esse é um processo cientificamente impreciso, além de trabalhoso demais para quem tem uma vida atribulada. Mas também percebo que muitas mulheres adotam esse sistema por alguns motivos: ele as ajuda a saber com exatidão se elas estão dentro da sua faixa ideal de ingestão calórica (sobretudo porque as necessidades calóricas das mulheres são menores do que a dos homens e porque todos nós tendemos a calcular errado o tamanho das porções). Já expliquei que ingerir os Alimentos Poderosos é uma maneira de deixar que a própria comida conte as calorias – desde que você consuma uma quantidade balanceada de alimentos saudáveis seis vezes por dia. Seja como for, a contagem de calorias não está proibida se esse método combinar com sua personalidade. Nesse caso, você precisará de três ferramentas para auxiliá-la nessa tarefa.

1. UM DIÁRIO ALIMENTAR. Assim que você acabar de comer ou beber alguma coisa, anote tudo o que ingeriu. A única maneira de calcular de modo exato as calorias é manter a lista atualizada em vez de só depois, no fim do dia, tentar se lembrar do que comeu.
2. XÍCARAS DE MEDIDA E BALANÇAS PARA ALIMENTOS. Costumamos subestimar a quantidade de comida que ingerimos. Depois de algumas semanas pesando cereais e peixes, você será capaz de calcular as porções só de olhar para os alimentos – será muito fácil dividi-los na quantidade exata.
3. UMA AMPLA LISTA DE ALIMENTOS E SUAS CALORIAS. Essa é fácil: a partir da página 356, você encontrará rapidamente tudo de que precisa.

Veja a seguir outros detalhes que você deve levar em conta se quiser incluir a contagem de calorias na Dieta do Abdômen.

CALCULE SUAS NECESSIDADES CALÓRICAS. Para descobrir quantas calorias você deve ingerir para manter seu peso atual, multiplique seu peso, em quilogramas, por 24. Caso se exercite regularmente, acrescente de 200 a 300. Por exemplo: uma mulher sedentária, de 70kg, necessita de cerca de 1.700 calorias por dia, enquanto uma mulher ativa pode precisar de 2 mil. Depois, decida com que rapidez deseja emagrecer. Portanto, para perder cerca de 500g por semana, você terá que eliminar 500 calorias por dia. De acordo com uma revisão de estudos sobre composição alimentar publicada no *Journal of the American Dietetic*

Association, o melhor equilíbrio é alcançado com 35 a 50% de carboidratos, 25 a 35% de gordura e cerca de 25 a 30% de proteína.

O que é uma porção de 100 calorias?

Proteínas
60g ou 2 fatias de queijo cheddar light
2 fatias de bacon
60g de frango (sem a pele)
2 ovos pequenos
1 1/2 xícara de leite desnatado
1 xícara de leite semidesnatado
15g de amendoim torrado
60g de carne de porco
60g de salmão ou atum
120g de camarão (mais ou menos 15)

Gorduras
1 colher de sopa de manteiga
2 colheres de chá de azeite de oliva ou de óleo de milho
1 colher de sopa de maionese
1 colher de sopa de manteiga de amendoim

Carboidratos
3/4 de xícara de cereal All-Bran
1 maçã grande
1 banana média
2 xícaras de ervilhas (cerca de 50 unidades)
1/2 xícara de milho
3/4 de xícara de aveia
30g de massa
1/2 batata assada de tamanho médio
20 morangos médios
8 colheres de chá de açúcar
2 1/2 fatias de pão light

COMA MAIS FIBRAS. Se você quer fazer com que toda caloria conte, a melhor jogada é ingerir uma quantidade maior de fibras. Os alimentos ricos em água e fibras têm um volume maior, mas são menos calóricos. Uma xícara de morangos, por exemplo, apresenta um valor calórico quase igual ao de um biscoito pequeno, porém satisfaz muito mais. Em um estudo realizado na Universidade Estadual da Pensilvânia, as participantes comeram o mesmo peso em alimentos durante dois dias. No segundo dia, quando consumiram itens ricos em fibras, elas ingeriram 30% menos calorias e, ainda assim, não se sentiram menos saciadas.

FAÇA SEIS REFEIÇÕES DIÁRIAS REGULARMENTE. Um estudo inglês revelou que as mulheres que faziam um número idêntico de refeições todos os dias ingeriam menos calorias do que aquelas que mudavam a quantidade de refeições de um dia para o outro e, às vezes, pulavam o café da manhã ou apenas almoçavam ou comiam uma sobremesa e depois faziam um lanche à noite. Além disso, nesses casos, seu metabolismo se desacelerava.

IDENTIFIQUE AS PORÇÕES IDEAIS PARA VOCÊ. Em alguns restaurantes e lanchonetes, o tamanho das porções é bem maior do que o aceitável. Fique atenta, pois muitas vezes esses pratos correspondem a duas ou até a três refeições. Além disso, quando preparar sua comida em casa, sirva-a em pratos pequenos – menos parecerá mais, e você comerá menos.

NÃO TEMA OS CONGELADOS. Nem todos os alimentos congelados são destituídos de nutrientes. Alguns deles são saudáveis. Opte pelos que forem pobres em gorduras trans e saturadas, açúcares e xarope de milho com alto teor de frutose. A melhor parte é que, com eles, você consumirá um número determinado de calorias. Um estudo publicado no *International Journal of Obesity* mostrou que as pessoas que usavam regularmente *shakes* para substituir refeições perdiam cerca do dobro do peso em comparação com os participantes que faziam uma dieta de baixas calorias. Por quê? Porque os *shakes* eram ingeridos em porções preestabelecidas e continham uma quantidade limitada de calorias.

CONHEÇA OS ALIMENTOS QUE PROPORCIONAM MAIS SACIEDADE. Pode parecer maluquice em termos matemáticos, mas uma caloria nem sempre é igual a uma caloria. Isso ocorre por causa dos efeitos que os alimentos têm sobre a nossa maior ou menor vontade de comer mais tarde. Pesquisadores australianos desenvolveram um índice de saciedade para determinar o nível de satisfação após as refeições. Os participantes do estudo ingeriam porções de 240 calorias de cada alimento e, duas horas depois, registravam seu grau de saciedade. Veja a seguir os alimentos que mais saciam – eles ajudam a controlar a fome e reduzir as calorias durante o dia. Observe quantos Alimentos Poderosos há na lista.

Batata-inglesa
Ovos
Aveia instantânea
Feijão
Peixe
Sopa
Maçã
Carne bovina
Salada
Pipoca

Se você é vegetariana...

SER VEGETARIANA PROPORCIONA MUITO MAIS benefícios do que não ter que enfrentar duas horas de espera por uma mesa na churrascaria. Pesquisas revelam que os vegetarianos que consomem laticínios e ovos obtêm as vitaminas e os sais minerais essenciais de que necessitam. Além disso, costumam ingerir uma quantidade maior de frutas, legumes, verduras, nozes e grãos integrais ricos em nutrientes do que as pessoas que comem carne. Também tendem a consumir menos gordura – incluindo as saturadas, que são pouco saudáveis – e são menos propensos ao excesso de peso. Como muitos dos Alimentos Poderosos da Dieta do Abdômen são amigos dos vegetarianos, você pode adotar os mesmos princípios que apresentei, desde que tenha em mente as considerações especiais que descrevo a seguir.

CONSUMA PROTEÍNAS NA QUANTIDADE SUFICIENTE. Como você não obterá proteínas importantes por meio das carnes magras, consuma pelo menos três porções diárias de proteína proveniente de laticínios desnatados, como leite e iogurte (além do queijo), bem como dois ou três ovos por semana. Quando os cientistas da McMaster University, em Ontário, avaliaram a dieta alimentar de 617 pessoas, descobriram que a ingestão de uma quantidade maior de proteína pode diminuir a gordura na região da cintura. As pessoas que consumiam uma média de 20g de proteína a mais por dia reduziram em 24% a proporção da cintura para o quadril em comparação com quem comia mais carboidratos.

COMA NOZES. As nozes também são boas fontes de proteína, gorduras saudáveis, vitaminas e sais minerais. Nozes, óleo de canola e de sementes de linhaça podem substituir o peixe, pois são alimentos ricos em ácidos graxos ômega-3, bons para a saúde do coração.

SABOREIE A SOJA. A parte boa de não comer carne é que você evita também os cortes que têm mais gordura. O FDA (Food and Drug Administration, órgão que regula medicamentos e alimentos nos Estados Unidos) recomenda a ingestão diária de pelo menos 25g de proteína de soja (por seus benefícios para o sistema cardiovascular e outros benefícios à saúde). Também é fácil obtê-la: 240ml de leite de soja contêm 8g de proteína de soja; um hambúrguer de soja, 10g; e 1/4 de xícara de nozes de soja, 12g. Outra opção, o *edamame* (que é a soja verde e fresca, ou feijão de soja japonês), é um lanche saudável e sacia a fome.

TOME VITAMINAS. Um estudo alemão com vegetarianos revelou níveis de vitamina B_{12} baixos o suficiente para causar problemas de atenção, humor e raciocínio em 68% dos participantes e baixos o bastante para elevar a homocisteína do sangue (um fator de risco para doenças cardíacas, demência e doença de Alzheimer) em 38% deles. Solução: um suplemento polivitamínico diário contendo 100% do valor diário de vitamina B_{12} (6mcg).

AUMENTE A ABSORÇÃO DO FERRO. Apenas 2 a 10% do ferro presente nos alimentos de origem vegetal é absorvido pelo trato digestivo. Como a vitamina C consegue liberar o ferro contido nos vegetais, tome um copo de suco rico nessa vitamina (de frutas cítricas ou tomate) na mesma refeição em que ingerir alimentos com alta concentração desse mineral.

LEMBRE-SE DE QUE VOCÊ NÃO TEM LICENÇA PARA SE EMPANTURRAR. O fato de você não estar ingerindo carnes gordurosas não é um sinal verde para fazer a festa e comer batata frita, pão, produtos de confeitaria, biscoitos, bolachas e doces que são permitidos na dieta vegetariana.

Se você sofre de intolerância à lactose...

CASO SEU ORGANISMO NÃO CONSIGA digerir a lactose (o açúcar presente no leite), é provável que aquele "bigode" de leite não seja a única coisa que a incomoda. Você provavelmente está vendo os laticínios na lista dos Alimentos Poderosos e se perguntando se existe um modo de não se privar dos maravilhosos benefícios que eles proporcionam.

É verdade que as pessoas que sofrem de intolerância à lactose não costumam obter cálcio suficiente (apenas cerca de 700mg ao dia em comparação com os 1.200mg recomendados para quem quer ter ossos saudáveis). E isso pode ser um problema: além de ter um papel fundamental na construção dos ossos, esse mineral é importante pelos efeitos que parece exercer sobre o emagrecimento. Se o laticínio a deixa com gases, cólicas e inchada, veja a seguir meios de evitar o déficit de cálcio.

- Opte pelo leite especial para pessoas com intolerância à lactose.
- Experimente iogurte, pois as enzimas presentes nesse alimento digerem o açúcar do leite.
- Coma alimentos ricos em cálcio, como sardinha, amêndoas e brócolis.
- Faça lanches com queijo cheddar ou suíço – ambos são naturalmente pobres em lactose.

Se você sofre da síndrome do cólon irritável...

SEI QUE PARECE INFORMAÇÃO DE UM programa de televisão, mas a síndrome do cólon irritável afeta 50 milhões de pessoas apenas nos Estados Unidos – 75%

das quais são mulheres, de acordo com dados do Departamento e Saúde e Serviços Humanos. No processo digestivo normal, as paredes dos intestinos se contraem e relaxam à medida que transportam os alimentos provenientes do estômago. No caso dos indivíduos que sofrem da síndrome do cólon irritável, as contrações são mais fortes e mais longas, causando diarreia, constipação ou crises de ambas. Os motivos pelos quais as mulheres são tão mais afetadas pela doença não estão claros, no entanto os pesquisadores suspeitam de que isso pode estar relacionado com as flutuações hormonais durante os ciclos menstruais. De qualquer maneira, veja o que fazer para amenizar a dor.

- Faça seis refeições leves por dia, pois isso a ajudará naturalmente, evitando que você sobrecarregue o trato digestivo com quantidades maiores de alimentos três vezes ao dia.
- Limite o consumo de frutose, um açúcar encontrado nas frutas e na maior parte dos alimentos refinados. As pesquisas mostram que a frutose está associada aos sintomas mais graves da síndrome do cólon irritável.
- Mantenha um diário para registrar todos os alimentos que ingerir, pois assim saberá quais deles lhe causam mais desconforto. Pesquisadores do St. George's Hospital, em Londres, analisaram amostras de sangue de 108 pacientes com essa síndrome e de 43 pessoas saudáveis para examinar suas reações a 16 alimentos, como nozes, carne, laticínios e grãos. Os efeitos mais graves foram provocados pelo trigo e pelas carnes de boi, porco e carneiro. De modo surpreendente, os laticínios – um grupo historicamente ligado à síndrome do cólon irritável – não causaram problemas. Se você sofre dessa síndrome, evite comer trigo e esses tipos de carne e mantenha um diário para identificar os itens que prejudicam seu organismo.
- A erva hortelã-pimenta relaxa os músculos lisos do trato digestivo, reduzindo os espasmos. Pesquisas alemãs mostraram que cápsulas com 180 a 200ml de óleo de hortelã-pimenta reduziam a dor, o inchaço e os gases causados pela síndrome do cólon irritável em 58% das pessoas que as ingeriram. Opte pelas cápsulas com cobertura entérica, que ajuda a evitar azia.
- Exercite-se. A atividade física ajuda a normalizar as contrações intestinais. Um estudo da Universidade de Washington mostrou que os participantes que sofriam da síndrome do cólon irritável que se exercitavam regular-

mente apresentavam menos sintomas desse problema do que os que não praticavam atividades físicas.

Se você toma antidepressivos...

OS ANTIDEPRESSIVOS PARECEM estar quase tão na moda quanto os iPods. São receitados para combater vários problemas, como depressão e distúrbios da libido, e também para quem quer parar de fumar. Embora alguns desses remédios não afetem o peso, outros (como os da classe dos chamados inibidores seletivos da recaptura de serotonina – ISRS) podem nos fazer engordar. Converse com seu médico sobre opções de antidepressivos que não desencadeiem esse efeito.

Se você costuma cair em tentação...

NÃO TENHO DÚVIDAS DE QUE VOCÊ realiza várias tarefas, seja trabalhando em um escritório ou em casa, seja administrando uma empresa ou seu próprio lar. Está sempre levando as crianças para um lugar ou outro, tentando crescer na profissão e se enrolando com toda essa tecnologia que deveria facilitar nossa vida. (Quantas barras de chocolate você comeu na última vez que seu computador pifou?) O efeito: vive sob pressão. O tempo todo. Assim como ocorre com muitas mulheres, talvez seu único alento esteja na geladeira. E isso é clinicamente classificado como péssimo. Veja como lidar com algumas tensões e tentações para que sua cintura não pague o preço pelo estresse.

QUANDO ESTIVER TRABALHANDO ATÉ TARDE NO ESCRITÓRIO. Tenha sempre lanches ricos em fibras, como barras de cereais, guardados na gaveta de sua mesa de trabalho. As fibras não provocam uma elevação instantânea dos níveis de açúcar no sangue; ao contrário, levam mais tempo para liberar a glicose na corrente sanguínea. Isso a manterá energizada e saciada por mais tempo, além de melhorar a função cerebral e a produtividade.

QUANDO ESTIVER ALIMENTANDO AS CRIANÇAS. Pode ser tentador comer a batata frita ou o macarrão que restaram no prato do seu filho, mas tudo o que isso lhe dará serão indesejáveis calorias extras sem nutrientes. Qualquer coisa que a criança deixe de lado (e não possa comer mais tarde) deve ser jogada fora imediatamente, para evitar que você raspe o prato. Além disso, dê às crianças alimentos ricos em cálcio, como chocolate ao leite ou iogurte desnatado.

Desse modo, se você costuma beliscar a comida delas, pelo menos não se encherá de batata frita.

QUANDO ESTIVER FESTEJANDO COM OS COLEGAS DE TRABALHO. Coma uma maçã e um punhado de nozes uma hora antes de sair, para não sentir vontade de se empanturrar de salgadinhos quando chegar lá.

Dormir ajuda a emagrecer

Uma das melhores maneiras de perder mais peso: dormir mais. Um estudo realizado pelas universidades de Stanford e de Wisconsin revelou que as pessoas que dormiam menos tinham níveis inferiores de leptina (o hormônio que elimina o apetite) e níveis superiores de grelina (o hormônio que provoca fome). Não está dormindo o bastante? Tente as seguintes estratégias:

- Reserve de 30 a 60 minutos para um banho quente, uma sessão de ioga leve ou qualquer coisa que faça sua mente descansar.
- Programe-se para dormir sete a nove horas por noite. Grave os programas de televisão de que você gosta e que são transmitidos mais tarde e vá dormir em um horário razoável. Com isso, despertará com mais facilidade.
- Quando precisar dormir mais tarde do que o habitual, não fique acordada nem durma mais de duas horas além do horário normal.

Se você é das que acreditam na teoria de que as pequenas coisas contam...

Caso você esteja trabalhando com uma ingestão calórica diária de 1.400 a 1.600 calorias, então, sim, todas as calorias contam. Pode parecer que os pequenos truques listados a seguir não produzem grandes resultados, porém quando adotados por um período razoável, eles ajudam na obtenção de um corpo mais esguio e forte.

SEQUE A PIZZA. Use papel-toalha para secar uma colher de chá de gordura de uma fatia de pizza. Se você comer uma fatia por semana, estará deixando de ingerir mais de uma xícara de gordura por ano.

APERTE O CINTO. Quando sentir vontade de se empanturrar, aperte o cinto, para se lembrar do manequim que gostaria de vestir.

BEBA MAIS LEITE. Consumir 1.800mg de cálcio por dia pode bloquear a absorção de cerca de 80 calorias. Coloque leite semidesnatado ou desnatado na xícara, beba um pouco e só depois acrescente o café.

COMPRE HORTALIÇAS JÁ CORTADAS. Elas são mais caras, no entanto o custo extra compensa porque você terá mais facilidade de usá-las e, desse modo, não optará por alimentos menos saudáveis.

BEBA ÁGUA. Um estudo alemão mostrou que beber água queima calorias. Tomar cerca de duas xícaras de água gelada – temperatura inferior a 22°C – elimina em torno de 25 calorias. A ingestão de um litro de água por dia corresponde à perda de 2,5kg por ano.

USE PRATOS MENORES. Em vez de utilizar o prato de jantar, use o de sobremesa. Estudos mostram que colocar as porções em pratos menores faz com que a pessoa coma menos.

DILUA O SUCO. Acrescente água ao suco de frutas para reduzir calorias.

OPTE PELAS BEBIDAS CERTAS. Tome um suco de tomate em vez de uma Coca--Cola light.

DEIXE PRONTO UM LANCHE COM OS ALIMENTOS PODEROSOS. Misture três tipos diferentes de feijões e acrescente molho italiano light. Coma no lanche a semana inteira.

CONCENTRE-SE NA COMIDA. Enquanto estiver se alimentando, não faça outra coisa. Nada de comer assistindo à televisão, lendo nem trabalhando.

CAMUFLE OS SABORES. Masque um chiclete com sabor forte, como canela, enquanto prepara as refeições. Ao camuflar o sabor dos alimentos, eles serão menos tentadores.

A vitamina perfeita

Embora nem todos os polivitamínicos supram integralmente nossas necessidades nutricionais, aquele que você escolher deve incluir os nutrientes listados a seguir. De qualquer forma, consulte seu médico para saber se as quantidades são adequadas a você.

NUTRIENTE	QUANTIDADE POR COMPRIMIDO
Vitamina A	5.000UI
Betacaroteno	20% de vitamina A
Vitamina D	200UI
Vitamina E	30UI
Vitamina K	90mcg
Ácido fólico	400mcg
Vitamina B_6	2mg
Vitamina B_{12}	2,4mcg
Vitamina C	75mg
Cálcio	1.000mg
Cromo	25mg
Cobre	2mg
Ferro	18mg
Magnésio	400mg
Ácidos graxos ômega-3	1g
Selênio	55mcg
Zinco	8mg

| SEÇÃO BÔNUS ESPECIAL |

O que se passa em sua mente?

ESTRATÉGIAS PSICOLÓGICAS PARA LIDAR COM OS DESAFIOS – E COM AS VARIAÇÕES DE HUMOR

COMO O QUE SE PASSA EM SUA MENTE afeta o que está acontecendo em seu estômago? É realista pensar que você conseguirá seguir a dieta a longo prazo? Até que ponto é fácil manter esse programa?

Acredito que a Dieta do Abdômen consegue eliminar algumas questões intangíveis que muitas vezes acompanham as dietas. Por exemplo: a refeição semanal em que você pode comer o que desejar lhe dá a oportunidade de se entregar às tentações, para que não tenha que se privar daquele pedaço de lasanha no fim de semana. As seis refeições diárias evitam que você se sinta esfomeada e frustrada. E as deliciosas "vitaminas" satisfazem sua vontade de comer doce – um prazer negado em muitas dietas. Sei que todo tipo de mudança na alimentação ou na prática de atividades físicas faz com que você enfrente mais desafios do que um recruta de campo de treinamento. E acredito que grande parte do seu sucesso virá não apenas da adoção das orientações e dos princípios da Dieta do Abdômen, mas também do fato de dispor de mais estratégias para lidar com os aspectos psicológicos envolvidos na alteração do seu modo de se alimentar e se exercitar.

Desafio 1: saciedade versus fome

FOMOS CONDICIONADOS A ACREDITAR que a única coisa que devemos sentir ao seguir uma dieta é fome – e daquelas de roer as paredes. A privação nos faz parecer vencedores. Mas a verdade é que, quanto mais fome você sente, mais seu metabolismo fica lento e mais você engorda.

Por outro lado, você não quer viver com a sensação permanente de que acabou de se esbaldar na ceia de Natal. Não quer se sentir inchada, gorda e prestes a explodir de tanto comer. A sensação ideal está mais ou menos no meio – em um estado de satisfação nutricional.

É essa satisfação que você terá, graças à diretriz da Dieta do Abdômen que estabelece seis refeições por dia. No entanto, talvez essa adaptação não ocorra de imediato. Afinal, você não está habituada a se sentir satisfeita quando está "fazendo dieta".

Uma das melhores maneiras de acertar o relógio da saciedade é não pular o café da manhã. Pesquisadores holandeses mostraram que as pessoas que começavam o dia com uma refeição calórica, rica em carboidratos complexos, sentiam-se satisfeitas por mais tempo. Programe um café da manhã que supra 20% das suas necessidades calóricas diárias (cerca de 350 calorias) e seja rico em carboidratos complexos, de lenta absorção. Isso equivale a um prato de cereal de fibras e uma fatia de torrada de pão integral com geleia natural de frutas ou a 1/2 xícara de aveia instantânea e 1/2 banana picada em um potinho de iogurte light. Talvez seu cérebro necessite de algumas semanas para voltar a acreditar que ter a sensação de saciedade é algo bom para seu organismo. Se você conseguir programar seu estômago para um dia de alimentação perfeita, terá mais chance de fazer o mesmo com sua mente.

Desafio 2: você pode ficar à beira de um ataque de nervos quando estiver apenas começando a dieta

NÃO É SEGREDO QUE SEGUIR UM regime alimentar pode afetar nossa mente de forma intensa. Um estudo realizado pela Universidade da Califórnia associou dieta a estresse crônico. A tensão não apenas nos faz retomar antigos hábitos alimentares, como também pode nos manter gordos, pois o cortisol, hormônio liberado durante o estresse, torna a perda de peso mais lenta. É nesse momento que o apoio dos amigos é bem-vindo – convide-os a se juntar a você em sua cruzada pelo emagrecimento. Pesquisadores ingleses descobriram que as mulheres que seguiam uma dieta em grupo sofriam menos estresse do que aquelas que faziam dieta sozinhas.

A boa notícia é que a sensação de desconforto que você experimenta quando ajusta pela primeira vez sua rotina alimentar tem duração limitada – são necessários apenas 21 dias para que uma ação repetida se torne um hábito natural.

Desafio 3: a TPM a tentará a sair da linha mais de uma vez por semana

Nos últimos 14 dias do ciclo menstrual, os níveis de progesterona ficam elevados. Quando isso acontece, a serotonina, o hormônio do bem-estar, diminui, juntamente com as endorfinas e a dopamina, duas substâncias químicas que ajudam o organismo a combater o estresse. Essa combinação a deixa de péssimo humor e com um apetite enorme. Por isso é fundamental fazer as seis refeições diárias. Comer muitas vezes ajuda a estabilizar os níveis de açúcar no sangue, elimina o cansaço e evita o inchaço. No capítulo 15, você verá mais dicas para combater a TPM e hábitos alimentares relacionados às mudanças nos níveis hormonais.

Desafio 4: você não está vendo o ponteiro da balança sair do lugar

Depois de umas seis semanas de exercícios constantes, você perceberá que está com mais músculos e menos gordura – mesmo que o ponteiro da balança não saia do lugar. Isso acontece porque os músculos pesam mais do que a gordura. Portanto, lembre-se de que, embora seu peso não esteja diminuindo, você está progredindo. Os novos músculos a estão ajudando a queimar ainda mais gordura porque, como já expliquei, o tecido muscular usa mais calorias do que as células de gordura. Portanto, quanto mais músculos você tiver, mais calorias queimará – até mesmo quando não estiver se exercitando.

Procure outras maneiras de medir seu progresso além de se pesar. Observe, por exemplo, o caimento das roupas, avanços na quantidade de exercícios que é capaz de realizar e a perda de medidas. Se pequenas mudanças no peso a deixarem frustrada, passe a usar a balança apenas uma vez por mês.

Seu humor, sua refeição

Há muitas coisas que podem melhorar seu humor – um lindo pôr do sol, um exercício produtivo, um e-mail romântico enviado no momento certo pela pessoa certa. Existem também outros fatores capazes de desencadear o efeito contrário – um céu cinzento, uma lesão no tornozelo, ou um e-mail irritante enviado no momento errado pela pessoa errada. Não é segredo que nosso estado de espírito pode variar com uma rapidez extraordinária, porém um dos truques para lutar contra o mau humor e os sentimentos ruins é usar a nosso favor o remédio que a natureza nos deu – os alimentos. Comendo alimentos saudáveis que possam estimulá-la, você ajudará sua mente – sem prejudicar seu corpo.

QUANDO VOCÊ ESTÁ TRISTE. Ao se sentir assim, é provável que vá apanhar imediatamente aquela barra de chocolate escondida no armário. Ela pode lhe dar uma injeção imediata de açúcar, mas o ideal é escolher algo capaz de lhe proporcionar um efeito mais duradouro. Prefira um alimento rico em carboidrato, pobre em proteína e gordura, como um bolinho de trigo integral com geleia de fruta natural. Quando os itens com alta concentração de carboidratos não são acompanhados de muita proteína ou gordura, eles permitem que um aminoácido chamado triptofano (que também está presente na carne de peru) penetre no cérebro, onde se transforma em serotonina, neurotransmissor que melhora o humor e elimina a vontade de comer. Pipoca é outra boa alternativa.

Os exercícios físicos como desafios

Todos nós vivemos momentos em que temos dificuldade em manter uma rotina de exercícios. Veja a seguir um resumo dos obstáculos mais comuns à prática da atividade física e a melhor maneira de superá-los.

Treinamento de força: qual a diferença entre 8 ou 12 repetições? Não importa se você está fazendo abdominais, supino ou agachamento, é fácil perder a motivação quando repete a mesma coisa várias vezes.

A solução. Não perca seus objetivos de vista. Você ganha força quando provoca lesões nos músculos, pois o organismo as repara criando tecidos musculares mais resistentes. Nas primeiras repetições, a musculatura mal começa a ser forçada. Por isso, use um peso que lhe permita completar 10 repetições com certo esforço, mas sem comprometer a perfeita execução dos movimentos.

Corrida: pernas doloridas. Se o organismo estiver produzindo ácido láctico durante uma das sessões de treino intervalado (sobre as quais você aprenderá na página 208),

QUANDO VOCÊ ESTÁ DEPRIMIDA. Nessa situação, a solução é o peixe. Cada vez mais, os estudos mostram que os ácidos graxos ômega-3 podem ajudar a reduzir os sintomas associados à depressão. Esses ácidos são encontrados em peixes gordurosos, como salmão, atum e arenque. Uma pesquisa revelou que a ingestão de peixe duas vezes por semana está associada a um risco menor de depressão. Outras boas alternativas são camarão, linguado, bagre e hadoque, que também contêm ômega-3.

QUANDO VOCÊ ESTÁ SE SENTINDO LENTA. Esse é o momento perfeito para tomar uma xícara de café (sem creme!). Meia hora depois, seu sistema nervoso estará estimulado, deixando-a mais alerta e com maior capacidade de concentração. Como? A cafeína diminui os níveis de uma substância química chamada adenosina, que bloqueia as substâncias químicas do cérebro que aumentam a energia. Isso ajuda você a se revigorar. Cuidado, porém, para não entrar no círculo vicioso – tomar café para se animar, depois se sentir desanimada, tomar mais café, e assim por diante. Para manter o agradável estímulo temporário proporcionado por essa bebida, limite sua ingestão a três xícaras de 140ml ao dia.

---

isso pode causar uma sensação de queimação nos quadríceps e nos glúteos. É uma dor suportável, um indicador positivo de que a musculatura está sendo trabalhada.

A solução. Descansar por 1 ou 2 minutos permite que o organismo absorva mais oxigênio, necessário para ajudar a liberar o acido láctico. Faça exercícios de alongamento enquanto repousa, para separar as fibras musculares e melhorar a circulação. Tente o seguinte exercício para alongar os quadríceps e os quadris: de pé sobre uma das pernas, puxe a outra por atrás de você, tentando encostar o calcanhar nas nádegas.

Equipamentos para exercícios cardiovasculares: que chatice! Seu cérebro está se desconcentrando e seu corpo precisa de novos estímulos à medida que se adapta aos padrões dos movimentos repetitivos.

A solução. Mais uma razão para praticar sessões de treino intervalado. Elas enganam a mente, levando-a a pensar que os exercícios estão sendo realizados mais rapidamente. Ao mesmo tempo, você desafia seus músculos, queimando mais calorias e ganhando força. Faça 2 minutos em um ritmo rápido, depois reduza para 1 minuto, e assim por diante até zerar o tempo da corrida.

QUANDO VOCÊ ESTÁ COM SONO. Não há dúvida de que a falta de sono aumenta a irritabilidade. Para combater o cansaço diurno, coma menos no jantar. Uma refeição pesada pode mantê-la acordada à noite, pois seu estômago estará ocupado, tentando digerir o excesso de comida. Consuma menos de 500 calorias no jantar e dê preferência a alimentos que contenham cobre, como frango, banana e abacate. Há indicações de que as pessoas que ingerem pouco cobre têm mais dificuldade para dormir e se sentem menos descansadas ao acordar. Acrescente também um lanche noturno rico em carboidratos e pobre em proteína e gordura (como uma fruta pequena ou bolachas integrais) para explorar os efeitos calmantes da serotonina.

QUANDO VOCÊ ESTÁ MUITO MAIS DO QUE CANSADA. Em primeiro lugar, se você está se sentindo cansada demais até para realizar as atividades diárias triviais, procure um médico, pois a fadiga excessiva pode ser sintoma de uma doença grave. Ela é um dos primeiros sinais de anemia e carência de ferro, a deficiência nutricional mais comum no mundo, sobretudo entre mulheres em idade fértil. A causa? Não obter ferro suficiente dos alimentos. Embora os feijões, os grãos e as hortaliças lhe façam bem, o tipo de ferro que eles contêm é fraco e de difícil absorção. A proteína animal não apenas possui concentrações mais altas desse mineral como também fornece um tipo especial de ferro que o organismo absorve melhor do que aquele presente nos vegetais. Caso esteja se sentindo apática, especialmente se não estiver ingerindo carne, experimente comer camarão, carne vermelha magra, a carne escura do frango ou do peru (sem a pele) ou peixe. Tomar uma polivitamina com ferro também é útil. A baixa ingestão de líquido por um longo período é uma causa comum, embora muitas vezes desconsiderada, da fadiga e da desidratação leves.

| CAPÍTULO 11 |

A Dieta do Abdômen na vida cotidiana

Este programa alimentar simples vai facilitar sua vida

NOS CAPÍTULOS ANTERIORES, mostrei por que a Dieta do Abdômen funciona e vai funcionar para você pelo resto da vida. Apresentei uma visão geral dos fatos científicos e mencionei termos técnicos, como índice glicêmico e metabolismo basal. Formulei também um plano alimentar, com indicações sobre refeições e lanches, além de receitas simples.

Expliquei ainda por que muitas dietas não são feitas para proporcionar efeitos duradouros ou são tão complicadas e restritivas que temos praticamente que largar o emprego e romper com os amigos para podermos segui-las à risca. Muitas delas fracassam porque exigem que trabalhemos muito, ignorando o fato de que já temos uma vida atribulada. O que a maioria de nós sente todos os dias é que está prestes a perder o controle do seu próprio mundo. E o que desejamos de verdade é recuperá-lo – retomar as rédeas da nossa vida, da nossa carreira, dos nossos relacionamentos, do nosso corpo, da nossa alimentação, de nós mesmos.

Um dos maiores benefícios da Dieta do Abdômen é o fato de que ela a ajudará a assumir o controle da sua vida, o que significa administrar seu nível de estresse. E faço questão de enfatizar que isso tem uma importância fundamental para a obtenção e manutenção do peso ideal, para a saúde e para a qualidade de vida.

Isso acontece porque nosso corpo não foi programado para lidar com o estresse da vida moderna. Quando o estresse se instala, uma das primeiras providências do organismo é aumentar a produção de adrenalina. Esse hormônio faz com que as células de gordura de todo o corpo enviem as reservas de ácidos graxos para a corrente sanguínea, onde serão usadas como energia. Isso era ótimo na época em que uma situação de estresse significava enfrentar um tigre de dentes enormes ou o ataque de uma horda de bárbaros – momento em que o cérebro acionava o mecanismo de luta ou fuga. Mas não é tão bom na sociedade de hoje. Nós não lutamos nem fugimos, apenas trabalhamos até tarde da noite para concluir várias tarefas no prazo. Enquanto isso, as glândulas suprarrenais estão produzindo mais um hormônio para lidar com toda essa

---

HISTÓRIA DE SUCESSO DA DIETA DO ABDÔMEN

"Seguindo o programa corretamente, nutrimos o corpo, o que acelera o metabolismo."

Nome: Marian Nagel
Idade: 44 anos
Altura: 1,70m
Peso inicial: 67kg
Seis semanas depois: 61kg

Mãe de adolescentes, Marian Nagel chegou a um ponto em que teve que decidir entre "ficar velha e gorda ou velha e saudável".

Foi quando optou por recuperar a forma física em seu próprio benefício – e para servir de exemplo para um dos filhos. Ela ficou sabendo da Dieta do Abdômen por meio da revista *Men's Health*, e os dois resolveram experimentá-la. Marion disse a ele: "Isso não é uma dieta, é uma lista de alimentos que você precisa comer mais." Depois de seis semanas, o rapaz passou de 146kg para 134kg. Ela emagreceu 6kg no mesmo período, e sua meta é chegar aos 57kg.

"Fica cada vez mais difícil perder a barriga depois de ter filhos, sobretudo para mulheres com mais de 40 anos", diz Marion, que gosta muito do treino intervalado na esteira. Ela reduziu a gordura corporal de 27 para cerca de 20% durante a fase inicial da dieta. "Minhas medidas diminuíram bastante. Durante as seis semanas, me livrei de cerca de 8cm de cintura."

Na sua opinião, o plano alimentar é perfeito para as mulheres. "Quando estamos nervosas, costumamos comer mais do que os homens. Por isso temos medo de ingerir uma quantidade maior de calorias se fizermos seis refeições por dia. Mas, seguindo o programa corretamente, nutrimos o corpo, o que acelera o metabolismo."

Marion ficou especialmente satisfeita com os resultados obtidos por seu filho. "A melhor coisa para mim foi ter servido de estímulo para ele", diz.

gordura recém-liberada. O nome desse hormônio é cortisol, porém prefiro que você o chame pelo apelido: o hormônio da gordura na barriga.

Em um estudo realizado pela Universidade de Yale, pesquisadores pediram a 42 pessoas com excesso de peso que, durante uma hora, se dedicassem a tarefas estressantes, como a solução de problemas de matemática e enigmas e a elaboração de discursos. Durante todo o tempo, os níveis de cortisol dos voluntários foram medidos. Os participantes que tinham mais peso extra no abdômen eram os mesmos que produziam mais cortisol quando se encontravam sob pressão. A teoria é a seguinte: o estresse se instala, a adrenalina mobiliza gordura de todo o corpo e o cortisol pega a porção de gordura que não foi usada e a armazena na região abdominal, causando um grande malefício. Em um estudo com 438 bombeiros, os que disseram ter preocupações financeiras ganharam 5kg ao longo de sete anos, enquanto os que não manifestavam esse tipo de preocupação engordaram em média 3,35kg. O segredo para administrar a gordura abdominal, portanto, é dominar o estresse. Veja a seguir algumas maneiras comprovadas de manter a cabeça – e a barriga – sob controle.

CUIDE DO SONO. Um estudo realizado pela Universidade de Chicago, publicado no periódico *Sleep*, mostrou que as pessoas que dormiam apenas quatro horas por noite apresentavam níveis de cortisol 37% mais altos em relação às que tinham oito horas de sono completas. No caso das que permaneciam acordadas a noite inteira, os níveis desse hormônio eram 45% mais elevados. Os especialistas em sono recomendam às pessoas que se esforcem para dormir oito horas por noite.

TENHA UM SONO TRANQUILO. A qualidade do sono também é fundamental. Outro estudo realizado na Universidade de Chicago mostrou que as pessoas

---

Maneiras de impedir que os restaurantes sabotem sua dieta

- Muitos chefs usam pelo menos 30g de manteiga (200 calorias e 23g de gordura) no filé para fazer com que a carne pareça mais suculenta. Avise que esse artifício pode ser dispensado.
- Se o restaurante serve a salada já com o molho misturado, melhor. Essa quantidade de molho é, em geral, menor do que a que você acabaria colocando sobre as hortaliças se o pedisse à parte.

que dormiam uma quantidade suficiente de sono profundo – de qualidade, sem sonhos e sem o movimento rápido dos olhos (a fase REM do sono) – secretavam quase 65% mais hormônio do crescimento humano do que aqueles que quase não desfrutavam desse tipo de sono. Esse hormônio é importante para prevenir a perda de massa muscular causada pelo cortisol.

LEMBRE-SE DA VITAMINA C NOS MOMENTOS DE CRISE. Se você está passando por um período estressante – talvez especulando por que aquele depósito que deveria ter sido feito há duas semanas na sua conta ainda não deu o ar da graça –, trate de tomar um reforço de vitamina C. Para administrar o estresse, é provável que precise de 1.000mg por dia, divididos em pequenas doses.

NÃO TOME O ÚLTIMO DRINQUE. Álcool desidrata. O organismo interpreta a escassez de água como uma situação de emergência, e isso eleva o nível do cortisol. Que quantidade de álcool é excessiva? A resposta provável: três drinques por dia. Esse mesmo raciocínio se aplica à cafeína. Para o controle do cortisol, limite-se a 200ml diários dessa substância, quantidade presente em cerca de duas xícaras de café.

ASSUMA O COMANDO. É sempre útil ter um sentido de controle sobre alguns dos fatores estressantes na sua vida. "Quando assustávamos um participante do experimento com um barulho aleatório, seus hormônios do estresse se elevavam", afirma Robert Sapolsky, Ph.D., professor de Ciências Biológicas e Neurológicas na Universidade de Stanford. "Mas, quando lhe dávamos um botão e lhe dizíamos que, se o apertasse, ele reduziria a probabilidade de ocorrência do barulho, sua reação de estresse ao mesmo som era menor." Organizar-se, ainda que em relação a pequenas coisas, pode ajudá-la a se sentir mais como o comandante do seu navio.

FAÇA PLANOS. "As pessoas administram o estresse com mais eficiência quando acreditam que as coisas estão melhorando", diz Sapolsky. Portanto, procure ter sempre algo pelo qual esperar. A esperança é uma aliada no controle do estresse.

CULTIVE A ESPIRITUALIDADE. Lembre-se da sabedoria simples de Simone Weil: qualquer atenção total é oração. Se você for capaz de interromper o tumulto na sua mente e, todos os dias, por um breve período, se concentrar inteiramente em alguma coisa – um exercício, um trabalho manual ou uma criança –, conseguirá adquirir a serenidade que muitas pessoas encontram na fé. O capítulo 17 apresenta excelentes estratégias para ajudá-la a alcançar a paz de espírito.

| CAPÍTULO 12 |

Turbinando a Dieta do Abdômen

COMO OS EXERCÍCIOS QUEIMAM GORDURA E ACRESCENTAM MÚSCULOS

TALVEZ OS ÚLTIMOS MESES, anos ou décadas da sua vida tenham sido uma grande tempestade – de festas no escritório, de happy hours, de restos de bolos e sorvetes de seus filhos e de jantares à base de petisquinhos. Quando somos jovens, essas situações podem ser divertidas; no entanto, à medida que envelhecemos, são mais uma complicação do que qualquer outra coisa. Descarregam quilos de gordura nas suas coxas, nos seus quadris e na sua barriga, antes esguia, deixando os músculos abdominais soterrados. Depois, não há sol que consiga derreter essa gordura. Se quiser encontrar seus músculos abdominais e deixar o abdômen definido, terá que queimá-la você mesma.

Alimentar-se da forma adequada é um ponto fundamental. Ao seguir os princípios nutricionais da Dieta do Abdômen, concentrando suas refeições nos Alimentos Poderosos, você perderá gordura quase sem esforço. Mas, para maximizar a redução do peso e substituir a gordura por músculos, este livro inclui um recurso que a maioria das dietas ignora: um programa de atividade física rápido e fácil. Os exercícios não a deixarão apenas mais saudável – também lhe permitirão emagrecer mais depressa. E farão com que fique mais forte. E o mais importante: seu corpo trocará as gordurinhas por músculos definidos – transformando a energia que está armazenada na gordura em energia que alimentará a musculatura.

Os princípios dos exercícios da Dieta do Abdômen

TRABALHANDO NA *Men's Health* há mais de 10 anos, conheço todas as tendências em exercícios. Além disso, estou sempre me atualizando no estudo das pesquisas científicas que medem a eficácia dos vários programas nessa área. Com esse conhecimento, desenvolvi a parte de atividade física deste plano para ajudá-la a queimar gordura nos mais altos níveis possíveis e com o menor dispêndio de tempo. Compreendo que você não pode passar horas se exercitando todos os dias. Por isso, quero que tire o máximo proveito de cada exercício. Sei também que a flexibilidade e a conveniência são o segredo para formular um esquema que você consiga cumprir. Tendo isso em mente, selecionei exercícios que podem ser feitos na academia ou na sua própria casa.

Mas atenção: antes de você começar qualquer programa regular de exercícios, é fundamental que faça uma avaliação médica das suas atuais condições de saúde.

Esse plano permite que você se atenha a exercícios breves e dirigidos, ao mesmo tempo que continua em busca do objetivo maior. Quilo a quilo, esse é o melhor programa para redescobrir os músculos abdominais. Agora conheça seus princípios.

CONCENTRE-SE PRIMEIRO NA DIETA. Os exercícios são opcionais nas duas primeiras semanas. Se você já pratica uma atividade física regularmente, pode ir direto para o Programa de Exercícios da Dieta do Abdômen, pois queimará ainda mais gordura do que apenas com a dieta. Contudo, caso seja iniciante ou sedentária, aproveite as duas primeiras semanas para se ajustar ao novo plano alimentar antes de iniciar os exercícios. Se estiver ansiosa para maximizar logo o processo de emagrecimento, comece a fazer uma atividade física, como caminhadas vigorosas todos os dias durante 30 minutos.

CONCENTRE-SE NOS MÚSCULOS. Conheci muitas pessoas que optaram pela corrida como uma tentativa de emagrecer, mas muitas não conseguiram alcançar esse objetivo, ainda que tivessem seguido um bom programa para essa atividade física. Elas mantiveram o peso ou engordaram um pouco. Acredito que isso ocorra por dois motivos. Primeiro, porque o exercício cardiovascular regular não queima tanta gordura quanto o treinamento de força. Os músculos estão sempre famintos. Para permanecerem bem nutridos, querem usar as calorias ingeridas. Portanto, quanto mais músculos, mais calorias são queimadas – na academia, no trabalho e até mesmo dormindo. O Programa de Exercícios da Dieta do Abdômen concentra-se nos grandes grupos musculares – pernas, peito, costas e ombros – porque essas são as áreas em que mais músculos podem ser desenvolvidos em menos tempo. Além disso, o trabalho com os músculos maiores acelera o metabolismo, criando uma queima posterior de calorias mais prolongada e que pode durar até a próxima sessão de exercícios!

Pense na fração mínima de tempo que você dedica à atividade física. Mesmo que a pratique quatro ou cinco vezes por semana, despendendo uma hora a cada vez, isso não é nada em comparação com a quantidade de tempo em que não está fazendo exercícios. Portanto, para obter o maior benefício metabólico possível, você deve maximizar as calorias que seu corpo queima quando não está se exercitando.

PASSE MENOS TEMPO NA ACADEMIA. O Programa de Exercícios da Dieta do Abdômen emprega dois conceitos simples para maximizar o desenvolvimento muscular e a queima de gordura e minimizar o tempo que você reserva à atividade física: o treinamento de circuito e os exercícios compostos.

TREINAMENTO DE CIRCUITO. O termo refere-se à realização de exercícios diferentes um após o outro. Por exemplo, você faz uma série de exercícios para as pernas, seguida imediatamente de uma série que trabalha a parte superior do tronco, até completar 8 a 10 tipos de exercícios distintos consecutivos. O treinamento de circuito dá bons resultados por dois motivos. Primeiro, como você fica em movimento e reduz os períodos de descanso entre os exercícios, sua frequência cardíaca mantém-se elevada durante toda a sessão, maximizando a queima de gordura e proporcionando tremendos benefícios à capacidade cardiovascular. Segundo, esse tipo de treinamento abrevia o tempo na academia, uma vez que os intervalos para descanso são eliminados. Isso significa que você pode voltar logo à sua vida atribulada.

EXERCÍCIOS COMPOSTOS. Outra parte fundamental do treinamento de força é a dos exercícios compostos, aqueles que usam vários grupos musculares em vez de apenas um. O objetivo do Programa de Exercícios da Dieta do Abdômen não é fazê-la exercitar isoladamente os músculos do peito, depois os ombros, os tríceps, os antebraços. O propósito é que você trabalhe vários músculos ao mesmo tempo na academia e depois vá para casa. O melhor é que programas de 20 minutos, três vezes por semana, desenvolvem de 1kg a 1,3kg de músculo em mulheres. Além de tornarem o trabalho mais divertido e desafiador, os exercícios compostos exigem mais dos músculos – até mesmo após o fim da atividade física. (Por exemplo, o agachamento envolve 256 músculos em apenas um movimento.) Um esforço muscular maior faz com que o corpo produza mais hormônio do crescimento, um poderoso queimador de gordura.

Se o único peso que você já levantou foi a torta de limão com merengue – e não foi em uma academia –, não se preocupe. Você pode começar erguendo qualquer peso que não exija grande esforço, seja um haltere levinho, seja uma lata de massa de tomate. Mesmo que comece com pouco, vai se tornar mais forte, desenvolvendo massa muscular, queimando gordura e mantendo o metabolismo acelerado.

CONCENTRE-SE NA INTENSIDADE. Um grande número de pesquisas tem demonstrado que os exercícios de maior intensidade promovem mais perda de peso do que as atividades de ritmo constante. Em um estudo canadense realizado na Laval University, os pesquisadores mediram diferenças na redução de gordura entre dois grupos de pessoas que seguiram programas de exercícios diferentes. O primeiro grupo pedalava em bicicletas ergométricas quatro ou cinco vezes por semana e queimava de 300 a 400 calorias por sessão de 30 a 45 minutos. Os integrantes do segundo grupo faziam um treino idêntico, mas apenas uma ou duas vezes por semana. No restante das sessões, eles pedalavam vigorosamente em breves intervalos – subiam nas bicicletas e se exercitavam o mais rápido que conseguiam por 30 a 90 segundos, descansavam e repetiam esse processo várias vezes. O resultado é que queimavam de 225 a 250 calorias enquanto pedalavam. No fim do estudo, porém, haviam gasto mais calorias do que os participantes do primeiro grupo – embora se exercitassem menos, a eliminação de gordura foi nove vezes maior. Segundo os pesquisadores, a maior parte da queima de gordura ocorria depois de finalizada a atividade física.

O Programa de Exercícios da Dieta do Abdômen recomenda que você faça uma única sessão de treino intervalado por semana para complementar o

---

Fatos da Dieta do Abdômen

Cuide da postura. Quando estiver andando, mantenha a coluna ereta. Para garantir a melhor postura, imagine que há uma capa pendendo dos seus ombros. Além de lhe proporcionar uma aparência mais esguia, isso condiciona os músculos abdominais a ficarem retesados e firmes. Outra boa dica é pensar nas costas como uma parede e na barriga como o móvel que está encostado nela para impedir que empene.

Seja cautelosa com as costas. Ao contrário da crença popular, os abdominais não se localizam apenas em torno do umbigo. Eles constituem um complexo sistema de músculos ligados ao tórax, ao quadril e até mesmo à coluna. Para ter abdominais fortes, não basta fazer exercícios para a barriga. É necessário também fortalecer a região lombar e os músculos oblíquos, que se estendem nas laterais do tronco.

treinamento de força. Ou seja, você deve realizar uma das sessões da atividade cardiovascular tradicional – correr, nadar, andar de bicicleta, etc. – alternando períodos de alta intensidade com períodos de descanso. (Explicarei como criar um treino intervalado eficaz no próximo capítulo.)

Se você ainda não pratica exercícios

A MELHOR PARTE DA DIETA DO ABDÔMEN é que, pelo menos nas duas primeiras semanas, você não precisa praticar nenhuma atividade física. Se não estiver fazendo nada neste momento, não é fundamental que comece imediatamente. Em vez disso, quero que se concentre em habituar seu corpo e seus horários a este programa.

Por outro lado, para que esperar para acionar os mecanismos de queima de gordura? Caso deseje iniciar um leve treinamento de força, faça o seguinte exercício três vezes por semana: alterne três séries de flexões (apoiada nos joelhos, caso não consiga fazê-las com as pernas estendidas no início) com três séries de agachamento, mas sem pesos. Esses dois tipos de exercícios usam o peso corporal como resistência. Com isso, você começará a se adaptar a um treinamento de força. Faça 8 a 10 repetições de flexões, seguidas de 15 a 20 repetições de agachamentos. Quando esse esquema ficar fácil demais, aumente as repetições das flexões e, ao executar os agachamentos, segure algum tipo de peso – os halteres são os melhores. Esse exercício leve,

---

Condicione os músculos. Talvez você já tenha ouvido falar de "memória muscular": a maneira como o corpo aprende a realizar uma atividade física (como andar de bicicleta) e nunca mais a esquece. Então saiba que os músculos abdominais também têm memória. Se os mantiver firmes ao longo do dia, eles tenderão a permanecer retesados mesmo quando você estiver relaxado.

Faça o exercício antes. Pesquisas indicam que a melhor maneira de comer menos é fazer exercícios imediatamente antes das refeições. Há três explicações para isso. Primeiro, o apetite é menor quando o metabolismo está acelerado, como acontece logo após um exercício. Segundo, a sede aumenta, por isso você bebe mais água, que ocupa espaço no estômago e diminui a fome. Terceiro, com o metabolismo acelerado, as calorias ingeridas são logo queimadas como energia em vez de serem armazenadas como gordura.

sobretudo se associado a 30 minutos de caminhada acelerada, acionará seus queimadores de gordura.

Se você já tem o hábito de se exercitar

TALVEZ VOCÊ FAÇA MUSCULAÇÃO uma ou duas vezes por semana. Pode ser que corra alguns quilômetros todas as manhãs. Não sei. Mas tenho certeza de que, independentemente do tipo de atividade física que pratica, é provável que desenvolva mais músculos e queime mais gordura se adotar o Programa de Exercícios da Dieta do Abdômen.

Ainda que a atividade física que você pratica esteja sendo satisfatória, os especialistas concordam que misturar os exercícios cerca de uma vez por mês é a melhor maneira de maximizar os resultados. Isso acontece porque o corpo

---

HISTÓRIA DE SUCESSO DA DIETA DO ABDÔMEN

"A prova está nas roupas."

Nome: Jessica Guff
Idade: 43 anos
Altura: 1,60m
Peso inicial: 59kg
Seis semanas depois: 54,5kg

Jessica Guff não acredita na balança. Para ela, os números não mostram o quadro geral da saúde. O que importa é como a pessoa se vê – e como os outros a veem. Certa ocasião, ela foi ao escritório de um cliente e soube que uma funcionária perguntou para outra:

– Quem é aquela mulher magra ali?

– É a Jessica. Ela está fazendo a tal Dieta do Abdômen – respondeu a moça.

Essa mudança ocorreu em um período bastante curto: duas semanas após o início da dieta, portanto Jessica sentiu seus efeitos quase que imediatamente. Aos 43 anos, ela corre maratonas e sempre esteve em boa forma. Porém, duas gestações lhe deixaram como

adquire força e condicionamento físico de forma geral quando é submetido ao desafio de executar determinados esforços a que não está acostumado. Repetir o mesmo exercício muitas vezes não a treina para alcançar o potencial máximo, mas apenas para ser boa naquele exercício. Por esse motivo, quero que você considere a substituição da sua atividade física atual pelo Programa de Exercícios da Dieta do Abdômen, ao menos por algumas semanas. Garanto que os efeitos serão incríveis.

Esquema semanal sugerido para o Programa de Exercícios da Dieta do Abdômen

VOCÊ PODE MISTURAR E COMBINAR os diferentes exercícios para suprir as necessidades do seu estilo de vida. Ao montar a programação, considere o seguinte:

---

herança uma barriguinha. "Desde que comecei o programa, notei a diferença. Dava para quebrar nozes com meu abdômen."

O segredo de Jessica foi mudar a maneira de se alimentar. Antes, para poder mandar as crianças para a escola e dar início ao seu treinamento, ela precisava se sacrificar – muitas vezes começava o dia apenas com chá. "Costumava sair e correr sem comer nada, o que era uma burrice. Fiquei horrorizada ao saber que, quando nos exercitamos com o estômago vazio, perdemos músculos, e não gordura", afirma. Contudo, as estratégias simples da Dieta do Abdômen mudaram isso. Agora ela toma uma vitamina no café da manhã, o que a deixou em melhor forma e aumentou sua energia.

"Não gosto de contar calorias. O que mais aprecio na Dieta do Abdômen é a flexibilidade. Basta eu me lembrar dos 11 Alimentos Poderosos", explica.

Jessica está mais magra e mais forte. Sempre que a filha de 25kg adormece no sofá, é ela quem carrega a menina para a cama. E está também mais confiante. "Quando as mulheres olham para outra mulher, elas miram os seios, o bumbum e a cintura, sobretudo as que tiveram filhos, pois todas se preocupam em perder a barriga."

A verdadeira medida de seu sucesso, no entanto, foi uma calça cargo verde. "A calça está na moda, mas fico com a barriga de fora quando a uso. Depois de duas semanas seguindo o programa, decidi vesti-la para fazer um teste. Só recebi elogios!"

- Faça um intervalo de pelo menos 48 horas entre os exercícios com peso para as mesmas partes do corpo. Os músculos precisam desse tempo de recuperação.
- Tire um dia por semana para descansar, sem praticar nenhuma atividade física formal.
- Antes de começar a se exercitar, faça um aquecimento de 5 minutos. Algumas opções são: correr moderadamente, pedalar em uma bicicleta ergométrica, pular corda ou fazer polichinelos.

Os três componentes da sua programação semanal incluem:

1. **Treinamento de força.** Três vezes por semana. São os exercícios para todo o corpo, com um programa que dá ênfase às pernas.
2. **Exercício cardiovascular adicional.** Opcional nos dias em que não houver treinamento de força. Exemplos: andar de bicicleta, correr, nadar e caminhar. Um exercício cardiovascular leve, como andar, é indicado para dois dos seus três dias de folga do treinamento de força. Uma sessão de treino intervalado é recomendada uma vez por semana.
3. **Exercícios para o abdômen.** Duas vezes por semana. Sugiro fazê-los antes do treinamento de força ou da sessão de treino intervalado (ver mais informações sobre esses exercícios no capítulo 14).

| CAPÍTULO 13 |

O Programa de Exercícios da Dieta do Abdômen

OS EXERCÍCIOS MAIS FÁCEIS E MAIS EFICAZES

HÁ PESSOAS DE TODOS OS TIPOS NAS ACADEMIAS. A mulher gordinha. O cara sem pescoço. A adolescente roliça. O garotão barrigudo. E parece que todos chegam lá por caminhos diversos. As teorias em relação aos exercícios são as mais diferentes possíveis. Mas sei quem posso realmente ajudar: é aquela pessoa com excesso de peso que está em um canto exercitando os músculos dos antebraços. Trabalhar grupos musculares muito pequenos – digamos, dos antebraços ou das panturrilhas – é como se maquiar antes de tomar banho. Não há sentido em cuidar dos pontos secundários antes de tratar das questões mais importantes.

Foi por isso que desenvolvi um programa de treinamento de força que envolve o corpo todo, para aumentar a massa muscular da maneira mais eficiente possível. Se você quer diminuir sua barriga e exibir os abdominais, precisa queimar gordura. Para isso, tem que desenvolver músculos. Lembre-se de que adquirir cerca de 500g de músculos forçará seu corpo a queimar cerca de 50 calorias por dia, todos os dias.

O Programa de Exercícios prioriza os grandes grupos musculares – no peito, nas costas e nas pernas. Em uma sessão durante a semana, você dispensará atenção extra às pernas. Sei no que está pensando: "Meus abdominais estão aqui em cima, por que devo me importar com o que fica lá embaixo?" Porque a maior parte dos músculos se localiza abaixo do umbigo. A região inferior do corpo é aquela em que você desenvolverá o máximo de músculos no mínimo de tempo. O trabalho com essa enorme massa muscular aciona a liberação de hormônios que estimulam o desenvolvimento muscular geral, acelera os mecanismos de queima de gordura e esculpe a barriga de tanquinho que você tanto quer – e rapidamente. Em um estudo norueguês, pessoas que se concentraram em trabalhar a parte inferior do corpo ganharam mais força na parte superior do que aquelas que enfatizaram os exercícios para a parte superior. Isso não significa, no entanto, que você deve abandonar por completo a região superior do corpo. Os exercícios nessa área incluirão os grandes grupos musculares no peito, nas costas e nos ombros para que haja uma queima maior de gordura. Se você seguir o Programa, notará mais desenvolvimento e definição muscular de modo geral, inclusive nos antebraços, ombros e até nos abdominais. Em suma, vai começar a remodelar suas formas.

Além disso, fará o treinamento de circuito para aproveitar ao máximo o potencial de desenvolvimento muscular. Ou seja, realizará uma série de exercícios e depois passará direto para a outra, com apenas 30 segundos de descanso. Siga a ordem dos exercícios que relaciono nas páginas seguintes. Isso lhe permitirá trabalhar diferentes partes do corpo à medida que troca de série. (A partir da página 186, apresento descrições dos exercícios ilustradas com fotos.) Alternando as partes do corpo, você o mantém em trabalho constante e consegue realizar todos os movimentos sem descanso. O treinamento de circuito

Programa de emagrecimento de última hora

Tanto nas telas quanto em fotos, modelos e atrizes estão acostumadas a mostrar muito o corpo. Em geral, elas usam pequenos truques para se mostrar em sua melhor forma. Veja a seguir maneiras rápidas de melhorar a aparência para o grande dia, seja na praia, seja em uma festa.

Acelere. Faça movimentos rápidos de força, como flexões e agachamentos, imediatamente antes da sua aparição. Aumente a velocidade e as repetições para enviar sangue aos músculos. Mais sangue garante mais tônus.

Beba água. Tome alguns copos d'água antes da ocasião importante. A água ajuda o sistema a fluir e alivia o inchaço.

Conheça os alimentos que causam inchaço. Evite feijões se forem de difícil digestão para você ou a deixarem inchada. Os laticínios provocam o mesmo efeito em algumas pessoas. E diminua o consumo de sódio. Embora não haja dose diária recomendada, muitos nutricionistas recomendam a ingestão de menos de 2.500 a 3.000mg para evitar inchaço (a maioria das pessoas consome 5.000mg por dia).

funciona muito bem porque, alternando os grupos musculares, você poupa tempo ao reduzir a quantidade de repouso de que precisa entre as séries. Mais importante, a frequência cardíaca permanece elevada durante toda a sessão, o que a fará queimar ainda mais gordura enquanto se exercita, tanto na academia quanto em casa.

Nas duas primeiras semanas, faça o circuito duas vezes. Passe de uma série para a outra com apenas 30 segundos de intervalo, no máximo. Ao completar o primeiro circuito, descanse por 1 a 2 minutos, depois conclua o segundo. No fim da segunda semana, quando estiver realizando os dois circuitos com facilidade, comece a fazer três circuitos por sessão. Em cada exercício, use uma carga que consiga aguentar sem dificuldade pelo número indicado de repetições. Quando isso se tornar muito fácil, aumente a carga em cada série em 10% ou menos. Veja a seguir uma amostra simples de como organizar as sessões.

SEGUNDA-FEIRA

Sessão de treinamento de força de todo o corpo, com ênfase nos abdominais

Complete uma série de cada exercício abdominal,* depois faça o restante do circuito duas vezes.

EXERCÍCIO	REPETIÇÕES	DESCANSO	SÉRIES
Abdominal convencional*	12-15	nenhum	1
Levantamento dos joelhos com as pernas flexionadas*	12-15	nenhum	1
Flexão lateral do tronco, deitada*	10 de cada lado	nenhum	1
Ponte*	1 ou 2	nenhum	1
Extensão da lombar*	12-15	nenhum	1
Agachamento	10-12	30 segundos	2
Supino reto	10	30 segundos	2
Puxada pela frente na polia alta	10	30 segundos	2
Desenvolvimento	10	30 segundos	2
Remada alta	10	30 segundos	2
Rosca tríceps na polia alta	10-12	30 segundos	2
Extensão das pernas	10-12	30 segundos	2
Rosca direta	10	30 segundos	2
Flexão simultânea das pernas	10-12	30 segundos	2

TERÇA-FEIRA (OPCIONAL)

Exercício cardiovascular leve, como caminhada

Tente fazer 30 minutos em um ritmo acelerado.

QUARTA-FEIRA

Sessão de treinamento de força de todo o corpo, com ênfase nos abdominais

Complete uma série de cada exercício abdominal,* depois faça o restante do circuito duas vezes.

EXERCÍCIO	REPETIÇÕES	DESCANSO	SÉRIES
Abdominal convencional*	12-15	nenhum	1
Impulso da lombar*	12	nenhum	1
Flexão lateral do tronco, de pé*	6-10 de cada lado	nenhum	1
Ponte lateral*	1 ou 2 de cada lado	nenhum	1
Extensão da lombar*	12-15	nenhum	1
Agachamento	10-12	30 segundos	2
Supino reto	10	30 segundos	2
Puxada pela frente na polia alta	10	30 segundos	2
Desenvolvimento	10	30 segundos	2
Remada alta	10	30 segundos	2
Rosca tríceps na polia alta	10-12	30 segundos	2
Extensão das pernas	10-12	30 segundos	2
Rosca direta	10	30 segundos	2
Flexão simultânea das pernas	10-12	30 segundos	2

QUINTA-FEIRA (OPCIONAL)

Exercício cardiovascular leve, como caminhada

Tente fazer por 30 a 45 minutos em um ritmo vigoroso.

SEXTA-FEIRA

Sessão de treinamento de força de todo o corpo, com ênfase nas pernas

Repita todo o circuito duas vezes.

EXERCÍCIO	REPETIÇÕES	DESCANSO	SÉRIES
Agachamento	10-12	30 segundos	2
Supino reto	10	30 segundos	2
Puxada pela frente na polia alta	10	30 segundos	2
Agachamento a fundo	10-12 com cada perna	30 segundos	2
Desenvolvimento	10	30 segundos	2
Remada alta	10	30 segundos	2
Step	10-12 com cada perna	30 segundos	2
Rosca tríceps na polia alta	10-12	30 segundos	2
Extensão das pernas	10-12	30 segundos	2
Rosca direta	10	30 segundos	2
Flexão simultânea das pernas	10-12	30 segundos	2

SÁBADO (OPCIONAL)

Exercícios abdominais mais treino intervalado

Complete uma série de cada exercício abdominal,* depois escolha um treino intervalado nas seleções apresentadas nas páginas [209 e 210].

EXERCÍCIO	REPETIÇÕES	DESCANSO	SÉRIES
Abdominal convencional*	10-15	nenhum	1
Levantamento dos joelhos com as pernas flexionadas*	12	nenhum	1
Flexão lateral do tronco, deitada*	6-10 de cada lado	nenhum	1
Ponte*	1 ou 2	nenhum	1
Extensão da lombar*	12-15	nenhum	1

DOMINGO: DIA DE FOLGA

Exercícios básicos

AGACHAMENTO

Com a palma das mãos virada para a frente, segure uma barra com anilhas e apoie-a de maneira confortável na parte superior das costas. Mantenha os pés paralelos e alinhados na largura dos quadris. Contraia o abdômen e olhe para a frente. Desça lentamente o tronco projetando o quadril para trás como se fosse sentar em uma cadeira. As costas devem permanecer no alinhamento natural. Interrompa o agachamento antes que as coxas estejam paralelas ao chão. Faça uma pausa e retorne à posição inicial.

VARIAÇÃO EM CASA: *Faça o mesmo exercício, mas com um haltere em cada mão e a palma virada para a parte externa das coxas. No movimento de descida, não deixe que os joelhos ultrapassem a linha dos pés e coloque o peso do corpo nos calcanhares.*

SUPINO RETO

Deite-se de costas em um banco plano, os pés no chão. Segure a barra com anilhas, mantendo as palmas das mãos viradas para a frente e afastadas um pouco além da largura dos ombros. Levante a barra por cima do peito, na vertical, estendendo completamente os braços. Devagar, abaixe-a até o peito. Faça uma pausa e leve-a de volta à posição inicial.

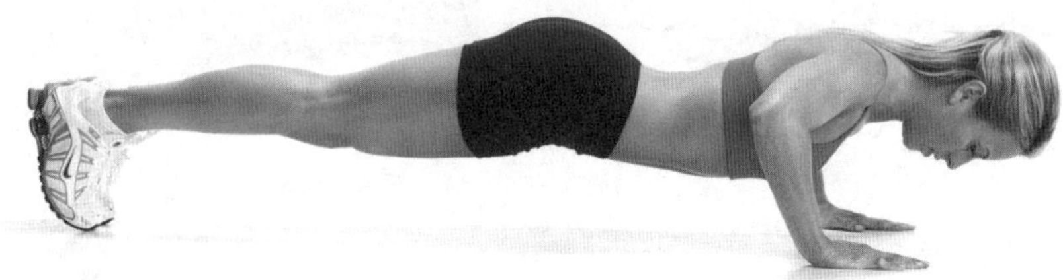

VARIAÇÃO EM CASA: *Assuma a posição para a flexão, as mãos afastadas na largura dos ombros. Mantendo as costas estendidas, flexione os cotovelos até que atinjam um ângulo de 90º. Depois torne a subir.*

PUXADA PELA FRENTE NA POLIA ALTA

De pé diante do aparelho, levante os braços e segure a barra, mantendo a palma das mãos virada para a frente. O afastamento entre as mãos deve ser 10 a 15cm maior do que a largura dos ombros. Sente-se no banco, deixando que a resistência da barra estenda os braços acima da cabeça. Puxe a barra para baixo até a parte superior do peito. Faça uma pausa e volte à posição inicial.

VARIAÇÃO EM CASA. *De pé, com os joelhos ligeiramente flexionados e as pernas afastadas na largura dos ombros, incline-se posicionando as costas quase paralelas ao chão. Segure um haltere em cada mão, deixando os braços penderem para o chão. Com a palma das mãos virada para dentro, levante os halteres na sua direção até encostarem no peito. Faça uma pausa e volte à posição inicial.*

DESENVOLVIMENTO

Sente-se em um banco e segure a barra com as anilhas na altura dos ombros, as mãos afastadas na largura dos ombros. Levante a barra em linha reta acima da cabeça, deixando os braços quase que plenamente estendidos. Faça uma pausa e abaixe a barra de novo pela frente até os ombros.

VARIAÇÃO EM CASA. *Sente-se em uma cadeira firme, e não em um banco, e levante um haltere em cada mão, mais ou menos na altura das orelhas. Erga-os em linha reta, de modo que os braços fiquem quase completamente estendidos. Faça uma pausa e volte à posição inicial.*

REMADA ALTA

Segure uma barra com anilhas, mantendo a palma das mãos virada para baixo, os pés afastados na largura dos ombros, os joelhos ligeiramente flexionados. Com os braços estendidos, deixe a barra pender na altura das coxas, mantendo os polegares virados um para o outro. Flexione os cotovelos, levante a parte superior dos braços para os lados e puxe a barra em linha reta até que a parte superior dos braços esteja paralela ao chão e a barra posicionada logo abaixo do nível do queixo. Faça uma pausa e volte à posição inicial.

VARIAÇÃO EM CASA. *Faça o mesmo exercício usando um haltere em cada mão.*

ROSCA TRÍCEPS NA POLIA ALTA

De pé, segure a barra de tração mantendo as mãos afastadas cerca de 15cm. Firme os cotovelos nas laterais do corpo e puxe a barra para baixo até que ela esteja diretamente na sua frente. Com os antebraços paralelos ao chão (posição inicial), empurre a barra para baixo até que os braços fiquem estendidos e a barra posicionada próximo às coxas. Volte à posição inicial.

VARIAÇÃO EM CASA: *De pé, com os joelhos ligeiramente flexionados e afastados na largura dos ombros, abaixe o tronco até que as costas fiquem quase paralelas ao chão. Assuma a posição inicial flexionando os cotovelos em um ângulo de 90º e levantando-os um pouco acima do nível das costas. Em seguida, estenda completamente os antebraços para trás, de modo que fiquem paralelos ao chão, mantendo imóvel a parte superior dos braços. Faça uma pausa e volte à posição inicial.*

EXTENSÃO DAS PERNAS

Sente-se na cadeira extensora encaixando os pés por baixo dos suportes acolchoados. Incline-se ligeiramente para trás e levante os suportes com os pés até que as pernas fiquem estendidas. Volte à posição inicial.

VARIAÇÃO EM CASA. *Agachamento contra a parede. De pé, encostada em uma parede, agache-se até que as coxas fiquem paralelas ao chão. Mantenha-se assim pelo tempo que conseguir. Faça o exercício apenas uma vez. Inicialmente, tente sustentar essa posição por 20 segundos. Depois procure chegar a 45 segundos. Volte à posição inicial.*

ROSCA DIRETA

De pé, segure à sua frente uma barra com anilhas, mantendo as palmas das mãos viradas para fora e afastadas na largura dos ombros, os braços pendendo à frente. Levante a barra até os ombros, faça uma pausa e volte à posição inicial.

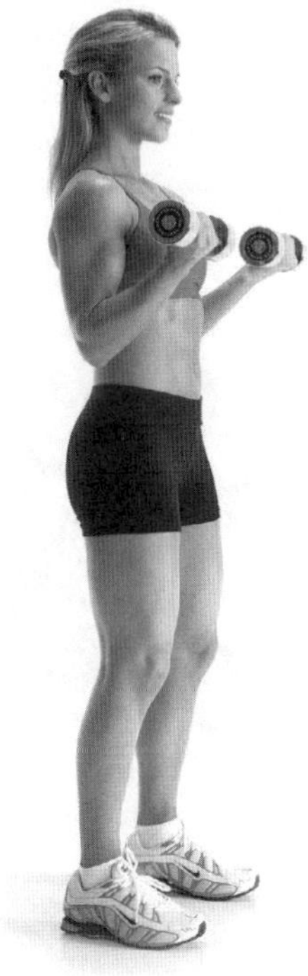

VARIAÇÃO EM CASA: *Faça o mesmo exercício, mas usando dois halteres.*

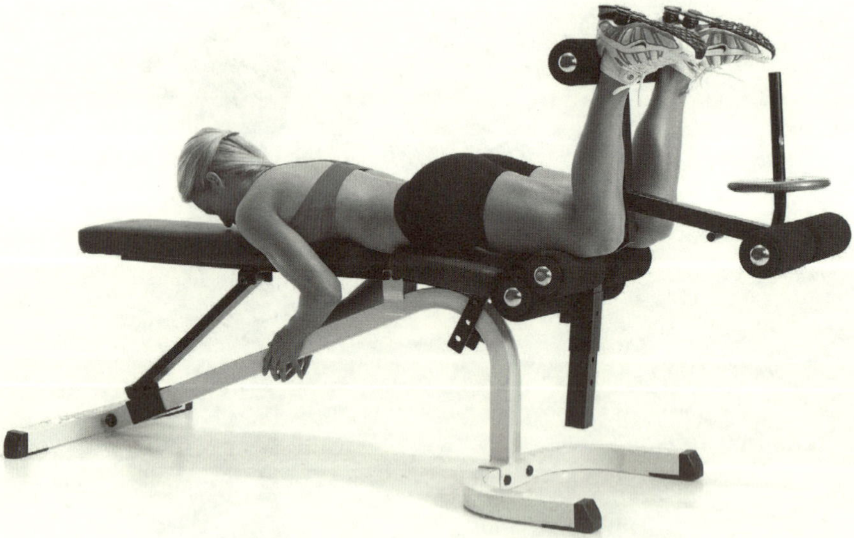

FLEXÃO SIMULTÂNEA DAS PERNAS

Deite-se de barriga para baixo no aparelho e passe os tornozelos por baixo dos suportes acolchoados. Mantendo o estômago e a pélvis encostados no banco, levante lentamente os pés na direção dos glúteos, suspendendo os suportes. Faça com que os pés quase encostem nos glúteos. Volte à posição inicial.

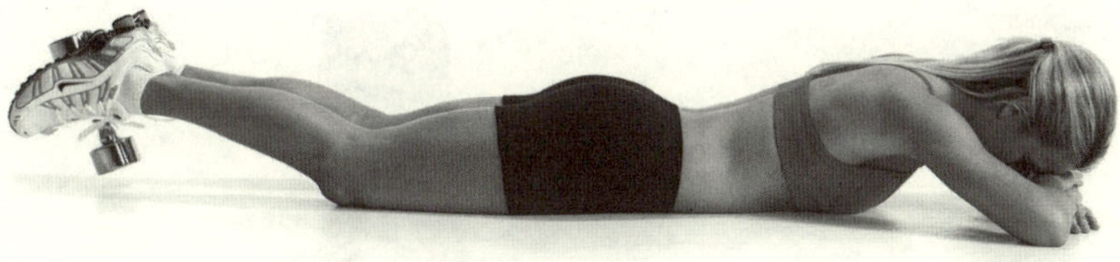

VARIAÇÃO EM CASA. *Deite-se de barriga para baixo no chão. Coloque um haltere leve entre os pés, de modo que uma das extremidades desse peso fique acima da planta dos pés. Junte bem os pés e levante-os na direção dos glúteos. Retorne devagar à posição inicial.*

AGACHAMENTO A FUNDO

Para realizar esse exercício, você precisará de espaço para dar cerca de 20 passos. De pé, apoie a barra com anilhas na parte superior das costas, mantendo os pés afastados na largura dos quadris. Leve o pé esquerdo à frente e abaixe o corpo, de modo que a coxa esquerda fique paralela ao chão e a coxa direita perpendicular ao chão (o joelho direito deve ser flexionado até quase encostar no chão). Levante-se e posicione o pé direito adiante do esquerdo, repetindo o movimento com a perna direita e seguindo em frente até completar os 20 passos.

VARIAÇÃO EM CASA. *Com um haltere em cada mão, estenda os braços ao lado do corpo. Se não tiver espaço suficiente, faça o exercício no mesmo lugar, alternando o pé que dará início ao movimento em cada passo.*

STEP

Use um step ou um banco com 45cm de altura. Posicione o pé esquerdo no step, flexionando o joelho em um ângulo de 90º, sem deixar que ele se projete além dos dedos do pé. Dê um impulso com o pé esquerdo e coloque o pé direito no step, mantendo as costas retas. Leve o pé esquerdo de volta ao chão e depois o direito. Alterne o pé com que dará início ao próximo movimento ou faça todas as repetições com um pé antes de passar para o outro. Depois que estiver fazendo o exercício com facilidade, acrescente halteres.

VARIAÇÃO EM CASA. *Faça o mesmo exercício na escada. Se não tiver um step, utilize um degrau.*

O treino intervalado

DIZEM QUE IR DEVAGAR e sempre no mesmo ritmo é a garantia de vencer a corrida. Mas o segredo cardiovascular para a queima de gordura é praticar os treinos intervalados, aqueles que alternam níveis de alta intensidade com um esforço mais leve. Como mencionei antes, essa fórmula mantém o corpo queimando calorias por muito tempo, mesmo após o término da atividade física. Exercícios desse tipo imitam a atividade esportiva – têm movimentos de correr e parar com períodos de velocidade de *sprint* (máxima) ou quase *sprint* seguidos de um ritmo moderado e descanso.

Você pode usar os treinos intervalados da maneira que quiser, ao correr, pedalar, nadar e até ao caminhar, alternando ritmos lentos com ritmos acelerados. Pode também variar os níveis de intensidade em diferentes combinações. Para começar, apresento três opções para orientá-la. (Se usar equipamentos de exercícios, como esteiras, não opte pelas programações automáticas; estabeleça o programa manualmente, fixando os níveis de intensidade de acordo com o seu condicionamento físico. Isso lhe dará mais controle sobre as velocidades e

---

HISTÓRIA DE SUCESSO DA DIETA DO ABDÔMEN

"O pneu em volta de minha barriga desapareceu."

Nome: Jamie Bellavance
Idade: 22 anos
Altura: 1,67m
Peso, semana 1: 68kg
Peso, semana 6: 64kg
Percentual de gordura corporal, semana 1: 29%
Percentual de gordura corporal, semana 6: 24%

Quando era caloura da Syracuse University, em Nova York, Jamie Bellavance ficou apavorada com a possibilidade de engordar, algo que costuma ocorrer no primeiro ano da faculdade por causa da mudança nos hábitos alimentares. Em vista disso, passou a se exercitar todos os dias e a comer saladas no almoço – enquanto os amigos se empanturravam de frango frito e tiravam um cochilo de duas horas. Desse modo, ela emagreceu no primeiro ano da faculdade.

a ajudará a queimar gordura mais depressa.) Até mesmo 20 minutos de treino intervalado lhe proporcionarão benefícios. À medida que for adquirindo resistência e força, aumente a duração da sessão.

Variação intervalada I: padrão

A seguir, descrevo um exercício intervalado típico. Neste caso, o mesmo período de baixa intensidade é alternado com o mesmo período de maior intensidade.

3-5 minutos de aquecimento (corrida leve, baixa intensidade, aumentando pouco a pouco no final do período de aquecimento)

1 minuto de intensidade moderada ou alta, seguido por 1 minuto de baixa intensidade (repita 6-8 vezes)

3-5 minutos para desacelerar (corrida leve, baixa intensidade, diminuindo pouco a pouco)

"Aos poucos, fui abrindo a guarda. Achava que só tinha uma vida – e ia a quatro festas por semana", diz. "Tomávamos muita cerveja e fechávamos a noite com algumas fatias de pizza."

No fim do seu último ano ali, Jamie tinha engordado mais de 4kg. Depois de se formar, pensou que emagreceria por não estar mais exposta às tentações da vida de universitária, porém o peso extra nunca desapareceu.

Um estágio na revisa *Men's Health* convenceu-a a experimentar a Dieta do Abdômen. "Eu estava cética, pois tinha me exercitado durante todo o verão sem obter nenhum resultado", conta.

No entanto, depois de duas semanas fazendo musculação, ela começou a emagrecer. E achou o treinamento intervalado mais divertido do que a corrida. Na quarta semana, seu rosto havia afinado e ela, toda orgulhosa, colocou o biquíni para ir à praia em outra cidade. "Meu corpo todo ficou mais tonificado, e o pneu ao redor de minha barriga desapareceu", afirma.

Variação intervalada II: pirâmide

Essa estrutura de pirâmide permite começar com breves explosões de velocidade e depois atingir o fluxo mais longo de energia no meio da sessão, antes de começar a diminuir o ritmo.

3-5 minutos de aquecimento

30 segundos de alta intensidade

1 minuto de baixa intensidade

45 segundos de alta intensidade

1 minuto de baixa intensidade

60 segundos de alta intensidade

1 minuto de baixa intensidade

90 segundos de alta intensidade

1 minuto de baixa intensidade

60 segundos de alta intensidade

1 minuto de baixa intensidade

45 segundos de alta intensidade

1 minuto de baixa intensidade

30 segundos de alta intensidade

1 minuto de baixa intensidade

3-5 minutos de desaceleração

Variação intervalada III: mais rápida, mais difícil

Os esportes são imprevisíveis. O exercício intervalado que apresento a seguir simula um pouco essa característica, usando tempos e intensidades diferentes. Você pode misturar e combinar as sequências e repetições o quanto quiser. Descanse por mais tempo após os períodos em que usar mais energia.

3-5 minutos de aquecimento

2 minutos de intensidade moderada ou alta, seguidos por 2 minutos de baixa intensidade (repita 1 vez)

30 segundos de alta intensidade, seguidos por 30 segundos de baixa intensidade (repita 4 vezes)

Sprints de 60m (ou 10 segundos, se não correr), seguidos por 90 segundos de descanso (repita 6-10 vezes)

3-5 minutos para desacelerar

Que tipo de corpo você tem?

VOCÊ PODE FAZER ADAPTAÇÕES nos exercícios e circuitos da Dieta do Abdômen para que se ajustem ao seu tipo de corpo.

SE VOCÊ É MAGRA E LONGILÍNEA. Seu objetivo deve ser adquirir força e curvas por meio de um treinamento lento com pesos. Exercitando-se devagar com essas cargas, você desafiará as fibras musculares e ajudará a desenvolvê-las mais rápido, além de definir bastante os músculos. Faça o circuito da Dieta do Abdômen, porém execute todos os exercícios com movimentos lentos e controlados. Em cada repetição, leve 3 segundos para erguer o peso e 3 segundos para baixá-lo.

SE VOCÊ É CURVILÍNEA. Sua necessidade é equilibrar e tonificar o corpo queimando gordura e calorias com exercícios acelerados. Recomendo um treino cardiovascular intervalado e bem rápido, como o de boxe, que começa na página 214. Coloque uma música animada e execute os exercícios seguidamente, sem intervalos. Faça dois ou três circuitos.

SE VOCÊ É DO TIPO ATLÉTICO. No seu caso, a meta é ficar esguia e energizada com as posturas de ioga e os movimentos de dança e de Pilates que começam na página 219. Isso manterá e tonificará sua compleição atlética.

A eficiência dos halteres

Quando se trata de versatilidade, facilidade de uso e resultados, nenhum equipamento é tão eficaz no desenvolvimento muscular quanto os halteres. Em termos práticos, são baratos, praticamente indestrutíveis e bastante compactos para serem guardados sem problema, caso você se exercite em casa. (Experimente colocar debaixo da cama um daqueles aparelhos para abdominais que são anunciados na televisão!) Mas essa é apenas a parte óbvia. Conheça agora os oito motivos pelos quais as pessoas inteligentes têm halteres em casa:

1. Proporcionam um exercício mais completo. Talvez você pense que os halteres servem apenas para trabalhar os bíceps, mas eles são eficazes também para exercitar os músculos das pernas, das costas e da região abdominal.

2. Exigem muito mais dos músculos. Um dos maiores desafios para quem se exercita com pesos é um fenômeno chamado "platô". Quando o corpo se acostuma a determinado exercício, não há mais desafio, e os músculos param de crescer. Como existem centenas de exercícios diferentes que você pode fazer com halteres, procure sempre substituí-los para que os músculos continuem tendo que se esforçar e se mantenham em crescimento. Por exemplo, os halteres possibilitam 15 ou 20 variações da rosca direta, enquanto a barra com anilhas nas extremidades oferece poucas opções e um aparelho apenas uma ou duas.

3. Desenvolvem mais força. Como permitem uma variedade maior de movimentos, os halteres exigem mais esforço dos músculos do que qualquer outro equipamento. Por exemplo, uma barra com anilhas nas extremidades torna-se um recurso limitado durante um supino reto, porque só conseguimos baixá-la até a altura do peito. No entanto, quando usamos halteres, um em cada mão, pode abaixar os braços ainda mais em cada repetição, movimentando mais fibras musculares e estimulando o desenvolvimento da musculatura.

4. Desenvolvem a força mais depressa. O treinamento de resistência negativa refere-se à tensão que é imposta ao músculo durante a fase de baixar (negativa, ou excêntrica) do exercício. E essa resistência pode fazê-lo se desenvolver de uma forma ainda mais eficaz do que a fase de levantar (positiva, ou concêntrica) do exercício. Os halteres acrescentam uma resistência negativa extra aos movimentos. Digamos que você tenha completado 10 roscas diretas com a mão esquerda e não consegue levantar o peso mais uma vez. Então pode trapacear, usando a mão direita para ajudar a esquerda a erguer o haltere novamente e baixá-lo apenas com a mão esquerda. Um recurso que lhe permite aproveitar esse último benefício do exercício.

5. Contribuem para a saúde cardíaca. Muitos estudos têm demonstrado que o treinamento com pesos reduz a pressão arterial e fortalece indiretamente o coração. Pesquisas comprovam que exercícios com halteres podem promover benefícios adicionais, como uma taxa mais baixa de lipídios (que corresponde a uma obstrução menor das artérias) e mais absorção de oxigênio. Os halteres proporcionam resultados melhores nesse tipo de ginástica interna do corpo do que outros tipos de treinamento com pesos porque permitem uma abrangência maior de movimentos.

6. Deixam os músculos mais espertos. Os halteres permitem trabalhar o corpo em três dimensões. Eles não nos limitam a movimentos horizontais ou verticais, como fazem os aparelhos de musculação. Por causa disso, os músculos aprendem a funcionar bem na vida real, seja participando de uma jogada importante em uma partida no clube, seja segurando as crianças antes que caiam do balanço.

7. Mantêm o corpo em equilíbrio. Ao forçar cada braço a levantar sua própria quantidade de peso, os halteres ajudam a identificar desequilíbrios de força que podem ter se desenvolvido em decorrência da prática de esportes, de atos simples como dirigir ou carregar uma pasta e até da prática de exercícios em aparelhos ou com outros equipamentos. Ao erguer uma barra com anilhas acima da cabeça, por exemplo, você pode compensar uma eventual fraqueza no braço esquerdo fazendo mais força com o braço direito – e com isso agrava o desequilíbrio. Ao executar esse movimento com halteres, no entanto, cada lado do corpo trabalha de forma independente e ambos realizam um esforço de igual intensidade.

8. Ajudam a prevenir lesões. Os aparelhos de musculação são regulados para trabalhar um músculo exclusivamente e maximizar seu crescimento. Mas, em um nível prático, é importante fortalecer os pequenos músculos, ligamentos e tendões que ajudam a estabilizar as articulações. Os aparelhos podem desprezar essas áreas, o que aumenta o risco de lesões. Os halteres, por outro lado, fortalecem todo o corpo, protegendo-o desses problemas.

Treino cardiovascular de boxe intervalado para mulheres curvilíneas

AGACHAMENTO SIMULTÂNEO

Posição inicial: Com os pés paralelos e alinhados na largura dos ombros, flexione os cotovelos, feche a palma das mãos e posicione-a na altura dos ombros. **Posição de execução:** Agache-se como se fosse se sentar em uma cadeira, sem permitir que os joelhos ultrapassem a linha dos pés. Permaneça com o tronco ligeiramente inclinado e o quadril projetado para trás. Volte à posição inicial. **Atenção:** Execute todo o exercício com o abdômen contraído e sem balançar o tronco.

8 repetições [*Iniciante*]

ELEVAÇÃO ALTERNADA DOS JOELHOS

Posição inicial: Com os pés paralelos e alinhados na largura dos ombros, flexione os cotovelos, feche a palma das mãos e posicione-a na altura dos ombros. **Posição de ataque:** Com o tronco reto, olhe para a frente para não perder o equilíbrio, afaste um pouco as pernas e projete ligeiramente o quadril para trás. **Posição de execução:** Mantenha a postura anterior, elevando alternadamente os joelhos na direção do tronco. **Posição final:** No movimento de retorno do joelho, retome a base da posição inicial. **Atenção:** Apoie o pé com firmeza, tocando primeiro o tornozelo com o calcanhar para não sobrecarregar os joelhos.

10 repetições, alternando os lados [*Iniciante*]

AGACHAMENTO COM BALANCEIO

Posição inicial: Com os pés paralelos e alinhados na largura dos ombros, flexione os cotovelos, feche a palma das mãos e posicione-a na altura dos ombros. **Posições de ataque e final:** Afaste as pernas, flexione os joelhos e balanceie o tronco, unindo e afastando os pés.

10 repetições completas (pernas afastadas e unidas) [*Iniciante*]

ALTERNÂNCIA DOS JOELHOS COM A PONTA DOS PÉS

Posição inicial: Com os pés paralelos e alinhados na largura dos ombros, flexione os cotovelos, feche a palma das mãos e posicione-a na altura dos ombros. **Posição de execução:** Flexione ligeiramente um dos joelhos, mantendo a postura e olhando para a frente. Eleve o outro joelho na direção do tronco. **Posição final:** Abaixe a perna, deixando a ponta do pé encostar no chão. **Atenção:** Mantenha o abdômen contraído durante todo o exercício e não movimente o joelho da perna que está apoiada no chão.

4 repetições seguidas de cada lado [*Iniciante*]

SALTITOS COM ALTERNÂNCIA DOS PÉS

Posição inicial: Eleve os braços acima da cabeça, mantendo a palma das mãos voltada para a frente. Posicione um pé à frente do outro. **Posição de execução:** Salte e mude a posição dos pés, deixando o abdômen contraído durante todo o movimento. **Posições de execução e final:** Ao mudar a posição dos pés, alterne o peso do corpo sobre as pernas sem descer o braço. **Atenção:** Não flexione o corpo e os joelhos demasiadamente.
10 repetições [*Iniciante*]

Posturas energizantes para mulheres atléticas

EXTENSÃO DO TRONCO E DOS BRAÇOS (POSTURA DO GUERREIRO I)

Posição inicial: Afaste as pernas e flexione um dos joelhos à frente em um ângulo de 90°, mantendo-o alinhado com o tornozelo. Posicione o pé da perna de trás para fora e alinhe o quadril à frente. Eleve os braços acima da cabeça com a palma das mãos voltada para dentro. **Posição de ataque:** Incline ligeiramente a cabeça para trás e aproxime as palmas das mãos. **Posições de execução e final:** Incline um pouco mais a cabeça enquanto estende simultaneamente a perna da frente. Inspire à medida que for estendendo a perna e expire quando estiver voltando à posição inicial. **Atenção:** No retorno à posição inicial, mantenha os joelhos alinhados com o calcanhar.
4 repetições seguidas com cada perna [*Iniciante*]

EXTENSÃO DAS PERNAS (POSTURA DO GUERREIRO II)

Posição inicial: Afaste as pernas e flexione um dos joelhos à frente em um ângulo de 90°, de modo que fique alinhado com o tornozelo. Posicione o pé da perna de trás para fora. Afaste os braços lateralmente, alinhando-os com os ombros e deixando a palma das mãos voltada para o chão. Mantenha a cabeça virada na direção da perna que está flexionada. **Posição final:** Estenda a perna, inspirando à medida que realiza o movimento e expirando enquanto volta à posição inicial. **Atenção:** No retorno à posição inicial, mantenha os joelhos alinhados com o calcanhar.

4 repetições seguidas com cada perna [*Iniciante*]

AGACHAMENTO ABDUZIDO, COM AS PERNAS AFASTADAS

Posição inicial: Afaste as pernas, deixando a ponta dos pés voltadas para fora. Flexione ligeiramente os joelhos, mantendo-os alinhados com os tornozelos. Eleve os braços com a palma das mãos virada para a frente. **Posição final:** Olhando para a frente, incline o quadril para trás como se fosse se sentar em uma cadeira. Ao mesmo tempo que se agacha, abaixe os braços até que estejam alinhados com os ombros, mantendo a palma das mãos voltada para o chão. Expire ao executar o movimento, sustente a posição por 5 a 6 segundos e retorne à posição inicial. **Atenção:** Mantenha o abdômen contraído e os joelhos firmes e alinhados com o calcanhar.

8 a 10 repetições [*Iniciante*]

| CAPÍTULO 14 |

A meta é o abdômen

Exercícios para desenvolver os músculos abdominais

QUANDO EU ESTAVA NA UNIVERSIDADE, tive um amigo que dizia conhecer o segredo para uma barriga de tanquinho: "Basta fazer mil abdominais por dia durante um mês."

Ele dizia isso tão naturalmente que qualquer pessoa acreditava que, se fosse disciplinada o suficiente para se concentrar nos seus abdominais durante um período do dia, acabaria criando um abdômen de pedra. A teoria do meu amigo era a de que tudo se resumia a quantidade e determinação. Ele acrescentava que o exercício abdominal faria mais do que desenvolver esses músculos – seria também uma solução para os problemas de peso, removendo sem dificuldade as consequências de anos de exageros com pizzas, batata frita e molhos gordurosos.

Sob muitos aspectos, meu amigo estava errado. Para começar, os exercícios abdominais não queimam gordura. E ninguém desenvolve os músculos da barriga fazendo os mesmos exercícios muitas vezes, sobretudo se forem os mesmos exercícios todos os dias. E mil repetições? Mas ele estava certo em um sentido: se você quiser ter músculos abdominais que a deixem mais forte, mais saudável e com melhor aparência, tem que treinar para consegui-los. E isso exige disciplina – porém não tanto quanto você pode estar imaginando.

Embora o abdômen funcione como um núcleo unificado, é mais fácil pensar nele como um centro dividido em regiões. Para desenvolver uma barriga de tanquinho, você precisa trabalhar toda essa área. As três regiões visíveis são os abdominais superiores, os abdominais inferiores e os oblíquos (os músculos nos segmentos laterais do abdômen). Mas há também diversos músculos secundários que acrescentam força aos abdominais quando são fortalecidos: os transversos e os da região lombar, que proporcionam a sustentação necessária.

Você já possui todos esses músculos, basta desenvolvê-los. É por isso que suas prioridades devem girar em torno dos dois primeiros componentes: os princípios da nutrição e os exercícios de queima de gordura. Depois que você se livrar da gordura, os abdominais poderão crescer e aparecer. Ao contrário do que dizia meu amigo, não é necessário trabalhar esses músculos todos os dias para ter uma barriga de tanquinho. Em vez disso, adote as normas a seguir para obter o melhor resultado.

Volte a se familiarizar com seus abdominais

Os músculos abdominais são muito parecidos com um grupo de funcionários eficientes. Quanto mais trabalham, mais se destacam.
Isso acontece porque eles são usados praticamente em todos os movimentos importantes – por exemplo, quando nos levantamos, corremos, pulamos ou fazemos sexo. Portanto, quanto mais fortes forem, por mais tempo você poderá se manter em ação. A seguir, um curso rápido sobre a anatomia dos abdominais.

Rectus abdominis. É o conjunto de músculos abdominais que ajuda a parte superior do corpo a se flexionar. Também contribui para uma boa postura. É nisso que as pessoas pensam quando se fala em abdominais.

Oblíquos externos. Esses músculos começam nas costelas e se estendem em diagonal para baixo, pelos lados da cintura. Eles estão envolvidos em todos os movimentos da cintura. A rotação do tronco, que é fundamental em esportes como golfe, tênis e hóquei, é acima de tudo uma função dos oblíquos externos. Até mesmo o movimento básico de flexionar o corpo, que envolve o conjunto dos músculos abdominais, não seria possível sem uma forte contração dos oblíquos externos para estabilizar o tronco.

Oblíquos internos. Ficam entre a caixa torácica e os oblíquos externos. Estendem-se também em diagonal pelos lados da cintura. Da mesma forma que os externos, os oblíquos internos participam da rotação do tronco. Usamos esses músculos quando respiramos fundo.

Abdominais transversos. Estendem-se de forma horizontal, envolvendo o abdômen. São conhecidos também como "cinta", porque funcionam como um compressor para o abdômen, mantendo tudo no lugar.

EXERCITE OS ABDOMINAIS DUAS OU TRÊS VEZES POR SEMANA. Os abdominais são como qualquer outro músculo do corpo. Desenvolvem-se quando estão em repouso, e não quando estão sendo submetidos a um esforço. Exercitá-los todos os dias não lhes dá a chance de se tornarem mais fortes. Você vai desenvolvê-los se executar os exercícios localizados duas ou três vezes por semana. Recomendo que se dedique ao circuito dos abdominais no início da sua sessão de atividade física. Se deixá-lo para o final, é provável que não faça todos os exercícios ou os execute de maneira imperfeita.

TRABALHE TODA A REGIÃO. Há cinco regiões abdominais a serem exercitadas. Em cada sessão, faça um exercício por região para garantir o trabalho em todas as áreas.

EXECUTE EXERCÍCIOS DIFERENTES. Apresento mais de 50 exercícios para os abdominais, mas basta que você escolha cinco deles em cada sessão. O importante é a variedade: mudar a rotina impede que os músculos se acomodem. Desse modo, continuarão a se desenvolver após cada exercício.

OPTE PELO CIRCUITO. Na primeira semana de atividade física, faça apenas uma série de cada exercício (10 a 15 repetições, dependendo do exercício). Na segunda e terceira semanas, realize duas séries, se quiser, mas em um circuito, a fim de executar todos os exercícios antes de repetir algum deles. Depois disso, pode passar para três circuitos. Ainda assim, o tempo gasto com o treino abdominal não deve ser superior a 5 minutos.

VÁ DEVAGAR. Cada repetição de um exercício abdominal deve durar 4 a 6 segundos. Se a fizer mais depressa, você correrá o risco de deixar que o impulso se encarregue do trabalho. Quanto mais devagar, maior a intensidade. Quanto maior a intensidade, mais forte o abdômen.

Neste capítulo, apresento mais de 50 exercícios para que você nunca se sinta entediada e trabalhe os abdominais com o máximo de eficiência possível. Lembre-se de que é essa parte da sessão de atividade física que a deixará com uma barriga definida. Pense nela como o cupom premiado no fundo da caixa de sabão em pó, como o pagamento no fim do mês, como a linha de chegada da maratona. É a motivação. É a recompensa. É o objetivo que nenhuma balança jamais poderá mostrar.

Como executar o exercício

ESCOLHA UM EXERCÍCIO de cada um dos grupos relacionados a seguir e execute-o nas repetições indicadas. Faça uma série de cada exercício e depois repita o circuito.

Atenção: Muitos desses exercícios trabalham regiões diferentes dos abdominais durante o mesmo movimento, mas foram agrupados com base na área que é o alvo principal. Estão também relacionados por níveis de dificuldade para que você possa mudá-los à medida que for se tornando mais forte. Em cada exercício, faça uma pausa no fim do movimento e volte à posição inicial. Isso conta como uma repetição, a não ser que seja indicado de outra forma.

O circuito dos abdominais

Abdominais superiores (páginas 226 a 233)

Abdominais inferiores (páginas 234 a 243)

Oblíquos (páginas 244 a 249)

Transversos (páginas 250 a 257)

Região lombar (páginas 258 a 261)

Abdominais superiores

ABDOMINAL CONVENCIONAL

Deite-se de costas olhando para o alto sem projetar a cabeça para trás. Flexione os joelhos e coloque as mãos ao lado da cabeça. Incline levemente o tronco e eleve-o devagar até que os ombros estejam fora do chão. Sustente a posição por 3 segundos e volte à posição inicial.

12-15 repetições [*Iniciante*]

ABDOMINAL COM OS PÉS LEVANTADOS

Deite-se de costas, joelhos flexionados, as mãos na nuca. Levante os pés do chão por alguns centímetros e mantenha-os assim. Faça a flexão do tronco e depois abaixe-o de volta ao chão, deixando os pés suspensos durante todo o movimento.

12-15 repetições [*Iniciante a intermediário*]

ABDOMINAL NO BANCO DECLINADO

Deite-se de costas em um banco declinado, encaixe os tornozelos sob o suporte acolchoado e posicione os dedos das mãos em concha na nuca. Levante os ombros do banco, mantendo estendida a parte inferior do corpo. Não dê o impulso com um movimento brusco. Sustente a contração por 1 segundo.

12-15 repetições [*Iniciante a intermediário*]

ABDOMINAL NA POLIA, DE COSTAS NO CHÃO

Prenda a corda no cabo da polia baixa. Deite-se no chão, a cabeça perto da polia, os joelhos flexionados, os pés plantados no chão. Mantenha as duas extremidades da corda sobre o peito, fazendo com que o encaixe da polia fique junto à nuca. Flexione o tórax na direção da pélvis, levantando os ombros do chão alguns centímetros.

12-15 repetições [*Intermediário a avançado*]

ABDOMINAL COM ANILHA

Deite-se de costas, os joelhos flexionados. Segure uma anilha ou um haltere sobre o peito e faça a flexão do tronco devagar, levantando os ombros do chão. Gradativamente, vá aumentando o peso da anilha ou do haltere.

12-15 repetições [*Intermediário a avançado*]

ABDOMINAL COM HALTERES E BRAÇOS ESTENDIDOS

Deite-se de costas, os joelhos flexionados. Segure um haltere leve em cada mão e estenda os braços para trás. Levante o tórax na direção da pélvis sem dar impulso com os braços.

12-15 repetições [*Intermediário a avançado*]

TOQUE NA PONTA DOS PÉS

Deite-se de costas, as pernas levantadas acima do quadril, os joelhos ligeiramente flexionados. Estenda os braços na direção da ponta dos pés e relaxe a cabeça e o pescoço. Use os abdominais superiores para erguer o tórax na direção da pélvis, levante os ombros do chão e estenda as mãos na direção da ponta dos pés. Faça uma pausa. Abaixe os ombros até encostá-los no chão e repita o exercício.

12-15 repetições [*Intermediário a avançado*]

ABDOMINAL SICILIANO

Encaixe os pés por baixo de dois halteres. Coloque uma toalha enrolada sob a região lombar e segure um haltere atravessado no peito. Erga a parte superior do corpo o máximo que conseguir, flexionando o tórax na direção da pélvis. No ponto mais alto do movimento, estenda os braços e levante o haltere acima da cabeça. Mantendo o peso nessa posição, leve 4 segundos para baixar o corpo até o chão.

10 repetições [*Avançado*]

Abdominais inferiores

LEVANTAMENTO DOS JOELHOS COM AS PERNAS FLEXIONADAS

Deite-se de costas, a cabeça e o pescoço relaxados, as mãos no chão (perto dos glúteos), os pés plantados no chão. Use os músculos abdominais inferiores para erguer os joelhos na direção do tórax, depois abaixe lentamente os pés, voltando à posição inicial. Repita quando os pés tocarem de leve no chão.

12 repetições [*Iniciante*]

IMPULSO DA LOMBAR

Deite-se de costas, as mãos por baixo do cóccix, as pernas levantadas e apontadas para o teto, perpendiculares ao tronco. Contraia o umbigo e flexione os glúteos, levantando o quadril alguns centímetros do chão. Depois, abaixe o quadril.

12 repetições [*Iniciante*]

LEVANTAMENTO DOS JOELHOS NA BARRA FIXA

Pendure-se em uma barra fixa, as palmas das mãos viradas para fora e um pouco mais afastadas do que a largura dos ombros. (Os pés podem tocar de leve no chão.) Levante os joelhos na direção do peito, contraindo a pélvis para cima no final. Quando for capaz de fazer 12 repetições, aumente o grau de dificuldade, mantendo as pernas estendidas em vez de flexionadas ou encaixando uma medicine ball entre os joelhos.

12 repetições [*Iniciante a intermediário*]

ABDOMINAL SENTADA

Sente-se na beirada de uma cadeira ou de um banco estável. Posicione as mãos na frente dos glúteos e segure os lados do assento. Incline-se ligeiramente para trás e estenda as pernas para baixo e para a frente, mantendo os calcanhares a uma distância de 10 a 15cm do chão. Para começar o exercício, flexione os joelhos e levante lentamente as pernas na direção do peito. Ao mesmo tempo, incline a parte superior do corpo para a frente, fazendo com que o peito se aproxime das coxas.

12 repetições [*Iniciante a intermediário*]

LEVANTAMENTO DOS JOELHOS NA DIREÇÃO DO PEITO

Deite-se de costas, os braços estendidos ao lado do corpo, a palma das mãos virada para o chão, perto dos glúteos. Pressione a região lombar contra o chão e estenda as pernas para a frente, com os calcanhares a cerca de 7cm acima do chão. Mantendo a região lombar encostada no chão, levante o joelho esquerdo na direção do peito. A perna direita deve permanecer estendida sem tocar o chão. Sustente a posição e depois estenda a perna esquerda até a posição inicial. Repita com a perna direita. Mantenha os abdominais contraídos durante o exercício.

8-12 repetições de cada lado [*Intermediário*]

ABDOMINAL DO OITO

Deite-se de costas, os joelhos flexionados em um ângulo de 90º, os pés plantados no chão. Comprima uma medicine ball leve entre os joelhos. Posicione as mãos em concha levemente na nuca e levante devagar a cabeça, os ombros e os pés do chão. Movimente os joelhos em forma de oito. Faça três repetições em uma direção, depois inverta o movimento e execute mais três repetições.

6 repetições [*Intermediário*]

TESOURA

Deite-se de costas, as pernas estendidas, os pés cerca de 30cm acima do chão. Faça o movimento de uma tesoura, passando uma perna por cima da outra.
20 repetições [*Intermediário*]

LEVANTAMENTO DOS JOELHOS NA BOLA SUÍÇA

Deite-se sobre uma bola suíça, o rosto virado para cima, o quadril mais baixo do que os ombros. Incline-se para trás e segure algo firme, que não saia do lugar, como um banco ou uma mesa. Levante as pernas flexionadas, de modo que os pés fiquem fora do chão e as partes inferiores das pernas apontem para a frente. (Para aumentar o grau de dificuldade, mantenha as pernas estendidas.) Faça um exercício-padrão de levantamento dos joelhos com as pernas flexionadas usando os abdominais e o quadril para levar os joelhos na direção do peito.

12 repetições [*Intermediário a avançado*]

ABDOMINAL INVERSO COM MEDICINE BALL

Deite-se em uma prancha inclinada, o quadril mais baixo do que a cabeça. Segure a barra por trás da cabeça para ter apoio. Flexione o quadril e os joelhos em um ângulo de 90º, encaixando uma medicine ball entre os joelhos. Comece com os glúteos encostados na prancha. Erga o quadril levando-o na direção do tórax. Flexione-o o máximo que conseguir, sem tirar os ombros da prancha. Mantenha o quadril e os joelhos em um ângulo de 90º.

12 repetições [*Intermediário a avançado*]

FLEXÃO INVERSA DAS PERNAS

Deite-se de costas, os braços cruzados sobre o peito, as pernas estendidas, os pés fora do chão. Alternadamente, leve cada joelho na direção do tórax, depois empurre a perna com força para a frente. Não deixe que os pés toquem no chão. (Se sentir algum desconforto na região lombar, tente fazer o exercício com a cabeça levantada e o queixo inclinado na direção do peito.)

10 repetições de cada lado [*Intermediário a avançado*]

Oblíquos

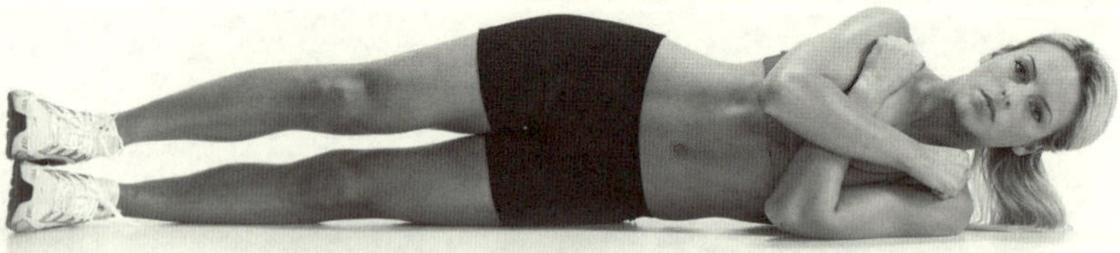

FLEXÃO LATERAL DO TRONCO, DEITADA

Deite-se de lado, o corpo em linha reta, os braços cruzados sobre o peito. Mantendo as pernas juntas, levante-as do chão ao mesmo tempo que leva o cotovelo na direção do quadril. A extensão do movimento é curta, mas deve provocar uma intensa contração dos oblíquos.

10 repetições de cada lado [*Iniciante*]

FLEXÃO LATERAL DO TRONCO, DE PÉ

Segure um par de halteres leves por cima da cabeça, alinhados aos ombros, mantendo os cotovelos ligeiramente flexionados. Com as costas retas, incline-se devagar para o lado direito o máximo possível, sem girar a parte superior do corpo. Faça uma pausa, volte à posição inicial e repita o exercício curvando-se para a esquerda.

6-10 repetições de cada lado [*Iniciante a intermediário*]

ROTAÇÃO EM VELOCIDADE

De pé, segure um haltere com as duas mãos diante do abdômen. Faça um giro de 90º para a direita e depois de 180º para a esquerda. Mantenha os abdominais contraídos e execute os movimentos com rapidez. Alterne o lado com que dá início aos exercícios.

10 repetições de cada lado [*Intermediário*]

FLEXÃO DIAGONAL DO TRONCO

De pé, com as pernas afastadas, segure um haltere com as duas mãos perto da orelha direita. Flexione os abdominais e gire o tronco para a esquerda ao mesmo tempo que estende os braços e baixa o haltere para o lado externo do joelho esquerdo. Leve o haltere de volta à posição inicial e conclua a série.
10 repetições de cada lado [*Intermediário*]

ROTAÇÃO DO TRONCO COM MEDICINE BALL

Segure uma medicine ball ou uma bola de basquete à sua frente. Sente-se com os joelhos flexionados e os pés no chão. Gire rapidamente para a direita e posicione a bola atrás das suas costas. Vire-se pela esquerda e pegue a bola. Gire pela direita e recoloque a bola no lugar. Faça o mesmo número de repetições do giro para a direita e do giro para a esquerda.

10 repetições de cada lado [*Intermediário a avançado*]

FLEXÃO LATERAL DO TRONCO, PERNAS ESTENDIDAS

Deite-se sobre o quadril esquerdo, as pernas quase retas e ligeiramente fora do chão. Erga também o tronco, mantendo o antebraço esquerdo no chão para dar apoio. Posicione a mão direita na nuca, com o cotovelo apontado na direção dos pés. Levante as pernas na direção do tronco, mantendo-o imóvel. Faça uma pausa para sentir a contração no lado direito da cintura. Abaixe lentamente as pernas. Complete a série nesse lado, depois passe para o quadril direito, fazendo o mesmo número de repetições.

10 repetições de cada lado [*Intermediário a avançado*]

Transversos

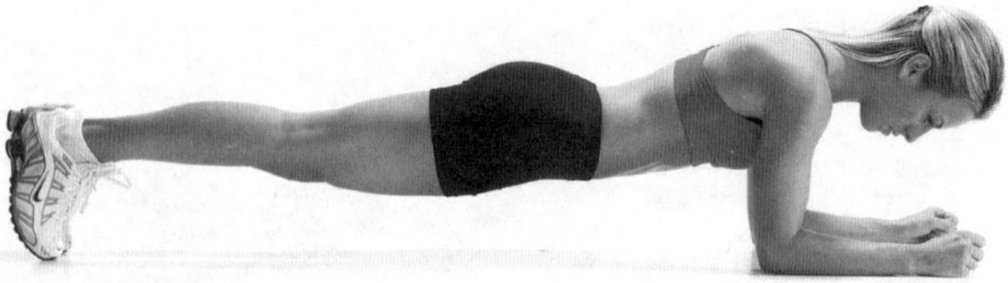

PONTE

Comece em uma posição de flexão, mas dobre os cotovelos e apoie o peso nos antebraços, e não nas mãos. O corpo deve formar uma linha reta dos ombros aos tornozelos. Contraia os abdominais – imagine que está tentando empurrar o umbigo na direção da coluna. Sustente a posição por 20 segundos, com a respiração estável. Quando tiver adquirido resistência, você poderá fazer uma série de 60 segundos.

1-2 repetições [*Iniciante a intermediário*]

PONTE LATERAL

Deite-se no seu lado não dominante. Sustente o peso do corpo com o antebraço e a parte externa do pé. O corpo deve formar uma linha reta da cabeça aos tornozelos. Contraia os abdominais o máximo que puder e mantenha a posição por 10 a 30 segundos, com a respiração estável. Relaxe. Se conseguir chegar a 30 segundos, repita o exercício. Caso contrário, tente qualquer combinação de repetições que some 30 segundos. Execute o exercício no outro lado.

1-2 repetições de cada lado [*Iniciante a intermediário*]

PONTE DE DOIS PONTOS

Assuma a posição de flexão. Erga o braço direito e a perna esquerda ao mesmo tempo. Mantenha-se assim por 3 a 5 segundos. Isso é uma repetição. Retorne à posição inicial e agora faça o exercício levantando o braço esquerdo e a perna direita.

6-10 repetições de cada lado [*Intermediário*]

ABDOMINAL NEGATIVO

Sente-se com os joelhos flexionados, os pés plantados no chão e afastados na largura dos ombros. Estenda os braços com os dedos entrelaçados, a palma das mãos virada para os joelhos. Comece com a parte superior do corpo em um ângulo um pouco inferior a 90º em relação ao chão. Abaixe o corpo na direção do chão, curvando o tronco para a frente, arredondando a região lombar e mantendo os abdominais contraídos. Quando tiver alcançado um ângulo de 45º, retorne à posição inicial. (Atenção: talvez você precise encaixar os pés sob halteres para ajudar a manter o equilíbrio durante o exercício.)
10 repetições [*Intermediário*]

PONTE COM BOLA SUÍÇA

Apoie os antebraços na bola e a ponta dos pés no chão, com o corpo em linha reta. Contraia o abdômen, puxando o umbigo para a coluna. Sustente a posição por 20 segundos, com a respiração estável. Quando tiver adquirido resistência, você poderá fazer uma série de 60 segundos.

1-2 repetições [*Intermediário a avançado*]

FLEXÕES COM BOLA SUÍÇA

Assuma a posição de flexão – as mãos um pouco mais afastadas do que a largura dos ombros, mas alinhadas a eles. Em vez de colocar os pés no chão, apoie a parte inferior das pernas na bola. Com os braços estendidos e as costas na horizontal, o corpo deve estar em linha reta dos ombros aos tornozelos. Role a bola na direção do peito. Faça uma pausa e depois estenda as pernas para trás, rolando a bola e levando-a até posição inicial.

5-10 repetições [*Intermediário a avançado*]

FLEXÃO DO TRONCO COM TOALHA

Ajoelhe-se em uma toalha ou em um tapete de banheiro sobre um piso de ladrilho ou de madeira. Coloque outra toalha no chão, à sua frente, e posicione as mãos em cima dela. Deslize-a pelo chão até o corpo ficar completamente estendido, dando a impressão de que está na posição de mergulho. Volte devagar à posição inicial.

5-10 repetições [*Avançado*]

ROLAGEM DO TRONCO PARA A FRENTE

Encaixe um par de anilhas de 2kg em uma barra. Ajoelhe-se em um colchonete de exercício ou em uma toalha, com os ombros diretamente por cima da barra. Segure-a com as palmas das mãos viradas para baixo e afastadas na largura dos ombros. Comece com as costas ligeiramente encurvadas para que possa estendê-las à medida que for executando o movimento. Role a barra para a frente, mantendo os joelhos no lugar enquanto o quadril, o tronco e os braços projetam-se para a frente. Com os braços sempre estendidos, avance o máximo que puder sem arquear as costas e tocando o chão apenas com os joelhos. Faça uma pausa de uma fração de segundo e volte à posição inicial.
5-10 repetições [*Avançado*]

Região lombar

EXTENSÃO DA LOMBAR

Em um aparelho de extensão da região lombar, encaixe os pés sob o suporte acolchoado. Mantenha os braços estendidos à frente. O corpo deve formar uma linha reta das mãos ao quadril. Abaixe o tronco, curvando a região lombar até uma posição quase perpendicular ao chão. Levante a parte superior do corpo até que ela fique um pouco mais do que paralela ao chão. Nesse ponto, as costas devem estar levemente arqueadas, com os ombros contraídos. Faça uma pausa e repita o exercício.

12-15 repetições [*Iniciante a intermediário*]

EXTENSÃO DA LOMBAR COM ROTAÇÃO ALTERNADA

Em um aparelho de extensão da região lombar, encaixe os pés sob o suporte acolchoado. Posicione os dedos na nuca. Abaixe a parte superior do corpo, deixando que a parte inferior se curve até ficar quase perpendicular ao chão. Levante a parte superior do corpo e gire até que ela fique virada para a direita e um pouco acima de uma posição paralela ao chão. Faça uma pausa, abaixe o tronco e repita, agora com a flexão para a esquerda.

12-15 repetições [*Intermediário*]

EXTENSÃO DA LOMBAR NA BOLA SUÍÇA

Deite-se de barriga para baixo sobre uma bola suíça com o quadril comprimido contra a bola e o tronco curvado. Posicione os antebraços paralelos ao corpo e flexione os cotovelos em um ângulo de 90º, de modo que os dedos apontem para a frente e os cotovelos para trás. Estenda lentamente as costas até que o peito se afaste da bola, estenda os braços para a frente e sustente a posição. Puxe os braços para trás enquanto o tronco se curva de volta para a bola.

12-15 repetições [*Intermediário*]

ROTAÇÃO ALTERNADA DO TRONCO

Deite-se de costas, os joelhos flexionados, os pés plantados no chão. Encoste a região lombar no chão. Flexione os abdominais, levando o tronco à frente e levantando os ombros o máximo que conseguir. Mantendo o peito elevado, dê uma braçada para trás, com um braço de cada vez, permitindo que o tronco vire na direção do braço que está sendo estendido para trás. Faça cinco repetições de 45 segundos cada uma, alternando os braços. Quanto mais alto você levantar o peito do chão, melhor será o exercício. Acrescente halteres leves quando o movimento se tornar muito fácil.

1-5 repetições [*Intermediário a avançado*]

Bônus! Os 18 exercícios acima da cintura que poupam tempo

Está querendo encurtar ainda mais a sua sessão de exercícios ao mesmo tempo que elimina a gordura da cintura? Os 18 exercícios restantes do Programa trabalham várias áreas do abdômen simultaneamente. Use qualquer uma das seguintes substituições para cobrir duas ou três delas com um único exercício. Desse modo, reduzirá a carga original de cinco exercícios.

FLEXÃO DO TRONCO COM ROTAÇÃO LATERAL

Para os abdominais superiores e oblíquos

Deite-se de costas, os joelhos flexionados, as mãos na nuca. Flexione o tronco, afastando os ombros do chão. Gire a cintura para a esquerda, com a axila esquerda apontando para o quadril direito. Estenda o tronco e depois gire para a direita.

8 repetições de cada lado [*Iniciante*]

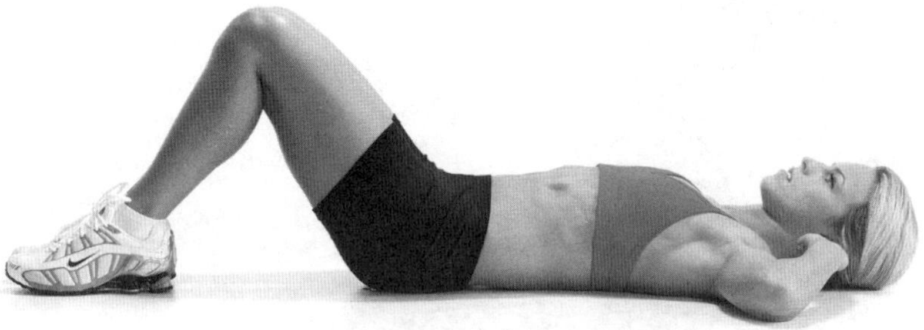

ABDOMINAL COM UM SÓ JOELHO APOIADO

Para os abdominais superiores e inferiores

Deite-se de costas, o quadril em um ângulo de 90º, os pés plantados no chão. Encoste os dedos na nuca, mantendo os cotovelos flexionados. Levante a cabeça, os ombros e os glúteos do chão ao mesmo tempo que leva o joelho direito na direção do peito. Abaixe o tronco e a perna. Repita o exercício, agora erguendo o joelho esquerdo.

10 repetições de cada lado [*Iniciante a intermediário*]

ABDOMINAL COM ROTAÇÃO E TORNOZELOS CRUZADOS

Para os abdominais superiores e os oblíquos

Deite-se de costas no chão, as mãos em concha na nuca, os cotovelos projetados para fora. Cruze os tornozelos com os joelhos ligeiramente flexionados. Levante as pernas até que as coxas estejam perpendiculares ao corpo. Erga o ombro direito do chão enquanto leva o cotovelo direito na direção do joelho esquerdo. Volte à posição inicial e repita, começando com o ombro esquerdo – agora levando o cotovelo esquerdo na direção do joelho direito.

8 repetições de cada lado [*Iniciante a intermediário*]

ABDOMINAL COM BASTÃO

Para os abdominais superiores e inferiores

Deite-se de costas, os pés plantados no chão, os joelhos ligeiramente flexionados. Segure um bastão por trás da cabeça com os braços estendidos acima do chão. Flexione o tronco ao mesmo tempo que levanta os joelhos, de modo que o bastão fique além deles. Faça uma pausa e volte à posição inicial.
12 repetições [*Intermediário*]

BICICLETA

Para os abdominais superiores e inferiores

Deite-se de costas, os joelhos flexionados em um ângulo de 90º, as mãos na nuca. Impulsione as pernas para trás e para a frente, como se estivesse andando de bicicleta, enquanto vira o corpo de um lado para o outro, movendo a axila (e não o cotovelo) na direção do joelho oposto.

20 repetições [*Intermediário*]

ABDOMINAL UNILATERAL COM PESO

Para os abdominais superiores e os oblíquos

Deite-se de costas, os joelhos flexionados, os pés plantados no chão. Segure um haltere junto do ombro esquerdo com as duas mãos. Flexione o tronco e vire-se para a esquerda. Abaixe o tronco e termine a série. Repita posicionando o haltere junto do ombro direito. (Atenção: talvez você precise encaixar os pés sob halteres para ajudar a manter o equilíbrio durante o exercício.)

8 repetições de cada lado [*Intermediário*]

LEVANTAMENTO OBLÍQUO DAS PERNAS NA BARRA FIXA

Para os abdominais inferiores e os oblíquos

Segure uma barra fixa com a palma das mãos virada para fora e pendure-se nela com os braços estendidos e os joelhos flexionados. Mantendo os joelhos nessa posição, levante o quadril direito na direção da axila esquerda até que as partes inferiores das pernas estejam quase paralelas ao chão. Faça uma pausa, volte à posição inicial e erga o quadril esquerdo na direção da axila direita.

10 repetições de cada lado [*Intermediário*]

LEVANTAMENTO ALTERNADO DOS JOELHOS NA BARRA FIXA

Para os abdominais inferiores e os oblíquos

Com os braços e as pernas completamente estendidos, segure uma barra fixa com as palmas das mãos viradas para fora e afastadas um pouco mais do que a largura dos ombros. Os pés devem tocar de leve no chão. Sem se balançar para tomar impulso, levante o joelho direito na direção do ombro esquerdo o máximo que conseguir, fazendo força com os abdominais. Para ajudar, projete a pélvis ligeiramente para a frente, mas não se balance. Faça uma pausa e volte à posição inicial. Repita com a perna esquerda, erguendo-a na direção do ombro direito.

8-12 repetições de cada lado [*Intermediário*]

ABDOMINAL NA POLIA, AJOELHADA

Para os abdominais superiores e os oblíquos

Prenda a corda no cabo da polia alta. Ajoelhe-se de frente para o aparelho e segure as extremidades da corda com as palmas das mãos viradas uma para a outra. Mantenha os dois segmentos da corda junto ao rosto e os cotovelos flexionados. Incline-se para a frente na altura da cintura, curvando as costas e baixando o peito na direção da pélvis. Pare quando sentir uma contração nos músculos abdominais. Retorne à posição inicial e repita o movimento, agora baixando o peito na direção do joelho direito. Pare quando sentir uma contração nos oblíquos direitos. Volte à posição inicial e repita o movimento para o lado esquerdo. Toda essa sequência equivale a uma repetição.

8 repetições [*Intermediário a avançado*]

ROTAÇÃO RUSSA

Para os abdominais superiores e os oblíquos

Sente-se com os joelhos flexionados e os pés plantados no chão. Estenda os braços na frente do peito, com a palma das mãos virada para baixo. Incline-se para trás, posicionando o tronco em um ângulo de 45º em relação ao chão. Vire-se para a direita o máximo que conseguir, faça uma pausa, reverta o movimento e vire-se para a esquerda o quanto puder. Quando tiver adquirido força, execute o movimento segurando um peso leve nas mãos. (Atenção: talvez você precise encaixar os pés sob um haltere para ajudar a manter o equilíbrio durante o exercício.)

10 repetições de cada lado [*Intermediário a avançado*]

TOQUE NA PONTA DOS PÉS EM V

Para os abdominais superiores e os oblíquos

Deite-se de costas, com as pernas estendidas para cima, em V, sem travar os joelhos. Eleve os braços na direção do teto. Levante os ombros e estenda as duas mãos na direção do pé direito. Faça uma pausa concentrando-se nos abdominais e volte à posição inicial. Repita o exercício, agora estendendo as mãos na direção do pé esquerdo. Quando abaixar o tronco, não faça pausa.

12-15 repetições [*Intermediário para avançado*]

ROTAÇÃO NO ALTO SEM APOIO DA COLUNA (SACA-ROLHAS)

Para os abdominais inferiores e os oblíquos

Deite-se de costas, as pernas erguidas acima do quadril, os joelhos ligeiramente flexionados. Estenda os braços ao lado do corpo com a palma virada para baixo. Use os abdominais inferiores para levantar o quadril do chão, na direção do tórax, enquanto ergue o quadril em linha reta na direção do teto. Ao mesmo tempo, gire-o para a direita, no movimento do saca-rolhas. Mantenha-se assim por um instante, depois volte à posição inicial. Repita, girando para a esquerda.

10 repetições [*Intermediário para avançado*]

BICICLETA COM A PERNA ESTENDIDA

Para os abdominais superiores e inferiores

Deite-se de costas, flexione o quadril e os joelhos em um ângulo de 90º, deixando os pés suspensos. Coloque as mãos na nuca e faça um abdominal, levantando a cabeça e os ombros do chão, ao mesmo tempo que leva a perna direita na direção do peito. Abaixe o tronco enquanto estende a perna direita, mantendo-a a poucos centímetros do chão. Repita, agora levantando o joelho esquerdo enquanto faz o abdominal. Alterne da direita para a esquerda durante o exercício.

10 repetições de cada lado [*Avançado*]

MOVIMENTO LATERAL COM MEDICINE BALL NO BANCO DECLINADO

Para os abdominais superiores e os oblíquos

Ajuste um banco de abdominal em um ângulo de 45°. Deite-se e encaixe os pés sob os suportes acolchoados. Segure uma medicine ball ou uma anilha sobre o peito. Ao se erguer, vire-se para a esquerda e estenda os braços como se fosse arremessar a bola ou a anilha. Puxe-a de volta para o peito enquanto realinha o tronco. Retorne à posição inicial. Repita executando o movimento para a direita.

5 repetições de cada lado [*Avançado*]

FLEXÃO LATERAL DO QUADRIL COM MEDICINE BALL

Para os abdominais inferiores e os oblíquos

Deite-se de costas, as mãos na nuca, o quadril e os joelhos flexionados, os pés plantados no chão. Encaixe uma medicine ball entre os joelhos. Mantenha a região lombar no chão durante o exercício. Contraia os abdominais e leve os joelhos na direção do peito. Abaixe os joelhos para a esquerda, leve-os de volta para o centro e retorne à posição inicial. Repita o exercício, agora baixando os joelhos para a direita. Alterne os lados em cada repetição.

12 repetições [*Avançado*]

FLEXÃO DO TRONCO COM MEDICINE BALL ENTRE OS JOELHOS

Para os abdominais superiores e inferiores

Deite-se de costas, o quadril e os joelhos flexionados, os pés plantados no chão. Posicione as mãos de leve sobre o abdômen. Encaixe uma medicine ball entre os joelhos. Expire enquanto tira os ombros do chão e levanta os joelhos na direção do peito. Segure a medicine ball com as duas mãos e coloque-a sobre o peito enquanto inspira e leva os ombros e as pernas de volta à posição inicial. Recoloque a bola entre os joelhos para a próxima repetição e siga alternando as posições durante todo o exercício.

12 repetições [*Avançado*]

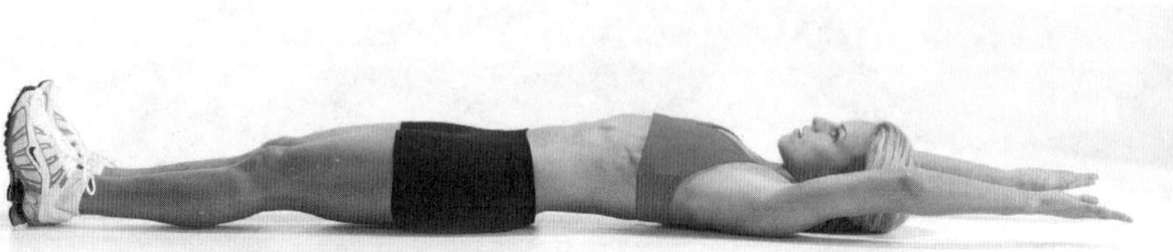

LEVANTAMENTO EM V

Para os abdominais superiores e inferiores

Deite-se de costas, as pernas e os braços estendidos. Mantendo os joelhos e cotovelos retos, levante ao mesmo tempo as pernas e a parte superior do corpo. Tente tocar a ponta dos pés com os dedos.

5-10 repetições [*Avançado*]

ABDOMINAL DUPLO CRUZADO

Para os abdominais superiores, inferiores e oblíquos

Parta da seguinte posição inicial: deitada de costas, os joelhos flexionados, os pés plantados no chão, a cabeça e o pescoço relaxados, as mãos na nuca. Use os abdominais inferiores para erguer os joelhos e cruzá-los na direção do ombro direito enquanto usa os abdominais superiores para elevar o ombro direito e cruzá-lo na direção do joelho esquerdo. Faça uma pausa e leve as pernas e o tronco de volta à posição inicial. Repita o movimento para o outro lado.

10 repetições para cada lado [*Avançado*]

| SEÇÃO BÔNUS ESPECIAL |

O segredo para ter pernas definidas

EXERCÍCIOS DO PROGRAMA DA DIETA DO ABDÔMEN PARA TONIFICAR E MODELAR A PARTE INFERIOR DO CORPO

COMO VOCÊ JÁ SABE, A CONQUISTA de um abdômen definido não depende apenas de exercícios que trabalhem e fortaleçam o tronco. É necessário exercitar todo o corpo para desenvolver massa muscular, que é o elemento fundamental que a ajudará a queimar gordura. E o melhor queimador de gordura entre todos são os músculos das pernas. Como eles são muito grandes, você se livrará de uma boa quantidade de gordura ao desenvolvê-los. Bônus especial: pernas mais tonificadas e firmes. E que mulher não quer ter nádegas, coxas e panturrilhas mais rijas e modeladas? Veja algumas variações que você poderá fazer, substituindo ou acrescentando exercícios ao Circuito da Dieta do Abdômen.

Alongue-se

Se os músculos posteriores das suas pernas e das suas costas estiverem sempre contraídos, é provável que você desenvolva o hábito de se inclinar para trás para aliviar a pressão. Isso pode projetar seu estômago para a frente, fazendo com que você pareça barriguda. Uma forma de amenizar esse problema e também de manter o abdômen contraído é alongar esses músculos algumas vezes por semana. Veja a seguir um exercício rápido e fácil de fazer.

Sente-se no chão com uma das pernas estendida à frente e a ponta do pé contraída. Flexione a outra perna, encostando o pé na parte interna da coxa que está estendida, próximo à virilha. Mantenha o joelho flexionado a poucos centímetros do chão. Leve lentamente o braço na direção da perna que está estendida, alongando os músculos posteriores da coxa. Sustente essa posição por 30 segundos e volte à posição inicial. Repita 2 vezes. Troque de lado e execute toda a sequência. O objetivo desse alongamento é fazer com que, ao longo dos treinos semanais, você consiga tocar o tornozelo e progrida até alcançar o pé.

Passada

A passada é o mais completo exercício para a parte inferior do corpo – trabalha as coxas, a musculatura posterior das pernas, os glúteos, além dos abdominais e de toda a região do tronco. É desses músculos que necessitamos para nos estabilizar quando nos equilibramos em uma perna. Para tornar seu treinamento mais variado, execute os exercícios apresentados a seguir em lugar do agachamento e do agachamento a fundo do Circuito da Dieta do Abdômen.

PASSADA COM REMADA ALTA

Fortalece pernas, ombros e trapézio

Segure um haltere em cada mão, deixando os braços estendidos à frente, com a palma das mãos voltada para a frente do corpo. Avance com uma das pernas, flexione o joelho em um ângulo de 90º e eleve as mãos até que os cotovelos estejam alinhados com os ombros. Desça os braços ao mesmo tempo que retorna à posição inicial. **Atenção:** O joelho não deve ultrapassar a linha dos pés. **10 repetições alternando os lados** [*Intermediário a avançado*]

PASSADA UNILATERAL NA MEIA BOLA MULTIFUNCIONAL

Fortalece pernas e glúteos

Com os pés paralelos e afastados na largura dos ombros, posicione-se em frente a uma meia bola multifuncional (ou a um step). Apoie um dos pés no centro da meia bola, colocando a força de execução no calcanhar, sem deixar que o joelho ultrapasse a linha do pé. Flexione os joelhos em um ângulo de 90°. Suba e desça, finalizando com uma leve elevação do joelho da perna de trás. **Atenção:** Mantenha o abdômen contraído durante todo o exercício.

5 ou 6 repetições seguidas de cada lado [*Intermediário a avançado*]

PASSADA COM FLEXÃO DOS BRAÇOS E EXTENSÃO DE PERNA

Fortalece pernas, glúteos e bíceps

Segure um haltere em cada mão deixando os braços estendidos ao lado do tronco, com a palma das mãos voltada para a frente e o abdômen contraído. Afaste uma das pernas para trás e flexione os dois joelhos em um ângulo de 90°. Suba estendendo a perna de trás à sua frente ao mesmo tempo que flexiona os braços na direção dos ombros, mantendo o punho firme.

Atenção: Mantenha os cotovelos próximos ao tronco sem permitir que se desloquem para trás. No fim do movimento, deixe o joelho da perna de base semiflexionado para não se desequilibrar.

5 ou 6 repetições seguidas de cada lado [*Intermediário a avançado*]

PASSADA COM DESENVOLVIMENTO DE OMBROS

Fortalece pernas, glúteos, abdômen e ombros

Segure uma barra leve ou dois halteres com a palma das mãos voltada para a frente, os braços elevados acima da cabeça e as pernas paralelas e afastadas na largura dos quadris..Com o abdômen contraído para estabilizar o tronco, faça uma passada à frente, mantendo os braços elevados, sem inclinar o joelho e o tronco. Alterne a passada, mantendo os dois joelhos em um ângulo de 90° e alinhando o joelho da frente com o tornozelo. **Atenção:** Coloque a força de execução no calcanhar da perna da frente.

10 repetições [*Intermediário*]

PASSADA COM ELEVAÇÃO DOS JOELHOS E DOS BRAÇOS UTILIZANDO A BOLA

Fortalece pernas, ombros, peito e tríceps

Segure uma bola pequena com os braços estendidos na altura dos ombros, mantendo o abdômen contraído para estabilizar o tronco. Inicie a passada flexionando uma das pernas para trás em um ângulo de 90º. Eleve o joelho da perna de trás à frente do corpo em um ângulo de 90º enquanto ergue os braços acima da cabeça. Faça uma pausa e retorne à posição inicial flexionando a mesma perna para trás. **Atenção:** Pressione levemente a bola durante a execução do exercício.

5 ou 6 repetições seguidas de cada lado [*Intermediário*]

Variações para ter pernas definidas

A maioria dos exercícios básicos pode ser ajustada para desafiar seu corpo ainda mais. Faça isso à medida que for adquirindo mais força e condicionamento físico. Nos três exercícios apresentados a seguir, use o nível 1 como base. Quando já estiver conseguindo executá-los muito bem, varie passando para os níveis 2 (páginas 289 a 291) e 3 (páginas 292 a 294). Realize-os no lugar dos agachamentos e steps do circuito da Dieta do Abdômen.

MOVIMENTOS DO NÍVEL 1

AGACHAMENTO COM BARRA

Segure a barra (no caso dos iniciantes, um cabo de vassoura) com a palma das mãos virada para a frente e os cotovelos voltados para baixo. Posicione-a sobre os ombros (e não sobre o pescoço). Mantenha os pés paralelos e afastados na largura dos quadris. Olhe para a frente e mantenha a coluna lombar em seu alinhamento natural. Desça flexionando os joelhos enquanto inclina levemente o tronco à frente e projeta o quadril para trás como se estivesse se sentando em uma cadeira. Não deixe que os joelhos ultrapassem a linha dos pés e coloque a força de execução nos calcanhares. Interrompa o agachamento antes que as coxas fiquem paralelas ao chão. Faça uma pausa e expire à medida que retorna à posição inicial.
10 repetições [*Intermediário*]

PASSADA UNILATERAL

Com as mãos na cintura, mantenha as pernas paralelas e afastadas na largura dos quadris. Olhe para a frente e permaneça com o abdômen contraído. Inspire à medida que avança com uma das pernas, flexionando os dois joelhos em um ângulo de 90°. Faça uma pausa e expire ao retornar à posição inicial.
Atenção: Retorne à posição sem inclinar o tronco à frente e não deixe que os joelhos ultrapassem a linha dos pés. Coloque a força de execução no calcanhar da perna da frente.
5 ou 6 repetições seguidas com cada perna [*Intermediário*]

AGACHAMENTO COM DESLOCAMENTO LATERAL

Com os braços estendidos ao lado do tronco, mantenha as pernas paralelas e afastadas na largura dos quadris. Olhe para a frente e permaneça com o abdômen contraído. Afaste uma das pernas para o lado flexionando os joelhos, como se fosse se sentar em uma cadeira, ao mesmo tempo que estende os braços à frente na altura e na largura dos ombros, com a palma das mãos voltada para o chão. Interrompa o agachamento antes que as coxas fiquem paralelas ao chão. Faça uma pausa e expire à medida que traz a perna afastada de volta à posição inicial. **Atenção:** Não deixe que os joelhos ultrapassem a linha dos pés. Ao se agachar, coloque o peso do corpo no calcanhar da perna de apoio.

5 ou 6 repetições seguidas com cada perna afastada [*Intermediário*]

MOVIMENTOS DO NÍVEL 2

AGACHAMENTO ABDUZIDO

Afaste as pernas em uma distância maior do que a dos ombros. Posicione a ponta dos pés para fora e alinhe os joelhos com os calcanhares. Com o abdômen contraído, segure um haltere com as duas mãos pela extremidade, posicionando-o para baixo à frente do tronco. Abaixe o quadril flexionando os joelhos sem estender exageradamente a coluna lombar e interrrompa o agachamento antes que as coxas fiquem paralelas ao chão. Faça uma pausa e expire enquanto volta à posição inicial. **Atenção:** Não deixe que os joelhos ultrapassem a linha dos pés. Ao se agachar, coloque a força de execução nos calcanhares.

12 repetições [*Avançado*]

PASSADA COM ELEVAÇÃO DOS JOELHOS UTILIZANDO HALTERES

Segurando um haltere em cada mão, estenda os braços ao lado do tronco. Afaste uma das pernas para trás e flexione ambos os joelhos em um ângulo de 90º. Olhe para a frente e mantenha o abdômen contraído. Ao trazer de volta a perna de trás, eleve o joelho na direção do tronco e retorne à posição inicial.
Atenção: Mantenha a força de execução no calcanhar da perna da frente, deixando o joelho semiflexionado.
5 ou 6 repetições seguidas com cada perna [*Avançado*]

AGACHAMENTO COM DESLOCAMENTO LATERAL E ELEVAÇÃO DE JOELHO

Segurando um haltere em cada mão, estenda os braços ao lado do tronco e mantenha os pés paralelos. Contraia o abdômen, deixe o tronco reto e olhe para a frente. Junte os braços à frente do corpo para manter o equilíbrio. Deslize uma das pernas para o lado e desça o quadril flexionando o joelho da outra perna. Finalize o movimento antes que a perna flexionada atinja um ângulo de 90°. Eleve a perna que está flexionada posicionando o joelho à frente do tronco enquanto reconduz os braços à posição inicial. Faça uma pausa mantendo o peso do corpo sobre o calcanhar da perna que está estendida e retorne à posição inicial. **Atenção:** Não deixe que os joelhos ultrapassem a linha dos pés.

5 ou 6 repetições com cada perna [*Avançado*]

MOVIMENTOS DO NÍVEL 3

AGACHAMENTO UNILATERAL

Segure um haltere em cada mão, estenda os braços ao lado do tronco, mantendo os pés paralelos e afastados na largura dos quadris. Deixando o peso do corpo sobre um dos calcanhares, eleve a outra perna, fazendo com que apenas a ponta do pé toque levemente o chão para manter o equilíbrio. Enquanto inspira, flexione o joelho da perna que está apoiada e incline levemente o tronco descendo o quadril como se fosse se sentar em uma cadeira. Faça uma pausa e expire enquanto retorna à posição inicial. **Atenção:** Execute o movimento de forma lenta, com o abdômen contraído e sem deixar que o joelho da perna de apoio ultrapasse a linha dos pés.

5 ou 6 repetições com cada perna [*Avançado*]

PASSADA FRONTAL COM SALTO

Com os braços estendidos ao lado do tronco, avance com uma das pernas e flexione os dois joelhos em um ângulo de 90°. Mantenha o abdômen contraído e olhe para a frente sem inclinar o tronco. Faça uma pausa, traga de volta a perna de trás e dê um salto. Finalize juntando os pés sem perder o equilíbrio. **Atenção:** Coloque a força de execução no calcanhar da perna da frente, mantendo a postura ereta e o abdômen contraído, sem estender completamente os joelhos.

5 ou 6 repetições com cada perna [*Avançado*]

AGACHAMENTO ABDUZIDO, COM SALTO

Afaste as pernas em uma distância maior do que a dos ombros, com a ponta dos pés para fora na diagonal. Posicione os braços entre as pernas no centro do tronco. Sem projetar o tronco para a frente, abaixe o quadril flexionando os joelhos como se estivesse se sentando em uma cadeira. Interrrompa o agachamento antes que as coxas fiquem paralelas ao chão. Faça uma pausa e salte com uma das pernas, aproximando-as enquanto flexiona os braços em direção ao tórax. Termine o movimento com as pernas juntas, mantendo o equilíbrio e a postura.

5 ou 6 repetições com cada perna [*Avançado*]

O exercício de um só movimento

Está com muita pressa hoje? Ainda assim, faça no mínimo um exercício que trabalha os principais grupamentos musculares simultaneamente, como o movimento apresentado a seguir. Dessa forma, você queimará mais calorias por repetição e resistência, fortalecerá toda a região do tronco, adquirindo mais equilíbrio e estabilidade e diminuindo a chance de sofrer lesões na região lombar.

- **Atenção:** Se você tem dores na coluna lombar, não realize esse movimento, que exige um grau avançado de execução. Varie o exercício de acordo com a frequência do seu treino, sua disciplina e seu condicionamento físico. Avalie sua força muscular antes de adotar as mudanças sugeridas a seguir.
- **Acelere.** Acelerando o ritmo, você fará com que o tronco se esforce mais para estabilizar o corpo quando se agachar, girar e subir.
- **Amplie a extensão dos movimentos.** Girando mais o tronco e posicionando o haltere mais longe do ombro, você aumentará mais a amplitude do movimento.
- **Aumente a carga.** Um peso maior corresponde a mais esforço, porém tenha cuidado. Progrida aos poucos e com cautela respeitando seu condicionamento físico e muscular.

Segure um haltere com as duas mãos à frente do tronco e eleve-o acima da cabeça, sobre um dos ombros, ao mesmo tempo que faz a rotação do tronco. Abaixe-se descendo o haltere e girando o tronco no sentido oposto enquanto flexiona os joelhos. Execute os dois movimentos completando uma sequência.
10 repetições seguidas de cada lado [*Avançado*]

| CAPÍTULO 15 |

A Dieta do Abdômen e seus hormônios

COMO O PROGRAMA PODE TRABALHAR COM OS CICLOS NATURAIS DO SEU CORPO

DIGA A PALAVRA *HORMÔNIO* NA FRENTE de um homem e a única coisa em que ele conseguirá pensar é na próxima oportunidade que terá de satisfazer os seus. Mas pronuncie essa palavra na frente de uma mulher e ela entenderá a complexidade, as nuances e o poder que seus hormônios têm. Eles controlam seu humor e sua função reprodutiva e podem decidir se ela queimará ou armazenará gordura.

Embora muitas vezes pareçam um cão feroz em um açougue, os hormônios podem ser mantidos sob controle, desde que você saiba o que fazer. Pesquisas revelam que existem muitos meios de garantir seu funcionamento normal, ainda que se trate das quedas naturais nos níveis de estrogênio por causa do processo de envelhecimento ou de distúrbios no hormônio da tireoide, que dificultam a queima de gordura. Essas estratégias ajudarão você a regular as flutuações nos níveis hormonais enquanto adota a Dieta do Abdômen como seu novo estilo de vida.

Vença a tensão pré-menstrual (TPM)

Remédios que podem ser comprados sem receita não são a única ajuda para aliviar as cólicas, o mau humor e a fome que surgem com as oscilações nos níveis de estrogênio e progesterona no período pré-menstrual. Experimente adotar as sugestões listadas a seguir – são mudanças fáceis no estilo de vida que podem diminuir alguns desses problemas cíclicos.

- Concentre-se ainda mais do que o habitual em ingerir proteína e fibras para manter o nível de açúcar no sangue constante, diminuir a velocidade de digestão e resistir à vontade de comer demais. Os melhores alimentos são grãos integrais, frutas e hortaliças.

- Um estudo da Universidade de Massachusetts, em Amherst, revelou que o alto consumo de cálcio e vitamina D diminui a intensidade dos sintomas da TPM, além de evitar seu desenvolvimento inicial. De acordo com essa pesquisa, mulheres que comeram ou beberam cerca de 1.200mg de cálcio e 400UI de vitamina D todos os dias corriam um risco significativamente menor de apresentar TPM. Isso equivale a quatro porções diárias de leite desnatado ou semidesnatado, outros laticínios semidesnatados como iogurte, ou suco de laranja fortificado com minerais.
- Tome um café da manhã perfeito, combinando vitamina B_6 com magnésio (ambos encontrados no salmão e no abacate), dois nutrientes que comprovadamente aliviam as variações de humor. Essa refeição mágica inclui também queijo, que ajuda na reposição dos níveis de vitamina D e de cálcio, que podem baixar durante a menstruação. Além disso, contém fibras: está provado que uma dieta rica nesses itens atenua os sintomas da TPM por eliminar o excesso de estrogênio. E o melhor, apresenta três Alimentos Poderosos. Veja a receita a seguir:

2 fatias de pão integral, torradas
1 colher de sopa de *cream cheese* light
1/4 de 1 abacate
30g de salmão defumado
Pimenta-do-reino moída na hora
1 pequena porção de brotos de alfafa ou de espinafre fresco

Espalhe o cream cheese *sobre uma das fatias do pão integral e acrescente o abacate e o peixe. Adicione a pimenta-do-reino, os brotos e feche o sanduíche com a outra fatia de pão.*

- Você pode reduzir as enxaquecas e dores de cabeça durante o período menstrual que estão associadas a quedas nos níveis de estrogênio eliminando alimentos que tendem a desencadeá-las. Os itens mais comuns são queijos envelhecidos, carnes processadas contendo nitratos, chocolate, cafeína em excesso, álcool (sobretudo vinho tinto), alimentos cítricos, banana, aspartame e glutamato monossódico. Exercícios físicos e meditação também parecem ajudar a diminuir o risco de enxaqueca, em parte porque abrandam o estresse (um dos fatores que provocam esse problema).

- Uma posição da ioga que trabalha a região pélvica pode aliviar o inchaço e as cólicas. É a chamada Postura Reclinada. Sente-se no chão e coloque um travesseiro comprido ou um cobertor enrolado atrás de você. Apoie o fim da coluna (região sacra) na ponta do travesseiro. Flexione as pernas e junte a sola dos pés. Deite-se sobre o travesseiro e deixe que os joelhos e as coxas relaxem, pendendo para os lados. Mantenha-se nessa posição por 5 a 10 minutos e respire profundamente.
- Um estudo revelou que a ingestão de duas doses diárias de 200UI de vitamina E dois dias antes do início da menstruação e três dias ao longo desse período pode aliviar as cólicas. As participantes que tomaram essa vitamina tiveram menos de duas horas de cólicas por ciclo em comparação com as 17 horas que se registram em média. E apenas 4% das mulheres precisaram recorrer a analgésicos para aliviar essas dores. A teoria é que a vitamina E inibe a formação de prostaglandinas, substâncias químicas semelhantes a um hormônio que causam as contrações uterinas. Mas atenção: tome a vitamina E apenas durante os cinco dias prescritos por mês, pois, se ingerida em altas doses ao longo de anos, essa substância pode causar problemas cardíacos.
- Peça ao seu médico que mude seu método anticoncepcional. Em um estudo realizado em Yale, os anticoncepcionais orais reduziram em 50% os sintomas da TPM de metade das participantes que usaram 24 pílulas de hormônio e quatro pílulas de açúcar.
- A acupressão pode ajudar também a atenuar esses sintomas. Pesquisas sugerem que essa técnica estimula o fluxo sanguíneo e libera endorfinas – analgésicos naturais do corpo. Em um estudo, as participantes submetidas a esse procedimento sentiram 72% menos dor (resultado idêntico ao alcançado pelas que tomaram o medicamento ibuprofeno), enquanto as que receberam um falso tratamento de acupressão (não executado nos pontos corretos) apresentaram um abrandamento da dor de apenas 58%.

Lide bem com a menopausa

A VIDA É MARCADA POR TRANSIÇÕES. Pode ser o início de um novo emprego ou da vida escolar dos filhos. No que diz respeito à saúde, todas as mulheres têm que lidar com pelo menos uma grande e natural transição. Do ponto de vista puramente científico, a menopausa – que em geral ocorre entre os 40 e os 55 anos – é definida como o período em que os ovários param de fabricar óvulos e o organismo deixa de produzir dois importantes hormônios: estrogênio e progesterona (a perimenopausa é o início dessas mudanças hormonais).

O sintoma evidente da menopausa é o fato de a menstruação se tornar cada vez menos frequente até cessar inteiramente. Contudo, a menopausa se manifesta também por meio de outros sinais decorrentes das mudanças nos níveis hormonais. Esses sintomas surgem à medida que o organismo descobre meios de se rebelar contra o declínio das taxas hormonais.

No entanto, nem todas as mulheres são iguais, sobretudo no que se refere à resposta à menopausa. Enquanto algumas apresentam manifestações brandas, outras têm reações severas. A intensidade dos sintomas costuma depender da velocidade com que os ovários diminuem a produção dos hormônios. Os sinais mais comuns – ondas de calor, insônia, variações de humor, secura vaginal, infecções e perda da libido – por vezes surgem acompanhados de mudanças a longo prazo que podem causar perda óssea e elevação dos níveis de colesterol. Por ser um processo normal e natural do envelhecimento, a menopausa não é algo que se deva tratar ou evitar, como é o caso das doenças cardíacas e do câncer. Ao contrário, o objetivo é amenizar seus sintomas. Felizmente, há muitas coisas que você pode fazer para reduzir tanto a intensidade quanto o risco de outros problemas que aparecem com a menopausa.

Use a Dieta do Abdômen para manter o peso saudável. O Iowa Women's Health Study revelou que o risco de câncer de mama para mulheres na pós-menopausa era 44% maior no caso daquelas que pesavam mais. O grupo de alto risco tinha um índice de massa corporal (IMC) igual ou superior a 29,5, enquanto o grupo de baixo risco apresentava um IMC igual ou inferior a 23,5 (veja na página 73 como é feito o cálculo desse índice). De acordo com outro estudo, manter o peso ideal ajuda a diminuir a probabilidade de problemas coronarianos após a menopausa. E isso é importante. Uma pesquisa com mais de 60 mil mulheres revelou que 17% delas tinham uma probabilidade de moderada a alta de sofrer um infarto silencioso (um ataque cardíaco sem nenhum sintoma evidente). Portanto, é fundamental controlar o peso porque esse é um período particularmente desafiador – em um estudo realizado com animais observou-se que o peso corporal pode aumentar 5% durante a menopausa.

COMA FRUTAS. Algumas frutas e hortaliças contêm fitoestrogênios – elementos que podem fazer com que o organismo pense que tem níveis mais altos de estrogênio, o que ajuda a aliviar os sintomas da menopausa. Entre as frutas ricas nessas substâncias estão ameixa, morango, maçã, uva, laranja e framboesa. Entre as hortaliças estão aspargos, couve-flor, brócolis, cenoura, pepino, cebola e soja.

COMA PEIXE. Peixes com alto teor de ácidos graxos ômega-3 contribuem para elevar os níveis do bom colesterol, o que pode ajudar a diminuir o risco de infarto (lembre-se de que a probabilidade de ataque cardíaco aumenta depois da menopausa). Outra boa fonte de ômega-3 é a linhaça.

NÃO SE ESQUEÇA DA GORDURA. Comer uma pequena quantidade de gordura de uma vez estimula a vesícula a se esvaziar, o que ajuda a evitar cálculos biliares, que podem ser mais comuns na menopausa. Que tal um punhado de amêndoas?

SAIA PARA FAZER COMPRAS. E ande pelos corredores do shopping. Uma revisão de estudos publicada no periódico *Sports Medicine* revelou que 30 minutos de caminhada diária e de uma a três seções semanais de treinamento de resistência melhoram algumas condições de saúde de mulheres recém-saídas da menopausa. Os pesquisadores determinaram as variantes observando o impacto das atividades sobre a densidade óssea, o equilíbrio, a sensibilidade à insulina, o colesterol e a composição corporal. Os exercícios também contribuem para a redução dos sintomas da menopausa liberando endorfinas – antidepressivos naturais capazes de ajudar a diminuir a incidência de insônia, depressão, variações de humor e dores de cabeça.

RESPIRE FUNDO. As ondas de calor são comuns durante a menopausa. Elas ocorrem porque o declínio nos níveis hormonais desestabiliza o termostato interno, permitindo que o corpo se sinta quente. Para resfriá-lo, os vasos sangüíneos se dilatam e o sangue sobe à superfície da pele – em geral em torno do rosto, do pescoço e do tronco. A pele fica quente, há transpiração e por vezes ocorre uma sensação de formigamento durante essas ondas de calor, que podem durar de 5 a 15 minutos e até causar outros sintomas, como insônia e irritabilidade. Exercícios lentos de respiração abrandam esse quadro – respire de forma lenta e controlada.

MANTENHA UM DIÁRIO. Quando você entrar na menopausa, registre informações sobre sua menstruação para observar qualquer irregularidade em termos de intensidade e duração do fluxo. É útil também acompanhar tudo o que acontece durante as ondas de calor. Talvez isso lhe permita identificar os elementos que desencadeiam esse processo – sejam eles álcool, comidas apimentadas ou temperaturas elevadas – e você possa pensar em alternativas para evitá-los.

CIMICIFUGA RACEMOSA. A *cimicifuga racemosa* – um remédio alternativo – provou, em alguns estudos, ser eficaz no tratamento das ondas de calor. Mas atenção: consulte seu médico antes de fazer uso desse e de qualquer outro medicamento.

BEBA ÁGUA. À medida que os níveis de estrogênio vão diminuindo, pode ocorrer secura vaginal, aumentando a probabilidade de haver dor durante o sexo e reduzindo seu interesse em ter relações sexuais de novo. Lubrificantes à base de água podem ajudar (evite os que são à base de óleo, que podem, na verdade, secar o tecido vaginal).

Hormônio da tireoide e seu controle sobre o metabolismo

COMO VOCÊ JÁ DEVE TER PERCEBIDO, nosso ritmo metabólico – influenciado pelo que comemos e pelo modo como nos movimentamos – determina muitas questões. No entanto, ingerir proteína suficiente e optar por correr em vez de almoçar fora não são os únicos fatores que interferem no metabolismo. A genética desempenha um papel igualmente importante nesse assunto. Por mais que você cuide da alimentação e pratique exercícios, há outros elementos envolvidos nesse processo. Imagine o metabolismo como uma batedeira elétrica, que tem a velocidade máxima, a velocidade mínima e diversos níveis intermediários entre esses dois extremos. A potência da batedeira – ou, no seu caso, o ritmo em que seu organismo queima calorias – varia de acordo com o modo como você a regula. No entanto, seu corpo também pode sofrer panes, fazendo com que sua batedeira de calorias funcione mal ou pife completamente. De muitas maneiras, esse controle é exercido pela glândula tireoide – uma glândula produtora de hormônio localizada na parte da frente do pescoço.

A glândula tireoide é como o novo filhotinho de cachorro do seu organismo: leva a culpa por tudo o que dá errado. Ela não só comanda o metabolismo como também regula outros aspectos, como a temperatura corporal. Mas, quando algum fator orgânico interno a impede de funcionar corretamente, ela prejudica todos os sistemas que estão sob seu controle. É nesse ponto que o hipotireoidismo e o hipertireoidismo podem afetar o metabolismo e a velocidade da queima de calorias. No hipotireoidismo essa glândula não produz o hormônio da tireoide em quantidade suficiente, desacelerando o metabolismo e ocasionando ganho de peso ou, pelo menos, dificultando o processo de emagrecimento. O hipertireoidismo é o oposto. Nesse caso, a glândula produz o hormônio da tireoide em excesso, acelerando o metabolismo a um ponto em que se perde peso muito rápido. O problema adicional é que o hormônio da tireoide tem ligação com a glândula pituitária. Isso significa que qualquer tipo de distúrbio na fabricação desse hormônio pode interferir igualmente nas funções cerebrais que envolvem essa glândula. Por isso, muitas vezes é difícil diagnosticar problemas na tireoide. Entre os sintomas de hipotireoidismo estão fala lenta, anormalidades na menstruação, dores musculares, rigidez nas articulações, sonolência e inchaço. Alguns sinais do hipertireoidismo são perda de peso rápida, intolerância ao calor, inquietação, fadiga e distúrbios do sono.

Portanto, fique atenta, pois o peso não é o único elemento que a glândula tireoide pode afetar. Um estudo revelou que o hipotireoidismo aumentava em 70% as chances de ocorrência de doenças cardíacas e mais do que dobrava o risco de infarto. Por isso, é essencial que você faça exames de sangue regularmente para medir os níveis do hormônio da tireoide. Se o médico constatar que essas taxas estão baixas, ele pode prescrever medicamentos que ajudem a normalizá-las.

| CAPÍTULO 16 |

A Dieta do Abdômen para mães e futuras mães

USANDO O PROGRAMA PARA SE PREPARAR PARA O BEBÊ – E PARA EMAGRECER APÓS O PARTO

É VERDADE: AQUELE ABDÔMEN PROTUBERANTE que vemos em muitas mulheres deve-se às sobremesas e ao fondue de queijo. No entanto, outras mulheres têm barriga grande por estarem realizando a tarefa mais importante do mundo – carregar um bebê. Ora, só porque a gravidez pode transformar um abdômen definido em um monte de gordura não significa que uma boa alimentação e um estilo de vida saudável devam ser abandonados. De fato, é ainda mais importante cultivá-los depois da gestação para manter a saúde e a forma física – e a saúde da criança também. Pesquisadores suecos que analisaram o peso de 563 mulheres antes, durante e 15 anos depois de suas gestações descobriram que as que haviam engordado mais de 16kg na gravidez tinham uma probabilidade 2,5 maior de permanecer com esse peso após o nascimento do bebê. A futura mãe deve ganhar, no máximo, entre 11 e 16kg (é o limite máximo saudável definido pelo American College of Obstetricians and Gynecologists). Estudos revelam que estar acima do peso nessa fase aumenta o risco de problemas relacionados à gravidez, como diabetes gestacional, pré-eclampsia e necessidade de parto por cesariana.

Não é porque a gestante deixa de ter uma barriga tonificada que ela deve se esquecer também da Dieta do Abdômen. É vital consultar o médico para obter informações sobre alimentação e programas de exercícios, mas a Dieta do Abdômen pode ajudar a futura mãe e o bebê.

Antes de engravidar...

EMAGREÇA. O sobrepeso e a obesidade elevam o risco de diabetes gestacional e a probabilidade de que o bebê apresente problemas cardíacos e defeitos congênitos. A diabetes gestacional está relacionada também a bebês anormalmente grandes e a dificuldades no trabalho de parto. Ter um peso saudável é importante, ainda, para quem está pensando em fazer fertilização in vitro. Se você estiver 30% acima do peso ideal durante esse procedimento, a chance de que a concepção seja bem-sucedida é baixa. Um estudo mostrou que mulheres obesas apresentavam uma probabilidade 32% menor de engravidar do que aquelas com peso ideal. Pesquisadores suspeitam de que perder apenas 5% de peso corporal aumenta a chance de engravidar – mais um motivo para adotar a Dieta do Abdômen.

FIQUE DE OLHO NOS CARBOIDRATOS. Carboidratos refinados, como refrigerantes, bebidas à base de frutas, biscoitos recheados e pão branco podem fazer com que o bebê corra um risco maior de apresentar defeitos congênitos. Em um estudo da Fundação March of Dimes, as mulheres que ingeriram grandes quantidades de carboidratos refinados durante os três meses que precederam a concepção dobraram a ameaça aos seus bebês em comparação com aquelas que comeram quantidades menores desses alimentos. Pesquisadores suspeitam de que itens com amido ou açúcar elevam o nível de glicose da gestante, o que pode causar danos celulares e privar o feto de mensageiros químicos entre as células. Solução: os Alimentos Poderosos da Dieta do Abdômen, como grãos integrais, feijões, frutas e hortaliças.

EXERCITE-SE COM VIGOR. Aqui vai um poderoso incentivo para seus treinos intervalados de alta intensidade: em um estudo com 688 mães, pesquisadores da Universidade de Washington descobriram que as que fizeram exercícios mais vigorosos durante o ano que precedeu a gestação tinham uma chance 81% menor de desenvolver diabetes gestacional do que as que eram sedentárias. As que praticaram exercícios moderados apresentaram um risco 59% menor.

CONSUMA ÁCIDO FÓLICO. Ingira ácido fólico para ajudar a evitar defeitos congênitos. Consulte seu médico para saber a dosagem apropriada. Boas fontes alimentares dessa substância são cereais enriquecidos com ela, além de hortaliças verdes, como espinafre.

VERIFIQUE O NÍVEL DE AÇÚCAR NO SANGUE. Suas taxas de açúcar no sangue devem ser normais por um período de três a seis meses antes da concepção, pois desajustes nesses níveis fazem com que o bebê corra um risco maior de apresentar defeitos congênitos. Se houver histórico de diabetes em sua família ou se você estiver acima do peso, essa probabilidade aumenta.

Durante a gestação...

CONTINUE A SE EXERCITAR. É importante que você se exercite durante a gravidez para manter o controle do peso e o tônus muscular, mas atenção: consulte seu médico para saber quais são as atividades e os períodos mais indicados para isso. A mudança importante que você terá que fazer no Programa de Exercícios da Dieta do Abdômen é eliminar o treino intervalado. Os médicos recomendam que a frequência cardíaca da gestante fique longe dos níveis de alta intensidade, mantendo-se em um patamar em que a gestante se exercite e consiga conversar ao mesmo tempo – dessa forma evitam-se os exageros. Pesquisas mostram que a atividade física pode diminuir também a chance de parto prematuro.

ADOTE OS 11 ALIMENTOS PODEROSOS DA DIETA DO ABDÔMEN. Embora só precise ingerir em torno de 300 calorias extras durante o segundo e o terceiro trimestres, você necessitará de mais nutrientes dos alimentos para passar para o bebê. Em termos gerais, a dieta diária recomendada inclui alimentos ricos em cálcio, hortaliças, frutas, grãos integrais e fontes variadas de proteína, como carnes magras. Os especialistas costumam prescrever um polivitamínico para garantir a ingestão da quantidade adequada de ácido fólico e cálcio – o primeiro para evitar defeitos congênitos e o segundo para dar proteção aos ossos da futura mãe. (A gravidez pode privar seus ossos de cálcio, expondo-a a um risco maior de ter osteoporose.) Consulte seu médico sobre a alimentação ideal para esse período e também sobre as quantidades de ferro e proteína que você deve consumir todos os dias ao longo da gravidez.

NÃO DEIXE DE FAZER SEIS REFEIÇÕES POR DIA. O fato de estar se alimentando por dois não significa que você possa comer sem parar. Se fizer seis refeições balanceadas, estará obtendo calorias e nutrientes suficientes para você e seu filho. Veja um dado interessante sobre as necessidades do bebê. Um estudo publicado no *British Medical Journal* relatou um experimento feito com a alimentação de 244 gestantes em Boston. As participantes grávidas de meninos tinham um gasto de energia 10% maior do que as que esperavam meninas. Os embriões masculinos consumiam 8% a mais de proteína, 9% a mais de carboidratos, 11% a mais de gorduras animais e 15% a mais de gorduras vegetais. (Veja como desde cedo estamos tentando surrupiar comida do prato das mulheres.) Os pesquisadores especulam que isso pode ser causado por um nível mais alto de testosterona.

A mãe de todas as estatísticas

O ganho de peso médio da mulher durante a gestação é de 13,5kg. Veja para onde vão esses quilos:

- Bebê: 3,4kg
- Placenta: 0,68kg
- Líquido amniótico: 0,90kg
- Útero: 0,90kg
- Mamas: 0,90kg
- Fluidos corporais: 1,81kg
- Depósitos maternos de gordura, proteína e outros nutrientes: 3,17kg
- Partes do corpo, além da barriga, que aumentam temporariamente de tamanho: mamas e pés
- Fora o peso do bebê, a mulher perde 5kg imediatamente após o parto.

Mas, se você desejar fazer 16 refeições por dia em vez de seis, a melhor opção é tentar combater esses desejos com lanches fáceis e saudáveis. Iogurte, queijos light e cenoura-baby podem ajudar a saciar alguns deles, enquanto frutas secas, como damascos e passas, aplacam a vontade de comer doce. Uma ótima opção: prepare um mix de nozes, granola e pedacinhos de chocolate meio-amargo, coloque em um saco plástico e leve sempre com você. Esses alimentos vão ajudá-la a satisfazer seu apetite por itens doces, salgados e crocantes, além de deixá-la saciada, diminuindo a chance de que se empanturre antes da próxima refeição. E, se você estiver louca por um doce, tome um chocolate quente feito com leite semidesnatado, pois além de muito saboroso, ele leva mais tempo para acabar e proporciona mais saciedade do que, digamos, uma bala.

CONCENTRE-SE NAS FIBRAS. Uma pesquisa da Universidade de Washington revelou que a ingestão diária de 21g de fibras diminui em cerca de 70% o risco de pré-eclampsia (a perigosa doença da pressão arterial) em comparação com o consumo de 12g por dia. Pesquisadores atribuem esse fato à capacidade que a fibra tem de baixar a pressão arterial e o colesterol. Você obterá essa quantidade comendo 2 xícaras de frutas, 2 1/2 xícaras de hortaliças e 3 porções de grãos integrais.

FAÇA AJUSTES NAS POSTURAS DA IOGA. Se você pratica ioga, consulte seu médico sobre as formas e os períodos mais adequados para realizar essa atividade física durante a gestação. Se estiver liberada (veja o capítulo 17), execute pequenos ajustes para não sentir desconforto. Ignore os exercícios que exigem contração ou rotação do abdômen para evitar esforços indevidos nessa região, assim como aqueles em que você tenha que se deitar de bruços. Nas posturas de pé, talvez sinta necessidade de expandir a postura para dar à barriga um pouco mais de espaço.

COMA GENGIBRE PARA COMBATER A NÁUSEA. Estudos revelam que o gengibre é eficaz no alívio da náusea e dos vômitos durante a gestação. Outras pesquisas mostram que ele é tão eficaz quanto a vitamina B_6 para reduzir a náusea severa.

Depois que o bebê nascer...

VOLTE A PRATICAR EXERCÍCIOS ABDOMINAIS ASSIM QUE O MÉDICO LIBERAR. Depois do parto, você pode pensar que não há mais solução para sua barriga. No entanto, muitas mulheres conseguem recuperar a forma após a gestação, apenas levam um pouco mais de tempo. A gravidez estende e enfraquece a musculatura do abdômen (as cesarianas ainda mais). E é comum alguns dos tecidos conjuntivos em volta dos músculos abdominais necessitarem de um ano ou mais para readquirir a força original. Os exercícios abdominais trabalham esses músculos para enrijecer toda a região. Alguns especialistas recomendam também exercícios como os do Pilates para acelerar o processo. (Consulte seu médico para saber quando é seguro voltar a fazer abdominais após o nascimento do bebê.)

Para começar lentamente, experimente um exercício que você pode fazer enquanto estiver ao volante, sentada no sofá ou à mesa do escritório.

Mantendo as costas apoiadas, inspire e deixe o abdômen se expandir. Em seguida expire, contraindo os abdominais, tentando aproximar o umbigo da coluna. Sustente a posição por 30 segundos, mas sem deixar de respirar. Depois contraia 10 vezes, levando o umbigo na direção da coluna a cada contração. Faça três vezes por dia.

Por conta da gravidez, a pele passa por mudanças semelhantes às dos músculos. No entanto, isso não é um problema permanente. A pele é como uma tira elástica – depois de esticada, acaba voltando à forma. Embora essa recuperação possa levar um tempo, os exercícios fortalecedores do abdômen permitem que ela retome a firmeza original. Para ver um programa completo pós-parto, consulte as páginas 309 a 318.

PARTICIPE DE UM GRUPO DE APOIO. Novas mães que compareceram a 12 sessões semanais de educação alimentar e exercícios perderam em média 7kg um ano após o parto, enquanto as que foram a uma única sessão emagreceram apenas 1,3kg, de acordo com um estudo da Universidade de Saint Louis. Portanto, é uma boa ideia frequentar um programa de emagrecimento pós-parto.

VERIFIQUE A TIREOIDE. Até 10% das mulheres sofrem de tireoidite pós-parto, isto é, apresentam uma queda nos níveis do hormônio da tireoide depois de darem à luz. Isso causa uma desaceleração do metabolismo, dificultando a perda de peso. Peça ao médico um exame da tireoide, caso você esteja engordando, sentindo-se muito cansada ou tendo dores nas articulações e nos músculos. Os medicamentos certos farão com que seu metabolismo volte ao normal.

SE POSSÍVEL, AMAMENTE. Amamentar é uma das melhores formas de exercício criadas pela natureza – queima até 500 calorias por dia. E um estudo da Cornell University revelou que mulheres que amamentaram durante um ano depois de darem à luz estavam 1,1kg mais magras do que as que não adotaram essa prática. A amamentação beneficia também o peso do bebê. Pesquisas alemãs revelaram que, quanto maior o tempo de amamentação de uma pessoa na infância, menor seu risco de vir a ter sobrepeso na fase adulta. Cada mês de amamentação causava uma queda nessa probabilidade e as chances de estar acima do peso eram 32% menores para os participantes que haviam sido amamentados por mais de nove meses em comparação com os que tinham recebido esse tipo de alimentação por menos de um mês.

MAS NÃO PENSE QUE A AMAMENTAÇÃO FARÁ TODO O TRABALHO. Embora seja verdade que amamentar queima calorias, os resultados não são iguais para todas as mulheres. O fato é que 20% das mães que amamentam não emagrecem.

Veja a seguir alguns aspectos que você deve observar durante o período de aleitamento.

- Para evitar uma redução no volume do leite, consuma pelo menos 1.800 calorias por dia. Descarte apenas os alimentos que não contenham nutrientes. Procure não cortar calorias durante o primeiro mês após o parto.
- Mães que amamentam devem ingerir diariamente cálcio e vitamina D provenientes de alimentos e suplementos vitamínicos, pois isso manterá seus ossos saudáveis. Consulte um médico sobre as quantidades recomendadas dessas substâncias.
- Inclua laticínios semidesnatados, frutas e hortaliças em sua alimentação para evitar a perda de nutrientes importantes. Consulte seu médico para saber as porções diárias ideais desses itens. Observe que alguns bebês são alérgicos às proteínas do leite de vaca consumido pela mãe. A maior parte deles deixa de apresentar os sintomas da alergia (como fezes esverdeadas e eczema) quando as mães param de ingerir laticínios. Caso você esteja nessa situação, consulte seu médico para se informar sobre a melhor maneira de garantir a ingestão de uma quantidade suficiente de cálcio.

SEJA PACIENTE. Recuperar a forma física depois de dar à luz é certamente um fator de estresse, mas pesquisadores da Johns Hopkins afirmam que a maioria das mães logo readquire o condicionamento que tinha antes de engravidar. Eles descobriram que, sejam quais forem seus níveis de condicionamento físico e de seu IMC, as mães voltaram ao manequim original em 27 semanas. Embora seus exercícios tenham mudado, a quantidade de atividade que realizavam permaneceu igual (menos boxe, mais caminhada com carrinhos).

Programa de exercícios para o pós-parto

Repetindo: antes de voltar a se exercitar após o parto, converse com seu médico para saber quando você pode recomeçar, quanto é adequado fazer e em que intensidade. É provável que ele lhe peça que vá devagar no início – afinal, você acabou de realizar a mais intensa atividade da natureza. Para facilitar a retomada dos treinamentos da Dieta do Abdômen, comece com exercícios leves de resistência, usando pouco peso. Com isso trabalhará as principais partes do corpo sem fazer muito esforço e indicará ao seu organismo que está pronta para voltar à ativa.

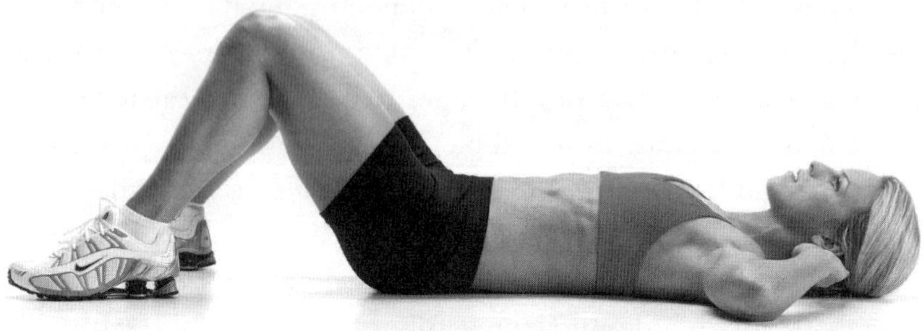

ABDOMINAL CONVENCIONAL

Deite-se de costas olhando para o alto sem projetar a cabeça para trás. Flexione os joelhos e coloque as mãos ao lado da cabeça. Incline levemente o tronco e eleve-o devagar até que os ombros estejam fora do chão. Sustente essa posição por 3 segundos e volte à posição inicial.

10 repetições [*Iniciante*]. A cada semana, acrescente 1 repetição e mais 1 segundo ao tempo em que sustenta cada abdominal.

ELEVAÇÃO DE QUADRIL

Deite-se de costas, os joelhos flexionados, os pés afastados na largura dos quadris e os braços estendidos ao longo do corpo, com a palma das mãos voltada para o chão. Inspire à medida que eleva os glúteos e contrai o abdômen. Sustente a posição por 5 segundos. Olhe para o teto, mantendo a coluna alinhada. Desça lentamente sentindo cada vértebra tocar no chão, com exceção do quadril. **Atenção:** Contraia os glúteos e o abdômen durante todo o exercício. Não deixe que os pés e as coxas se movam. Ao trazer o quadril de volta, não estenda completamente a coluna.

10 repetições [*Iniciante*]. A cada semana, acrescente 2 repetições.

ADUÇÃO DE QUADRIL

Deite-se de lado, apoiando um dos cotovelos na direção do ombro em um ângulo de 90º e flexionando o joelho da perna de cima. Posicione a outra mão na frente do abdômen. Mantenha a perna de baixo estendida na diagonal, com o pé paralelo ao chão. Contraia o abdômen. Eleve a perna que está estendida até alinhá-la com o joelho da perna que está flexionada. Desça lentamente a perna sem tocar no chão. **Atenção:** Não coloque o peso do tronco no braço de apoio e encoste apenas a metade do quadril no chão. Não incline a cabeça para o lado, mantenha a coluna cervical alinhada.

10 repetições seguidas com cada perna [*Iniciante*]. A cada semana, acrescente 2 repetições.

FLEXÃO

Assuma a posição para a flexão, as mãos afastadas na largura dos ombros. Mantendo as costas estendidas, flexione os cotovelos até que atinjam um ângulo de 90º. Depois torne a subir.

Caso você sinta dificuldade, execute o movimento com os joelhos apoiados. Mantenha o abdômen contraído e desça somente o tronco.

10 repetições [*Intermediário*]. A cada semana, acrescente 2 repetições.

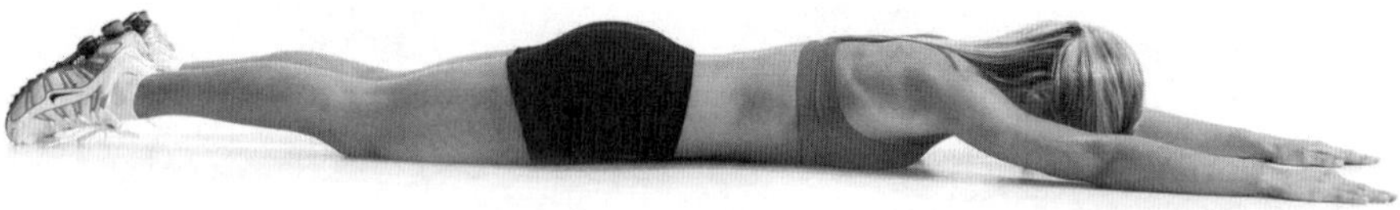

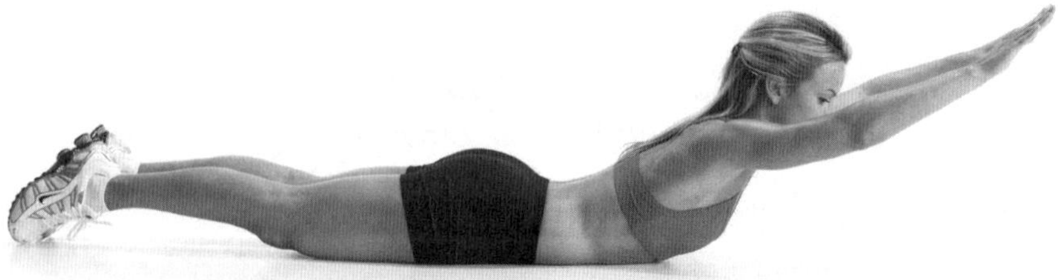

EXTENSÃO DO TRONCO

Deite-se de barriga para baixo com as pernas e os braços estendidos. Sem mexer as pernas, tire lentamente o tronco do chão. Faça uma pausa e volte à posição inicial.

10 repetições [*Iniciante*]. A cada semana, acrescente 2 repetições.

ABDUÇÃO DE QUADRIL

Assuma a posição de quatro apoios, com os cotovelos e os joelhos no chão afastados na largura dos ombros. Olhe para baixo e permaneça com a coluna cervical alinhada. Inspire e eleve uma das pernas ao lado com o joelho flexionado antes que a coxa fique paralela ao chão. Expire ao voltar à posição inicial. **Atenção:** Mantenha o joelho alinhado com o calcanhar e não gire demasiadamente o quadril.

10 repetições seguidas de cada lado [*Intermediário*]. A cada semana, acrescente 2 repetições.

EXTENSÃO DOS BRAÇOS NO BANCO

De costas e com os braços estendidos, apoie as mãos na extremidade de um banco ou de uma cadeira, afastando-as na largura dos ombros. Coloque os calcanhares em uma cadeira afastada à frente, mantendo os joelhos semiflexionados. Flexione lentamente os braços e desça o corpo até que os cotovelos estejam alinhados com os ombros em um ângulo de 90°. Volte à posição inicial. **Atenção:** Encoste a cadeira na parede e não desça demais. **10 repetições** [*Intermediário*]. A cada semana, acrescente 2 repetições.

AGACHAMENTO SIMULTÂNEO COM HALTERES

Segure um haltere em cada mão, mantendo os pés paralelos e alinhados na largura dos quadris. Contraia o abdômen e olhe para a frente. Desça lentamente o tronco projetando o quadril para trás como se fosse sentar em uma cadeira. A coluna deve permanecer no alinhamento natural. Interrompa o agachamento antes que as coxas estejam paralelas ao chão. Faça uma pausa e retorne à posição inicial. **Atenção:** Não deixe que os joelhos ultrapassem a linha dos pés. Coloque o peso do corpo nos calcanhares.

10 repetições [*Iniciante*]. A cada semana, acrescente 2 repetições.

ALONGAMENTO DOS POSTERIORES DA COXA

Sente-se no chão com as pernas e os braços estendidos à frente. Expire à medida que aproxima as mãos dos pés inclinando o tronco para a frente e abaixando-o sobre as coxas. Desça gradualmente os braços respeitando seu limite até conseguir alcançar os pés. Sustente essa posição por 10 a 15 segundos e inspire enquanto volta à posição inicial. **Atenção:** Abaixe o tronco lentamente e não deixe a cabeça pender.

3 repetições [*Iniciante*]. Pratique até sustentar a posição por 20 a 30 segundos e executar 5 repetições.

| CAPÍTULO 17 |

Exercícios para combater o estresse

UM TREINAMENTO QUE PODE LHE PROPORCIONAR A FORMA FÍSICA – E A TRANQUILIDADE MENTAL – QUE VOCÊ QUER

ATUALMENTE, AVALIAMOS AS COISAS PELA velocidade que elas podem ter. Fast-food. Câmeras digitais. Conexões à internet. Somos uma sociedade que deseja se mover cada vez mais rápido. Com tudo o que temos para fazer – considerando as pessoas das quais temos que cuidar e todas as nossas responsabilidades –, estamos sempre correndo de um lado para outro, tentando conciliar, a cada segundo, trabalho, família e, se tivermos sorte, um pouco de diversão. O que isso significa? Que nosso cérebro fica como o metrô nos horários de pico, e às vezes só queremos a única coisa que não conseguimos – a oportunidade de parar.

E desacelerar.

Sei que você está sempre muito atarefada, porém também conheço o valor de ter tempo para relaxar e recarregar as energias. Uma das melhores formas de desacelerar a mente (e trabalhar o corpo ao mesmo tempo) é fazer aulas de ioga e Pilates. Mais suaves e de ritmo mais lento, essas atividades podem ajudá-la a aliviar o estresse. E, quando realizadas para complementar o programa da Dieta do Abdômen, proporcionam exercícios desafiadores para toda a semana, dando a você a chance de queimar calorias, desenvolver tônus muscular e aumentar a flexibilidade. Um número cada vez maior de pesquisas tem revelado a importância desses tipos de atividades, não importa onde sejam feitas. Durante uma semana, pesquisadores do Jefferson Medical College coletaram amostras de sangue de pessoas que estavam começando a fazer aulas de ioga de 50 minutos de duração. O resultado: seu nível de cortisol (hormônio do estresse) caiu de imediato – até mesmo no primeiro dia de aula.

As pesquisas vêm indicando também outros benefícios da ioga. Em um estudo da Universidade de Pittsburg, 59 mulheres obesas e inativas foram submetidas a uma dieta de restrição de gordura. Todas elas caminhavam diariamente por 40 minutos, cinco dias na semana. No entanto, 1/3 delas realizava ainda um treinamento de força, enquanto outro terço praticava ioga três vezes por semana. Depois de quatro meses, as que faziam ioga emagreceram em média 12kg – sete a mais do que as do grupo que apenas caminhava. (O grupo do treinamento de força perdeu 10,5kg.)

Neste capítulo, apresentarei algumas posturas de ioga que você pode fazer para complementar o treinamento de força, o treino intervalado e os exercícios abdominais. Sugiro que pratique ioga uma a três vezes por semana – para acalmar a mente e alongar e trabalhar os músculos. À medida que for avançando nessa atividade, você poderá até escolher uma modalidade mais vigorosa da ioga, como *vinyasa* ou *iron* (veja as páginas 333 e 340, respectivamente).

Esses movimentos poderão ser executados após um treinamento ou como uma sessão isolada nos dias de descanso. Se você estiver começando, experimente todas as posturas para observar como elas alongam seus músculos. Depois, associe-as ao seu programa de exercícios. Durante as sessões, faça quatro a seis movimentos duas ou três vezes – sustentando cada alongamento durante duas respirações completas, isto é, enquanto você inspira e expira bem devagar.

Depois das posturas da ioga, apresentarei (a partir da página 345) alguns movimentos de Pilates. Eles trabalham especificamente o tronco e ajudam a desenvolver força abdominal. Você pode realizá-los para substituir alguns exercícios abdominais.

Caminhe melhor

Não quer levar seu tapete de ioga para o trabalho? Então caminhe. Pesquisas revelam que não precisamos começar a transpirar para que nosso humor se beneficie do exercício. Uma caminhada rápida eleva a frequência cardíaca, aumentando o fluxo sanguíneo para o cérebro. Isso desencadeia a liberação de serotonina, o hormônio do bem-estar que nos deixa dispostos e alerta – sem tensão nem estresse.

Posturas de ioga

ALONGAMENTO DOS ADUTORES

Deite-se de costas com um dos braços apoiados ao lado do tronco e a palma da mão voltada para o chão. Estenda completamente a perna que está ao lado da mão. Eleve a outra perna segurando uma toalha presa à parte inferior do pé. Afaste a perna para o lado e desça suavemente o joelho na direção do ombro. Mantenha a coluna cervical alinhada e olhe para o teto. Sustente a posição por 20 a 30 segundos e faça 5 repetições. Repita com a outra perna. **Atenção:** Execute devagar o movimento sem tirar o quadril do chão.

[*Intermediário*]

ALONGAMENTO DA COLUNA

Sente-se com as pernas cruzadas, pressionando os glúteos no chão e alongando a coluna. Se preferir, sente-se em um travesseiro firme ou em um cobertor dobrado. Coloque a mão direita no joelho esquerdo, inspire e alongue a coluna. Em seguida, expire e gire para a esquerda. Respire, volte ao centro, mude o lado e repita. Coloque a mão esquerda no chão, próxima ao corpo, e estenda o braço direito acima da cabeça. Inspire e leve os dedos em direção ao teto para alongar o lado direito do corpo. Em seguida, expire e vire-se para a esquerda, alongando o lado esquerdo do corpo. Respire, troque de lado e repita.

[*Iniciante*]

POSTURA DA ÁRVORE

Fique de pé com um dos pés firmemente apoiado no chão e o joelho semiflexionado. Eleve a outra perna flexionando o joelho e aproximando o pé da parte interna da outra coxa. Junte a palma das mãos à frente do tórax e inspire elevando os braços acima da cabeça sem afastar as mãos. **Atenção:** Mantenha o abdômen contraído e não estenda totalmente a perna. Progrida aos poucos até manter o equilíbrio. Sustente a posição por 10 a 15 segundos e depois execute o movimento com a outra perna.
[*Intermediário*]

RELAXAMENTO DA COLUNA

Sente-se sobre os calcanhares, mantendo o tronco reto. Inspire e eleve os dois braços ao lado da cabeça com a palma das mãos para a frente. Expire enquanto desce o tronco lentamente sobre as coxas repousando-o. **Atenção:** Caso sinta desconforto no joelho, permaneça por pouco tempo na postura e não permita que os calcanhares se afastem lateralmente.
[*Intermediário*]

ALONGAMENTO DA COLUNA E DOS POSTERIORES DA COXA

Deite-se de costas e eleve as duas pernas até que seu corpo forme um ângulo de 90°. Estenda os braços ao lado do tronco com a palma das mãos voltada para o chão. Olhe para o teto, mantendo a coluna cervical alinhada. Contraia o abdômen enquanto empurra as pernas para trás e para baixo. Expire à medida que for descendo as pernas para trás. Leve lentamente as pernas de volta à posição inicial sem deixar o peso no quadril. **Atenção:** Progrida aos poucos até conseguir tocar o chão com a ponta dos pés.
[*Intermediário*]

POSTURA DO CACHORRO

Assuma a posição de quatro apoios, com as mãos e os joelhos no chão afastados na largura dos ombros. Olhe para baixo e permaneça com a coluna cervical alinhada. Estenda lentamente os joelhos e as pernas, aproximando os calcanhares do chão e elevando o quadril até o corpo assumir uma posição semelhante a um V invertido. Expire e relaxe a cabeça entre os braços mantendo a coluna alongada. **Atenção:** Progrida até conseguir encostar os calcanhares no chão e não empurre os ombros para baixo, somente o tórax. [*Intermediário*]

POSTURA DO GUERREIRO I

Com as pernas afastadas, flexione uma delas à frente em um ângulo de 90°, alinhando o joelho com o tornozelo. Mantenha o pé da perna de trás voltado para fora e o quadril alinhado à frente. Inspire elevando os braços acima da cabeça com a palma das mãos voltadas para dentro enquanto inclina levemente o tronco para trás. Faça uma pausa e depois troque de lado.
Atenção: Não exagere na inclinação da coluna e contraia o abdômen durante esse movimento.
[*Intermediário*]

POSTURA DA BORBOLETA

Sente-se no chão e junte a sola dos pés. Mantenha a coluna alinhada, olhe para a frente e deixe que os joelhos pendam ao lado do corpo para alongar a parte interna das coxas. **Atenção:** Mantenha o quadril e os glúteos firmes no chão. Iniciantes devem apoiar as costas na parede para manter o equilíbrio. [*Iniciante*]

ALONGAMENTO DOS QUADRÍCEPS

Parta da posição de quatro apoios, com as mãos e os joelhos no chão afastados na largura dos ombros. Mova uma das pernas para a frente, deixando a ponta do pé alinhada com as mãos e posicionando o joelho na mesma linha do tornozelo. Em seguida, deslize a outra perna para trás, mantendo o joelho encostado no chão. Permaneça com a coluna reta e os ombros abaixados. Para intensificar o alongamento, pressione o quadril para a frente e para baixo e suspenda os ombros. Respire, troque de lado e repita o exercício. [*Intermediário*]

POSTURA DO TRIÂNGULO

Com as pernas afastadas em uma distância maior do que a largura dos ombros, apoie a mão esquerda na coxa esquerda e vire a ponta do pé esquerdo para fora. Posicione a outra mão na cintura. Olhe para a frente. Em seguida, deslize a mão que está sobre a coxa na direção do pé inclinando o tronco lateralmente. Se sentir segurança, eleve o outro braço com a palma da mão voltada para trás e acompanhe esse movimento com a cabeça, sempre olhando para a ponta dos dedos. Troque de lado e repita o exercício.
Atenção: Caso sinta desconforto na cervical, não gire a cabeça, olhe para a frente. Imagine que está encostada em uma parede. Expire à medida que desce o tronco.
[*Intermediário*]

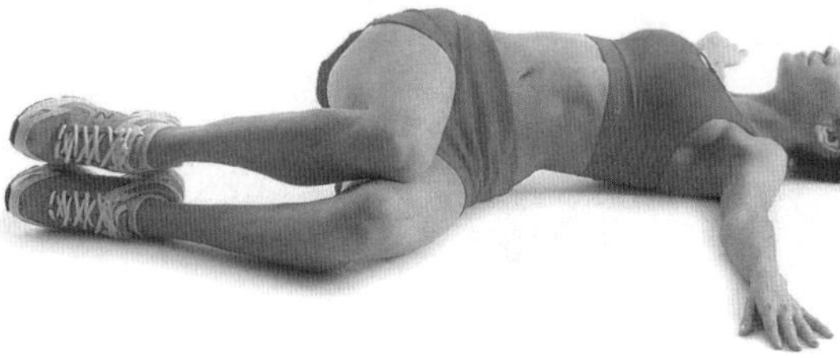

ROTAÇÃO DO QUADRIL

Deite-se com as costas apoiadas, braços afastados lateralmente na direção dos ombros. Eleve os joelhos flexionados, aproximando-os do tronco. Expire lentamente à medida que move o quadril para o lado, mantendo os joelhos unidos. Permaneça nessa posição, troque de lado e repita. **Atenção:** Se você apresenta algum problema na coluna, realize o exercício com cautela, sem fazer a rotação do quadril e movendo apenas os joelhos. [*Intermediário*]

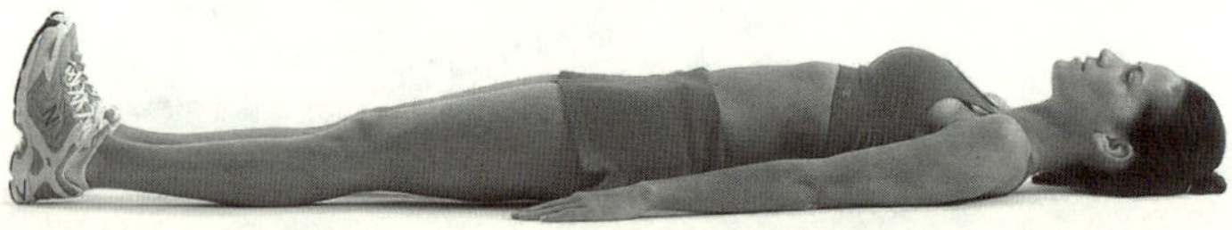

RELAXAMENTO CLÁSSICO

Deite-se no chão com os olhos fechados, braços ao lado do corpo com as mãos relaxadas. Deixe que as pernas relaxem também. Olhe para o teto e mantenha a coluna alinhada, sem aumentar a curvatura da região lombar. Leve 10 segundos inspirando e 10 segundos expirando. Permaneça nessa posição pelo tempo que desejar. **Atenção:** Caso a coluna lombar saia demasiadamente do chão, coloque sobre ela uma toalha ou uma almofada bem fina para aliviar o esforço e mantenha o quadril encaixado.

[*Iniciante*]

Posturas mais avançadas

Se você é adepta da ioga, sabe que pode queimar calorias com alongamentos e flexões. Em uma sequência de ioga avançada – a modalidade chamada *vinyasa* –, são queimadas mais de 450 calorias por hora. Repita 5 a 10 vezes cada um dos movimentos descritos a seguir.

MOVIMENTO 1: POSTURA DA CADEIRA
ALVO: MEMBROS INFERIORES

ALONGAMENTO PEITORAL

Fique de pé com os pés paralelos e afastados na largura do quadril. Entrelace os dedos atrás do corpo com a palma das mãos voltada para cima. Inspire e erga o peito pressionando os ombros para baixo. **Atenção:** Não incline demasiadamente a cabeça para trás para não forçar a coluna cervical. [*Iniciante*]

INCLINAÇÃO FRONTAL

Com os joelhos semiflexionados e os pés paralelos, incline-se para a frente à medida que expira, deixando o tronco descer. Estenda os braços e entrelace os dedos atrás das costas, elevando-os acima da cabeça. Olhe para o chão. **Atenção:** Não deixe a cabeça pender. Incline o quadril para trás aumentando a ação de alongamento dos posteriores da coxa. Mantenha a coluna reta. [*Iniciante*]

AGACHAMENTO SIMULTÂNEO COM ELEVAÇÃO DOS BRAÇOS

Flexione os joelhos como se fosse sentar em uma cadeira. Incline levemente o tronco à frente descendo o quadril à medida que estende os braços mantendo-os afastados na largura dos ombros e com a palma das mãos voltada para dentro. Eleve-os na direção da cabeça. Interrompa o agachamento antes que as coxas fiquem paralelas ao chão. Coloque o peso sobre os calcanhares. Inspire, levante-se e abaixe os braços ao lado do corpo. Expire ao finalizar o movimento. **Atenção:** Não deixe que os joelhos ultrapassem a linha dos pés nem projete o quadril muito para trás. Contraia o abdômen enquanto eleva os braços.
[*Intermediário*]

MOVIMENTO 2: POSTURA DO CACHORRO
ALVO: MEMBROS SUPERIORES

POSTURA DO CACHORRO

Assuma a posição de quatro apoios, com as mãos e os joelhos no chão afastados na largura dos ombros. Olhe para baixo e permaneça com a coluna cervical alinhada. Estenda lentamente os joelhos e as pernas, aproximando os calcanhares do chão e elevando o quadril até o corpo assumir uma posição semelhante a um V invertido. Expire e relaxe a cabeça entre os braços mantendo a coluna alongada. **Atenção:** Progrida até conseguir encostar os calcanhares no chão e não empurre os ombros para baixo, somente o tórax. [*Intermediário*]

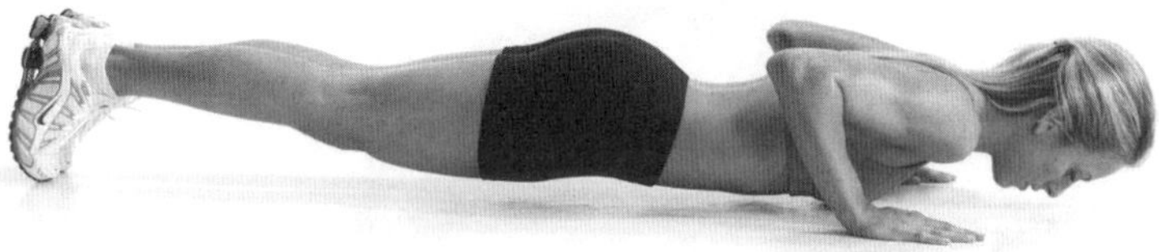

PRANCHA

Inspire e sustente o corpo reto em uma flexão, com os braços estendidos e as mãos afastadas na largura dos ombros. Expire, flexione os cotovelos, de modo que apontem para trás e se mantenham próximo ao tronco. Desça o tronco até que os cotovelos atinjam um ângulo de 90°. **Atenção:** Permaneça com o abdômen contraído durante toda a execução do exercício e mantenha a força no braço ao voltar à posição inicial. Caso não consiga realizar o movimento, deixe somente os cotovelos apoiados no chão e sustente a posição. [*Avançado*]

POSTURA DA COBRA

Com o corpo totalmente estendido, flexione os cotovelos e apoie as mãos ao lado do tronco, mantendo-as alinhadas com os ombros. Olhe para baixo. Inspire e comece a estender os braços, elevando o tronco e tirando-o do chão. Expire, inclinando e descendo lentamente o tronco e, em seguida, inspire elevando o quadril e aproximando os calcanhares do chão. Expire ao final da execução do movimento. **Atenção:** Cuidado para não inclinar demasiadamente a cabeça e o tronco para trás. Mantenha o abdômen contraído durante todo o exercício. Não sobrecarregue os ombros, execute os movimentos por etapa até finalizar as sequências.

[*Avançado*]

Ioga para entusiastas

A *IRON* IOGA É UMA ATIVIDADE que associa duas formas populares de exercícios em um tipo de treinamento que envolve o corpo inteiro. Como funciona: enquanto você está se alongando ou se equilibrando em uma postura, os músculos das pernas e do tronco estão sendo acionados para mantê-la de pé. Se você segurar um par de halteres (de 1 a 2kg), os músculos da parte superior do corpo serão usados também, promovendo benefícios como o fortalecimento da parte inferior do corpo. Além disso, você terá mais flexibilidade, uma postura mais ereta e menos estresse, assim como braços, ombros e costas mais fortes.

O triatleta Antony Carillo criou a *iron* ioga como um meio de adaptar a ioga ao vigoroso programa de treinamento que ele realiza. No entanto, pessoas com qualquer nível de condicionamento físico podem fazer os exercícios. Se você é iniciante na ioga, pratique as posturas sem pesos por duas a quatro semanas até se sentir confortável e só depois utilize os halteres.

Sem tempo?

Pesquisadores da Universidade da Virgínia revelaram que é preciso fazer 250 mil abdominais para queimar cerca de 500g de gordura. São 100 abdominais por dia durante sete anos. Provavelmente, você não poderá esperar tanto tempo. Ainda assim, para quem deseja ter um abdômen definido, qualquer esforço extra vale a pena. Veja algumas dicas de como queimar 100 calorias em curtos períodos.

- Pedale em uma bicicleta ergométrica a 32km/h por 4 minutos e 52 segundos.
- Suba uma ladeira por 13 minutos.
- Varra por 20 minutos.
- Faça massagem completa em alguém por 19,5 minutos.
- Passeie com o cachorro por 23 minutos.
- Dance lentamente por 36 minutos.
- Bata o pé no chão 9.351 vezes.

Posturas da *iron* ioga

POSTURA DE AGACHAMENTO SIMULTÂNEO COM REMADA

Com os pés paralelos e os joelhos afastados na largura dos ombros, segure um haltere em cada mão, com as palmas viradas para a frente. Olhe para o chão, mantendo a curvatura e o alinhamento da coluna. Flexione os joelhos, inclinando levemente o tronco para a frente e abaixando o quadril. Interrompa o agachamento antes que as coxas fiquem paralelas ao chão. Sem mover o tronco, inspire e flexione um dos cotovelos lateralmente, alinhando-o com o ombro e mantendo o braço em um ângulo de 90°. Expire e desça o braço. Repita com o outro braço, e, em seguida, com os dois braços simultaneamente, sustentando essa posição por 5 a 10 segundos. Coloque os halteres no chão e fique de pé. **Atenção:** Faça o movimento devagar e por etapas, contraindo o abdômen durante todo o exercício. Coloque o peso corporal sobre os calcanhares e não deixe que os joelhos ultrapassem a linha dos pés. [*Avançado*]

POSTURA DA ÁRVORE COM DESENVOLVIMENTO DOS BRAÇOS

Equilibre-se flexionando levemente uma das pernas, apoiando o pé na parte interna da outra coxa. Segure um haltere em cada mão com a palma virada para dentro e flexione os cotovelos, mantendo os pesos um pouco acima dos ombros. Olhe para a frente, inspire e eleve um dos braços ao lado e acima da cabeça. Expire e desça o braço. Repita com o outro braço uma vez e, em seguida, com os dois braços simultaneamente, aproximando os halteres quando estiverem acima da cabeça. Sustente essa posição por 5 a 10 segundos. Abaixe os pesos e repita com a outra perna. **Atenção:** Se você for iniciante, coloque o pé ao lado do tornozelo ou deixe a ponta do pé tocar levemente o chão. Progrida até conseguir flexionar o joelho e posicionar o pé na parte interna da coxa. Mantenha o abdômen contraído durante todo o exercício.

[*Avançado*]

POSTURA DO GUERREIRO II, COM ELEVAÇÃO E FLEXÃO DOS BRAÇOS

Segurando um haltere em cada mão, dê um passo com o pé direito para trás, vire-o para a frente e gire o tronco para a direita, alinhando os quadris e os ombros com o centro do corpo. Alinhe o pé esquerdo com o calcanhar e mantenha a cabeça posicionada nessa direção. Flexione o joelho esquerdo, interrompendo o movimento antes que a coxa fique paralela ao chão. Eleve o braço direito até a altura do ombro, com a palma da mão virada para cima. Mantenha o braço esquerdo na altura do joelho esquerdo, com palma da mão voltada para baixo. Inspire e eleve o haltere do braço esquerdo à frente do tronco até a altura do ombro. Expire e abaixe o haltere. Faça apenas uma vez. Sem mexer o braço esquerdo, inspire e flexione o cotovelo direito em um ângulo de 90º, levando o haltere em direção ao ombro. Expire e conduza o haltere de volta à posição inicial. Faça apenas uma vez. Eleve o braço esquerdo à frente do tronco e flexione o cotovelo direito ao mesmo tempo, sustentando essa posição por 5 a 10 segundos. Retorne à posição inicial e repita com as pernas e os braços opostos. Termine de pé, com os pés juntos. **Atenção:** execute o movimento por etapas controlando a respiração e contraindo o abdômen durante toda a execução do movimento.
[*Avançado*]

POSTURA DO GUERREIRO III COM EXTENSÃO DA PERNA

Segure um haltere em cada mão. Apoie um dos pés no chão com o joelho semiflexionado para manter o equilíbrio. Desça o tronco estendendo e elevando a perna de trás, mantendo o alinhamento com o quadril. Eleve e estenda um dos braços à frente do tronco, com a palma da mão voltada para dentro, alinhando-o com o ombro. Flexione o braço de trás em um ângulo de 90° com a palma da mão virada para o tronco. Inspire e estenda o braço de trás virando a palma da mão na direção do teto. Expire e flexione novamente o braço, aproximando o haltere do tronco. Faça 2 repetições e depois sustente a posição por 5 a 10 segundos. Retorne à posição inicial, abaixando os braços e a perna. Repita o exercício elevando a outra perna e flexionando o outro braço. **Atenção:** Se você é iniciante, apoie o braço da frente no encosto de uma cadeira para ter equilíbrio. Mantenha o abdômen contraído durante toda a execução do movimento.
[*Avançado*]

Movimentos de Pilates

TODOS NÓS SABEMOS QUE, quanto mais velhos ficamos, mais dificuldades temos de nos manter em forma. (Para provar isso: um estudo realizado na Universidade de Vermont com mulheres de 20 a 60 anos revelou que as participantes mais velhas tinham 55% mais gordura no abdômen do que as mais jovens.) Uma das maneiras de enfrentar os efeitos do envelhecimento e dos exageros à mesa é adotar a alimentação e o Programa de Exercícios da Dieta do Abdômen. Os exercícios abdominais que apresentei são um dos componentes que a ajudarão a ficar com a barriga livre de gordura e tonificada, mas você não precisa se limitar a eles. Poderá se beneficiar muito, por exemplo, fazendo uma aula de Pilates, que se concentra em desenvolver e trabalhar todos os músculos do tronco.

Um dos segredos do Pilates é manter o que os especialistas chamam de coluna neutra – isto é, a posição em que os músculos abdominais estão ativos porém não muito contraídos, de modo que possam permitir uma distribuição uniforme da força em todo o tronco. Para encontrar essa posição, localize um ponto cerca de 5cm abaixo do umbigo. Puxe esses músculos para dentro e para cima – mas não com muita força. (Aja como se estivesse tentando vestir uma calça que está um pouco apertada.) Essa é a sensação da coluna neutra – a posição que você deve sustentar em todos os movimentos. Escolha quatro ou cinco desses movimentos como o componente abdominal do Programa de Exercícios da Dieta do Abdômen ou use apenas um ou dois deles em substituição a exercícios do seu circuito regular.

Movimentos de Pilates

PERDIGUEIRO

Deite-se de bruços em um tapete ou carpete. Apoie inteiramente as coxas e estenda os braços à frente do tronco, mantendo-os afastados na largura dos ombros e com a palma das mãos voltada para baixo. Pressione o quadril em direção ao chão enquanto contrai o abdômen em direção à coluna. Olhe para o chão e mantenha a coluna cervical alinhada. Inspire e eleve um dos braços sem retirar o tronco do chão enquanto ergue a perna oposta ao braço. Realize esse movimento simultâneo de pernas e braços opostos alternando os lados. Inspire e expire enquanto executa 10 repetições de cada lado. **Atenção:** Faça o movimento lentamente com uma respiração suave sem inclinar demais o tronco e a cabeça para trás. Mantenha a ponta dos dedos estendida e não movimente o quadril para os lados.

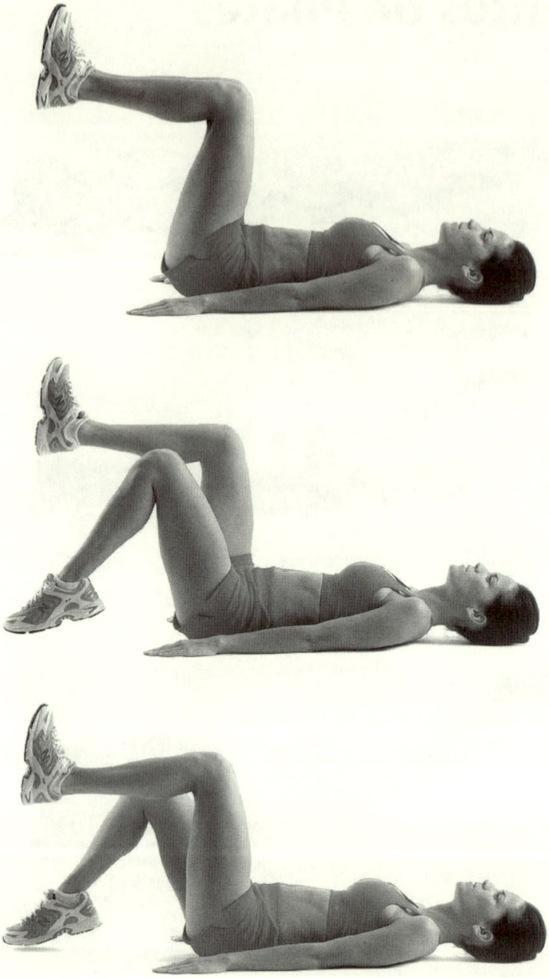

FLEXÃO DOS JOELHOS ALTERNANDO OS PÉS

Deite-se com as costas apoiadas no chão, eleve as pernas flexionando-as em um ângulo de 90°. Estenda os braços ao lado do tronco com a palma das mãos voltada para o chão. Olhe para o teto e mantenha a coluna cervical alinhada. Contraia o abdômen, inspire e desça uma das pernas contando até dois, sem deixar que a ponta do pé toque no chão. Expire e leve a perna de volta à posição inicial contando até dois. Repita com a outra perna. Faça 12 repetições alternadas. **Atenção:** Mantenha o abdômen contraído durante todo o exercício e não permita que a coluna lombar saia do chão quando alternar as pernas.

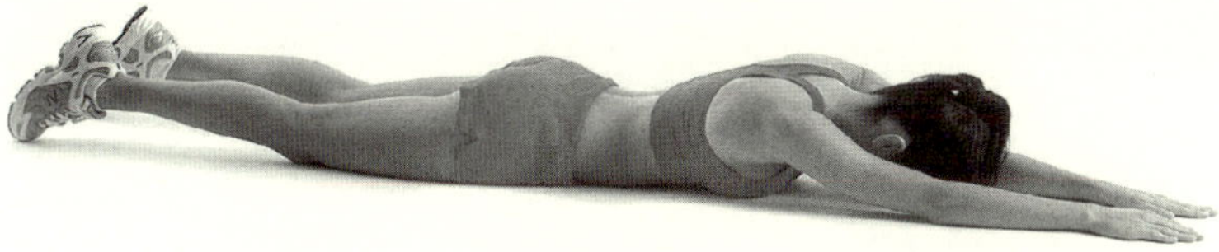

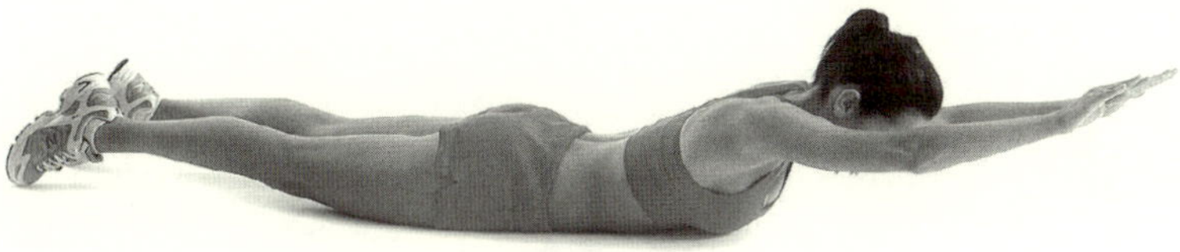

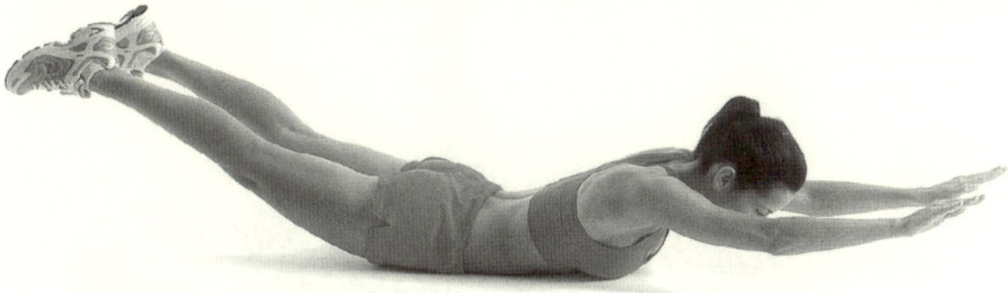

EXTENSÃO DO TRONCO E DAS PERNAS

Deite-se de bruços em um tapete ou colchonete. Apoie inteiramente as coxas e estenda os braços à frente do tronco, mantendo-os afastados na largura dos ombros e com a palma das mãos voltada para baixo. Pressione o quadril em direção ao chão enquanto contrai o abdômen em direção à coluna. Olhe para o chão e mantenha a coluna cervical alinhada. Inspire elevando o tronco e a cabeça. Depois, eleve as pernas. Faça uma pausa, desça o tronco e, em seguida, as pernas. Execute 10 repetições. **Atenção:** Não deixe que o abdômen saia do chão durante a elevação do tronco. Faça o movimento devagar e sem inclinar demasiadamente o tronco e a cabeça para trás. Mantenha a ponta dos dedos estendida e não balanceie o corpo.

EXTENSÃO E ROTAÇÃO DA PERNA

Deite-se com as costas apoiadas no chão, eleve e estenda totalmente uma das pernas, posicionando a ponta do pé na direção do teto. Pressionando a coxa da outra perna contra o chão, estenda os braços ao lado do tronco com a palma das mãos virada para o chão. Sustente essa posição por 10 a 60 segundos. Faça um pequeno círculo no ar com o pé, movendo a perna desde o quadril. Inspire quando der início ao movimento e expire ao terminar. Faça 6 círculos, mude a direção e faça mais 6. Repita com a outra perna. **Atenção:** Mantenha o corpo o mais estático possível, sem balançar, e contraia o abdômen durante todo o exercício.

ABDOMINAL COM ROTAÇÃO DO TRONCO

Deite-se com as costas apoiadas no chão e eleve as pernas, flexionando-as em um ângulo de 90°. Flexione os braços, mantendo os cotovelos abertos e posicionando as mãos ao lado da cabeça. Olhe para o teto e erga a cabeça, o pescoço e os ombros, tirando-os do chão. Enquanto inspira, faça a rotação do tronco aproximando um dos cotovelos do joelho oposto estendendo suavemente a outra perna em direção ao teto em uma linha diagonal a partir do quadril. Expire e execute a rotação para o outro lado. A rotação completa equivale a 1 repetição. Faça 6 repetições. **Atenção:** Não incline a cabeça para trás. Mantenha a coluna lombar apoiada no chão durante todo o exercício sem estender demasiadamente os joelhos na diagonal. Não deixe que os cotovelos encostem no chão durante a rotação.

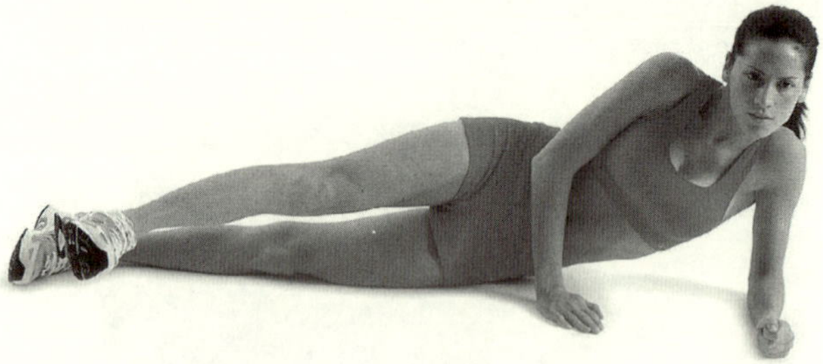

EXTENSÃO DA PERNA EM DECÚBITO LATERAL

Deite-se de lado com as pernas estendidas e alinhadas. Eleve o tronco apoiando um dos cotovelos no chão, mantendo-o na direção do ombro. Apoie a outra mão levemente na frente do tronco para obter equilíbrio. Eleve a perna de cima até a altura do quadril, flexionando e contraindo a ponta do pé. Expire enquanto move a perna de cima para a frente sem deixar que o tronco se incline para trás. Inspire, estenda a ponta do pé e leve a perna para trás passando-a por cima da outra perna sem projetar o tronco à frente. Esse movimento equivale a 1 repetição. Faça 6 repetições sem descer a perna. Repita com a outra perna. **Atenção:** Não sobrecarregue o ombro de apoio com o peso corporal. Não incline nem movimente o outro ombro.

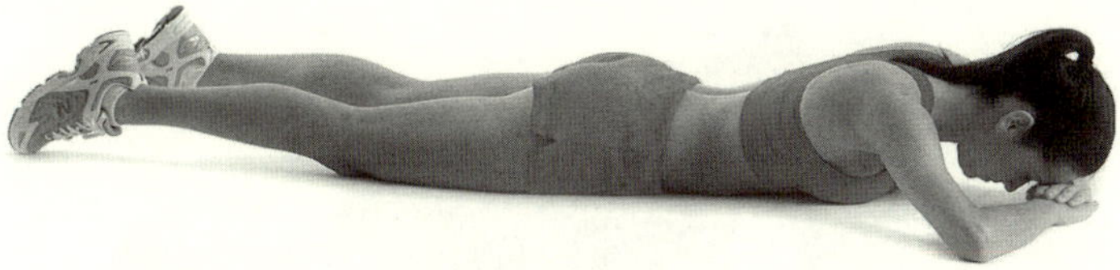

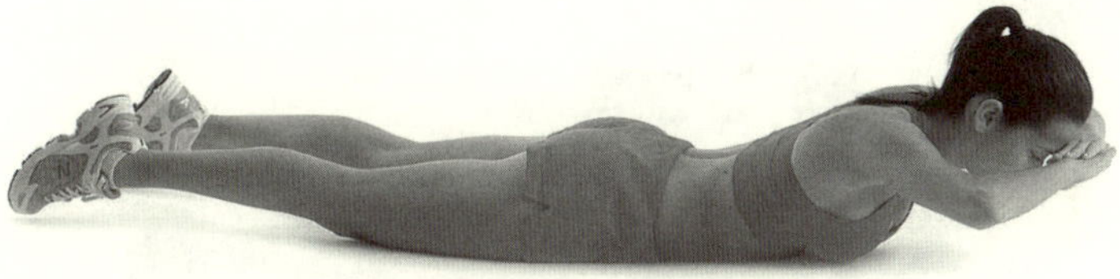

EXTENSÃO DO TRONCO COM ROTAÇÃO E BRAÇOS FLEXIONADOS

Deite-se de bruços com o tronco apoiado em um tapete ou colchonete. Mantenha as coxas inteiramente estendidas e os pés afastados na largura dos quadris. Flexione os braços, alinhando os cotovelos com os ombros. Encoste a testa nas mãos, deixando as palmas viradas para o chão. Pressione o quadril na direção do chão e contraia o abdômen em direção à coluna. Olhe para o chão e mantenha a coluna cervical alinhada. Inspire elevando somente a parte superior do tronco. Faça a rotação para um lado, volte ao centro e depois desça expirando. Repita o movimento para o outro lado e continue alternando até executar 6 rotações de cada lado. **Atenção:** Não incline a cabeça para trás. Mantenha o abdômen contraído e não estenda demasiadamente a coluna lombar.

ELEVAÇÃO DO QUADRIL COM EXTENSÃO DA PERNA

Deite-se com as costas apoiadas no chão. Mantenha os pés paralelos e afastados na largura dos quadris. Posicione os calcanhares próximo aos glúteos. Estenda os braços ao lado do tronco com a palma das mãos voltada para o chão. Contraia os glúteos e o abdômen elevando os quadris lentamente até que o corpo forme uma linha reta dos ombros até os joelhos. Empurre os ombros para o chão mantendo os quadris nivelados à medida que estende uma das pernas à frente, alinhando a coxa com o joelho da outra perna. Faça uma pausa, abaixe a perna devagar e repita com a outra perna. Em seguida, desça o corpo sentindo cada vértebra tocar o chão. Repita 10 vezes.

Anime-se!

Às vezes, o corpo precisa do ritmo lento e tranquilizante da ioga e do Pilates. No entanto, quando estamos nos sentindo especialmente preguiçosos e lentos, é hora de recarregar as baterias com uma boa dose de disposição que nos empurre para a frente até o fim do dia. Obtenha energia realizando movimentos de alta intensidade durante cinco minutos – eles queimarão calorias, farão o sangue fluir mais rápido, alongarão os músculos e deixarão sua mente pronta para lidar com crianças, clientes e clientes que agem como crianças.

Dê saltitos. Dê um passo para a frente com o pé esquerdo e, assim que pisar no chão, saltite flexionando o joelho direito à frente. Abaixe o pé direito e agora pule flexionando o joelho esquerdo. Faça por dois minutos.

Marche. Marche sem sair do lugar o mais rápido possível, deixando que os braços balancem naturalmente. Pratique por 30 segundos.

Pule corda. Execute esse exercício por 30 segundos, pisando suavemente na ponta dos pés. Não tem corda? Imite o movimento sem usar a corda.

Pule em uma perna só. Fique de pé em uma perna só, mãos nos quadris. Pule reto, tocando o chão suavemente com o joelho flexionado. Faça por 15 segundos em cada perna.

O PLANO DE MANUTENÇÃO DA DIETA DO ABDÔMEN

VOCÊ ALCANÇOU SEU OBJETIVO, e isso é um motivo para comemorar. Mas não lhe dá permissão para voltar a tomar aquele café da manhã em que devorava tudo e mais alguma coisa. No entanto, agora tem uma certa folga. Desenvolveu o corpo para queimar gordura e transformá-la em músculos. Com essa base que adquiriu, está naquele ponto em que o organismo trabalha muito em seu benefício. Veja a seguir orientações fundamentais para manter o corpo que você construiu.

ASSUNTO	ORIENTAÇÕES
Princípios básicos da dieta	Você se ajustou e pode continuar a fazer seis refeições por dia, priorizando os Alimentos Poderosos e os superingredientes, como proteína, fibras e carboidratos de grãos integrais. Continue a tomar "vitaminas" regularmente e enriqueça cada lanche com uma fonte de proteína.
Quebra da dieta	Em vez de sair da dieta apenas em uma refeição, você pode fazer isso durante um dia inteiro, comendo qualquer coisa que deseje. Limite-se, porém, a um único dia em vez de realizar várias refeições livres por mais dias. Isso aumentará a probabilidade de que você se mantenha concentrada em hábitos alimentares saudáveis.
Programa de Exercícios	Agora você está na fase de manutenção. Continue com o Programa se quiser ou reduza as atividades físicas ao seguinte esquema: um ou dois dias por semana de treinamento de força e um dia por semana de treino intervalado. Pesquisas revelam que é possível manter os músculos com apenas uma sessão semanal de exercícios.
Exercícios abdominais	Faça um circuito de exercícios abdominais antes do treinamento de força. Passe para os exercícios avançados – agora que os músculos do seu abdômen estão à vista, você vai querer aumentar a intensidade do treino. Ainda assim, para o desenvolvimento máximo desses músculos, não os exercite mais do que dois ou três dias por semana.

VALORES NUTRICIONAIS DE ALGUNS ALIMENTOS

A TENDÊNCIA DAS DIETAS POBRES em carboidratos levou um imenso número de pessoas a ingerir grande quantidade de gordura e proteína. Não são poucas as que apresentam deficiência dos valiosos micronutrientes encontrados em grãos integrais, frutas, hortaliças e outros alimentos que são proibidos em regimes alimentares desse tipo.

Pode parecer mais fácil assegurar a ingestão da quantidade diária adequada de nutrientes tomando um polivitamínico do que seguir uma dieta balanceada. Mas esses produtos apresentam dois problemas. Em primeiro lugar, os polivitamínicos não contêm fibras. Portanto, se tudo o que você faz para se garantir é tomar essas pílulas, esse nutriente essencial fica fora da sua alimentação. Em segundo lugar, os alimentos têm um grande número de componentes fundamentais além das vitaminas C e E, e a importância de muitos desses elementos, chamados substâncias fitoquímicas, só agora começa a ser compreendida. "Numa dieta balanceada há milhares de antioxidantes. Sob a forma de pílulas, a pessoa ingere apenas uma pequena parcela deles", diz Edgar Miller, médico, Ph.D., da Universidade Johns Hopkins, em Baltimore.

Para verificar até que ponto sua dieta é completa em termos nutricionais, consulte a tabela a seguir, que apresenta o conteúdo de vitaminas e minerais de diversos alimentos. Calcule quanto você ingere de cada uma dessas substâncias. Se ela estiver aquém da Dose Diária Recomendada (DDR), não se preocupe. Basta consumir mais alimentos que tenham grande quantidade das vitaminas e dos minerais que estão faltando e tomar um suplemento polivitamínico diariamente.

	VITAMINA A (MCG)	VITAMINA B_1 (TIAMINA) (MG)	VITAMINA B_6 (MG)	ÁCIDO FÓLICO (MCG)	VITAMINA C (MG)
DDR PARA MULHERES	700	1,1	1,3	400	75
Abacate (1 unidade)	122	0,20	0,60	124	16
Aipo, em tiras (1 xícara)	55	0,03	0,10	45	4
Alcachofra (1 unidade média)	0	0,10	0,15	87	15
Alface-americana (1 xícara)	8	0,02	0,03	31	2
Alface-romana (1/2 xícara)	81	0,02	0,02	38	7
Alho (1 dente)	0	0	0,04	0,09	0,90
Ameixa (1 unidade)	21	0,03	0,05	1,45	6
Amêndoa (28g)	0	0,05	0,03	11	0
Amendoim (28g)	0	0,12	0,07	41	0
Anéis de cebola empanados (10 unidades médias)	0,98	0,10	0,07	64	0,68
Arroz branco (1 xícara)	0	0,03	0,15	5	0
Arroz integral (1 xícara)	0	0,20	0,30	8	0
Aspargo (1 unidade média)	12	0,02	0,01	8	1
Azeitona (1 colher de sopa)	1,70	0	0	0	0
Bacon (3 fatias)	0	0,08	0,07	0,40	0
Bala, não de chocolate (1 pacote)	0	0	0	0	0
Banana (1 unidade média)	7	0,04	0,40	24	10
Barra de granola (1 unidade)	2	0,06	0,02	6	0,22
Batata frita (10 unidades)	0	0,07	0,16	8	6
Batata-doce (1 unidade)	350	0,09	0,25	9	19
Berinjela (1 xícara)	4	0,08	0,09	14	1
Beterraba (1/2 xícara)	3	0,02	0,05	74	3
Bife (diferentes cortes)	0	0,10	0,30	6	0
Biscoito, Cookies com gotas de chocolate (1 unidade)	0,04	0,01	0,01	0,90	0
Bolacha (12 unidades)	0	0,17	0	0	0
Bolo com glacê (1 fatia)	10	0,01	0,02	7	0,04
Bolo de carne (1 fatia)	20	0,10	0,14	12	0,62
Cachorro-quente, fast-food (1 unidade)	0	0,44	0,09	85	0,09

VITAMINA E (MG)	CÁLCIO (MG)	MAGNÉSIO (MG)	POTÁSSIO (MG)	SELÊNIO (MCG)	ZINCO (MG)	CALORIAS
15	1.000	320	4.700	55	8	
3	22	78	1.204	0,80	0,84	250
0,33	50	14	322	0,50	0,16	17
0,24	56	77	474	0,26	0,60	25
0,02	11	4	84	0,28	0,10	8
0,04	9	4	69	0,10	0,06	5
0	5	0,75	12	0,40	0	4
0	3	5	114	0,30	0,07	40
6	71	86	180	0	1	170
2	15	50	186	2	1	165
0,39	86	19	152	3	0,41	370
0,06	16	19	55	12	0,80	205
0,06	20	84	84	19	1	216
0,18	4	2	32	0,37	0,10	5
0,14	7	0,30	0,67	0,08	0	10
0,06	2	6	107	12	0,70	110
0	0	0	0	0	0	230
0,12	6	32	422	1	0,20	110
0,32	15	24	82	4	0,50	117
0,12	4	11	211	0,20	0,20	100
1,42	41	27	348	0,30	0,30	103
0,40	6	11	122	0,10	0,12	35
0,03	11	16	221	0,50	0,24	29
0,11	4	19	250	12	3,26	217
0,26	2,50	3	14	0	0,06	63
0	28	12	48	2,40	0,20	155
0	18	14	84	1,40	0,30	239
0,10	43	22	295	0	4	231
0,10	108	27	190	29	2	242

	VITAMINA A (MCG)	VITAMINA B_1 (TIAMINA) (MG)	VITAMINA B_6 (MG)	ÁCIDO FÓLICO (MCG)	VITAMINA C (MG)
Café (1 xícara)	0	0	0	5	0
Camarão (4 unidades grandes)	0	0,01	0,03	0,77	0,48
Carne de porco (85g)	0	0,80	0,30	3	0
Carne moída magra (85g)	0	0,06	0,24	7	0
Cenoura (1 unidade)	734	0,04	0,08	12	4
Cereal, grão integral, com passas (1/2 xícara)	3	0,16	0,10	22	0,55
Cereja natural (1 xícara)	30	0,07	0,05	5,80	10
Cerveja (340ml)	0	0,02	0,18	21	0
Champignon, fatiado (1 xícara)	0	0,09	0,10	12	2
Chili com feijão (1 xícara)	87	0,12	0,30	59	4
Chocolate (42g)	20	0,05	0,01	5	0
Chucrute (1 xícara)	1,42	0,03	0,18	34	21
Costeleta de porco magra (85g)	1,91	0,26	0,22	3	0
Couve (1 xícara)	955	0,07	0,11	18	33
Couve-de-bruxelas (1/2 xícara)	60	0,08	0,14	47	48
Couve-flor (1 xícara)	2	0,06	0,22	57	46
Damasco (1 unidade)	67	0,01	0,02	3	3,50
Doces folhados (1 unidade)	148	0,20	0,20	15	0
Doughnut (1 unidade)	17	0,10	0,03	24	0,09
Espaguete com almôndegas (1 1/2 xícara)	46	0,38	0,43	101	24
Espinafre (1 xícara)	140	0,02	0,06	58	8
Farelo de trigo (1 xícara)	0	0,14	0,35	14	0
Farinha de aveia (1 xícara)	0,12	0,12	0,10	13	0
Feijão-branco grande, cozido (1 xícara)	0	0,20	0,17	145	0
Feijão-branco pequeno, cozido (1 xícara)	0,36	0,40	0,30	255	1,64
Feijão-carioquinha, cozido (1 xícara)	0	0,17	0,16	294	1,37
Feijão-de-lima, cozido (1/2 xícara)	32	0,12	0,16	22	9

VITAMINA E (MG)	CÁLCIO (MG)	MAGNÉSIO (MG)	POTÁSSIO (MG)	SELÊNIO (MCG)	ZINCO (MG)	CALORIAS
0,05	2	5	114	0	0,02	2
0	9	7	40	9	0,30	22
0,20	6	15	253	14	2	191
0,15	7	19	265	0	4	185
0,40	20	7	195	0,06	0,15	35
0,40	33	70	207	10	1	195
0,20	21	16	325	0,90	0,09	90
0	18	21	89	2,50	0,04	153
0,10	5	10	355	8	0,70	15
1,46	120	115	934	3	5	220
0,83	78	26	153	2	0,83	230
0,14	43	18	241	0,90	0,30	45
0,20	30	15	204	24	3	338
1	180	23	417	1,17	0,23	39
0,34	28	16	247	1,17	0,26	28
0,08	22	15	303	0,60	0,30	25
0,30	5	3,50	90	0,03	0,07	20
0,90	17	12	57	6,30	0,30	204
0,90	21	9	60	4	0,30	230
4	138	66	718	39	5	545
0,60	30	24	167	0,30	0,16	10
0,54	26	220	426	28	3	120
0,26	19	51	175	0	1,43	150
1,74	161	113	1.004	2,30	2,50	249
0,73	127	107	670	11	1,90	255
1,61	72	70	495	19	1,70	245
0,12	27	63	485	1,70	0,70	229

	VITAMINA A (MCG)	VITAMINA B_1 (TIAMINA) (MG)	VITAMINA B_6 (MG)	ÁCIDO FÓLICO (MCG)	VITAMINA C (MG)
Feijão-mulatinho, cozido (1 xícara)	0	0,28	0,21	230	2
Feijão-preto, cozido (1 xícara)	1	0,40	0,12	256	0
Fígado, bife (85g)	8.042	0,16	0,86	215	1,62
Framboesa (10 unidades)	0,38	0,01	0,01	4	5
Frango, sem pele (1/2 peito)	4	0,04	0,32	2	0,71
Frutas secas (28g)	208	0,01	0,05	1,1	1
Geleia e conservas (1 colher de sopa)	0,20	0	0	2	2
Germe de trigo (1/4 de xícara)	0	0,20	0,40	81	0
Grão-de-bico, cozido (1 xícara)	4	0,19	0,22	282	2
Hambúrguer, fast-food, com temperos e hortaliças (1 unidade)	4	0,30	0,12	52	2
Iogurte desnatado (220g)	2	0,10	0,09	24	1,70
Ketchup (1 colher de sopa)	7	0	0,02	2	2
Kiwi (1 unidade média)	3	0,02	0,07	19	70
Lasanha de carne (200g)	61	0,19	0,20	16	12
Leite de soja (1 xícara)	0	0,15	0,16	40	0
Leite desnatado (1 xícara)	5	0,10	0,10	12	2
Lentilha (1 colher de sopa)	4,75	0,33	0,35	358	0,22
Lombinho canadense (2 fatias)	0	0,40	0,20	2	0
Maçã (1 unidade média)	8	0,02	0,06	4	6
Macarrão com queijo (225g)	48	0,25	0	0	0
Manteiga de amendoim (2 colheres de sopa)	0	0,03	0,15	24	0
Mariscos, fritos (3/4 de xícara)	101	0,11	0,07	41	11,25
Massa com molho de tomate (130g)	0	0,13	0,10	4	6
Melancia (1 fatia)	104	0,20	0,40	6	31
Melão (1 xícara)	5	0,07	0,16	34	32
Melão-cantalupo (1 fatia média)	345	0,04	0,07	21	37

VITAMINA E (MG)	CÁLCIO (MG)	MAGNÉSIO (MG)	POTÁSSIO (MG)	SELÊNIO (MCG)	ZINCO (MG)	CALORIAS
0,05	62	74	717	2	1,80	260
0,14	46	120	610	2	1,90	240
0,43	5	18	300	31	4,50	162
0,17	5	4	28	0,04	0,08	10
0,08	6,50	16	150	11	0,50	130
0,31	11,82	11,13	226	0	0,14	69
0	4	0,80	15	0,40	0	56
0	27	275	166	91	14	104
0,60	80	79	477	6	2,50	269
0,42	126	23	251	20	2	512
0	415	37	497	11	1,88	193
0,20	3	3	57	0,04	0	15
1	26	13	237	0,15	0,10	50
0,94	220	41	372	28	3	318
0	80	60	440	3	0,90	100
0,10	301	27	406	5	1	83
2,97	37	71	731	5,54	2,51	230
0,16	5	10	181	11	0,80	137
0,25	8	7	148	0	0,06	80
0	102	0	111	0	0	415
0	12	51	214	2	1	190
0	71	16	366	33	1,60	560
1,40	41	13	207	11	0,66	216
0,40	41	31	479	0,30	0,20	86
0,04	11	18	403	1,24	0,16	61
0,05	9	12	272	0,40	0,18	24

	VITAMINA A (MCG)	VITAMINA B_1 (TIAMINA) (MG)	VITAMINA B_6 (MG)	ÁCIDO FÓLICO (MCG)	VITAMIN C (MG)
Milho (1 xícara)	0,26	0,06	0,16	115	12
Molho de salada italiano, light (1 colher de sopa)	0	0	0	0	0
Molho salsa (1/2 xícara)	44	0,05	0,16	21	18
Morango (1 xícara)	1,66	0,03	0,09	40	97
Muffin, trigo integral (1 unidade)	0,09	0,25	0,05	36	0
Nectarina (1 unidade)	23	0,05	0,03	7	7
Noz (1 xícara)	37	0,27	0,70	82	4
Ostra (1 unidade média)	4,20	0,01	0,01	1,40	0,52
Ovo, inteiro (1 unidade grande)	84	0,03	0,06	22	0
Panqueca (2 unidades)	7,60	0,16	0,07	28	0,15
Pão branco (1 fatia)	0	0,11	0,02	28	0
Pão de centeio (1 fatia)	0,26	0,14	0,02	35	0,13
Pão integral (1 fatia)	0	0,11	0,10	30	0,08
Pão doce com canela (1 unidade)	0	0,12	0	17	0,06
Passa (42g)	0	0,05	0,08	1,28	2,30
Peixe, branco (1 filé)	60	0,26	0,50	26	0
Pepino com casca (1/2 xícara)	10	0,01	0,02	7	2,76
Pera (1 unidade média)	1,60	0,02	0,05	12	7
Peru, sem pele (1/2 peito)	0	0,16	2,26	31	0
Pêssego (1 unidade média)	16	0,02	0,02	4	6
Pimenta comum (10 tiras)	78	0,04	0,13	13	70
Pimenta chili, crua (1/2 unidade)	21,6	0,03	0,23	10,35	65
Pipoca (1 xícara)	0,80	0,02	0,02	2	0
Pizza, hortaliças (1 fatia)	58	0,40	0,50	116	79
Pizza, queijo (1 fatia)	74	0,20	0,04	35	1
Presunto (1 fatia)	0	0,20	0,10	1	0
Pretzel (10 unidades)	0	0,30	0,07	103	0
Purê de batata (1 xícara)	8,40	0,20	0,50	17	13
Queijo cheddar (1 fatia)	75	0,01	0,02	5	0

VITAMINA E (MG)	CÁLCIO (MG)	MAGNÉSIO (MG)	POTÁSSIO (MG)	SELÊNIO (MCG)	ZINCO (MG)	CALORIAS
0,15	8	44	343	1,54	1,36	120
0	0	0	2	0,20	0	26
1,53	39	17	275	0,50	0,30	41
0,50	27	22	253	1	0,20	46
0,26	101	21	106	17	0,61	134
1	8	12	273	0	0,23	70
0	73	253	655	21	4,28	654
0,12	6	7	22	9	13	41
0,50	25	5	63	15	0,50	74
0,65	96	15	133	10	0,30	173
0,06	38	6	25	4,30	0,20	67
0,11	23	13	53	10	0,36	83
0,09	24	14	53	8	0,30	65
0,48	10	3,60	19	5	0,10	418
0,30	12	13	350	0,26	0,08	127
0,39	51	65	625	25	2	168
0	7	6	75	0	0,10	8
0,20	15	12	198	0,17	0,17	100
0,30	39	109	1.142	95	5	413
0,70	6	9	186	0,10	0,17	70
0,36	7	6,46	105	0	0	5
0,30	6	10	145	0,20	0,12	2
0	1	11	24	0,80	0,30	31
2	189	65	548	23	2	170
0	117	16	113	13	1	272
0,10	2	5	94	6	0,50	30
0,21	22	21	88	3	0,50	229
0,04	46	38	621	2	0,60	201
0,08	204	8	28	4	0,90	114

	VITAMINA A (MCG)	VITAMINA B_1 (TIAMINA) (MG)	VITAMINA B_6 (MG)	ÁCIDO FÓLICO (MCG)	VITAMINA C (MG)
Queijo cottage, light (1 xícara)	25	0,05	0,15	27	0
Refrigerante (340g)	0	0	0	0	0
Repolho (1 xícara, cozido)	1.542	0,08	0,24	177	35
Requeijão (1 colher de sopa)	53	0	0	2	0
Ricota (1/2 xícara)	132	0,03	0,02	16	0
Salada de atum (1 xícara)	49	0,06	0,17	16	5
Salada de batata (1 xícara)	2,93	0,20	0,40	19	19
Salada verde sem molho (1 1/2 xícara)	146	0,40	0,40	101	16
Salame (3 fatias)	0	0,10	0,08	0,34	0
Salmão (85g)	9,84	0,20	0,71	22	0
Salsicha (1 unidade)	0	0,05	0,01	0,26	0
Sanduíche, fast-food (bacon, ovo e queijo)	0	0,53	0,16	73	2
Semente de girassol (1 xícara)	5	0	0,28	82	0,50
Soja, cozida (1 xícara)	14	0,47	0,10	200	31
Sopa de tomate (1 xícara)	29,28	0,09	0,11	15	66
Sopa, creme de galinha (1 xícara)	179	0,07	0,07	7	1,24
Sorvete (1 porção)	6	0,03	0,04	11	0,46
Suco de hortaliças (1 xícara)	188	0,10	0,30	51	67
Suco de uva (1 xícara)	1	0,07	0,16	8	0,25
Sucos de frutas cítricas e sucos concentrados congelados (340g)	7	0,17	0,30	31	324
Tofu (1/2 xícara)	4,96	0,10	0,06	19	0
Tomate (1 unidade média)	26	0,02	0,05	9	8
Torta de frango (1 porção)	256	0,30	0,20	41	2
Torta de maçã (1 pedaço)	37	0,03	0,04	32	4
Vinho branco (1 taça)	0	0	0,01	0	0
Vinho tinto (1 taça)	0	0	0,03	2	0
Whey, proteína em pó do soro do leite (2 colheres de sopa)	0	0	0	0	0

VITAMINA E (MG)	CÁLCIO (MG)	MAGNÉSIO (MG)	POTÁSSIO (MG)	SELÊNIO (MCG)	ZINCO (MG)	CALORIAS
0,02	138	11	194	20	0,86	180
0	10	3	3	0,34	0	154
1,67	266	38	220	1	0,50	61
0,04	12	1	17	0,40	0,10	51
0,09	337	19	155	21	1,70	171
2	35	39	365	84	1	383
0,14	14	36	551	10	0,60	358
0	235	49	401	37	3	267
0,05	1,34	2,86	63	4	0,54	150
0,95	11	28	475	35	0,60	175
0,03	1,30	1,56	25	1,87	0,24	125
0,60	160	25	211	36	2	441
12	42	127	248	21,42	1,82	205
0,02	261	108	970	3	1,64	298
2	12	7	263	0,50	0,24	180
0,25	181	17	272	8	0,67	225
0	72	19	164	1,65	0,40	133
12	26	27	467	1	0,50	50
0	23	25	334	0,25	0,13	154
0,24	85	68	1.336	1	0,41	186
0,01	434	37	150	11	1	75
0,33	6	7	146	0	0,11	35
4	33	24	256	0,70	1	484
1,78	13	8	76	1	0,20	296
0	9	10	80	0,20	0,07	86
0	8	13	111	0,20	0,10	88
0	0	0	260	0	0	21

CARGA GLICÊMICA DE ALGUNS ALIMENTOS

Alimento	Carga glicêmica
Amendoim	1
Iogurte light, adoçado artificialmente	2
Cenoura	3
Grapefruit	3
Ervilha	3
Leite desnatado	4
Pera	4
Melancia	4
Beterraba	5
Laranja	5
Pêssego	5
Ameixa	5
Maçã	6
Kiwi	6
Sopa de tomate	6
Feijão cozido	7
Grão-de-bico, em lata	7
Uva	7
Abacaxi	7
Pão de trigo integral	7
Pipoca	8
Leite de soja	8
All-Bran (cereal matinal)	9
Pão de hambúrguer	9
Feijão-mulatinho, em lata	9
Sopa de lentilha	9
Biscoito de aveia	9
Milho na espiga	9
Pão de centeio	10
Tortellini de queijo	10
Waffle congelado	10
Mel	10
Feijão-de-lima, congelado	10
Iogurte desnatado, adoçado com açúcar	10
Feijão-carioquinha	10
Pão branco	10
Suco de laranja	12
Cereal em flocos	13
Aveia	13
Bolacha integral	14
Biscoito Wafer	14
Pão francês	15
Purê de batata	15
Pizza de queijo	16
Espaguete integral	16
Sopa de feijão-preto	17
Chips de milho	17
Doughnut	17
Aveia instantânea	17
Bolinho de arroz	17
Batata-doce	17
Arroz integral	18
Fettuccine	18
Pão-de-ló	19
Cornflakes	21
Batata frita	22
Jujuba	22
Cuscuz	23
Linguine	23
Arroz de grãos longos	23
Arroz branco	23
Batata assada	26
Espaguete	27
Passa	28
Arroz instantâneo	36

CONHEÇA OS 30 CLÁSSICOS DA EDITORA SEXTANTE

1.000 lugares para conhecer antes de morrer, de Patricia Schultz

1001 discos para ouvir antes de morrer, de Robert Dimery

1001 filmes para ver antes de morrer, de Steven Jay Schneider

A cabana, de William P. Young

A última grande lição e *As cinco pessoas que você encontra no céu*, de Mitch Albom

A vida é bela, de Dominique Glocheux

Conversando com os espíritos, de James Van Praagh

Enquanto o amor não vem, de Iyanla Vanzant

Faça o que tem de ser feito, de Bob Nelson

Jesus, o maior psicólogo que já existiu, de Mark W. Baker

Mantenha o seu cérebro vivo, de Laurence Katz e Manning Rubin

Muitas vidas, muitos mestres, de Brian Weiss

Não leve a vida tão a sério, de Hugh Prather

O Código Da Vinci e *Anjos e Demônios*, de Dan Brown

O monge e o executivo e *Como se tornar um líder servidor*, de James C. Hunter

O ócio criativo, de Domenico De Masi

O poder da paciência, de M. J. Ryan

O Poder do Agora, de Eckhart Tolle

O que toda mulher inteligente deve saber, de Steven Carter e Julia Sokol

Os segredos da mente milionária, de Harv T. Ecker

Palavras de sabedoria, de Sua Santidade, o Dalai-Lama

Por que os homens fazem sexo e as mulheres fazem amor?, de Allan e Barbara Pease

Transformando suor em ouro, de Bernardinho

Você é insubstituível, *Dez leis para ser feliz*, *Nunca desista de seus sonhos* e *Pais brilhantes, professores fascinantes*, de Augusto Cury

Informações sobre os próximos lançamentos

Para receber informações sobre os lançamentos da Editora Sextante, basta cadastrar-se diretamente no site www.sextante.com.br

Para saber mais sobre nossos títulos e autores, e enviar seus comentários sobre este livro, visite o nosso site www.sextante.com.br ou mande um e-mail para atendimento@esextante.com.br

Editora Sextante
Rua Voluntários da Pátria, 45 / 1.404 – Botafogo
Rio de Janeiro – RJ – 22270-000 – Brasil
Telefone: (21) 2286-9944 – Fax: (21) 2286-9244
E-mail: atendimento@esextante.com.br